JULIE
GRENIER

La vie
AU pas
DE
course

Libre Expression
Une société de Québecor Média

Catalogage avant publication de Bibliothèque et Archives nationales du Québec et Bibliothèque et Archives Canada

Grenier, Julie, 1975-
    La vie au pas de course
    ISBN 978-2-7648-1031-6
    I. Titre.

PS8613.R458V53 2015   C843'.6   C2014-942410-8
PS9613.R458V53 2015

Édition : Marie-Eve Gélinas
Révision linguistique et correction d'épreuves : Marie Pigeon Labrecque, Gervaise Delmas
Couverture et grille graphique intérieure : Axel Pérez de León
Mise en pages : Annie Courtemanche
Photo de l'auteure : Sarah Scott

Remerciements
Nous reconnaissons l'aide financière du gouvernement du Canada par l'entremise du Fonds du livre du Canada pour nos activités d'édition.
Nous remercions le Conseil des Arts du Canada et la Société de développement des entreprises culturelles du Québec (SODEC) du soutien accordé à notre programme de publication.
Gouvernement du Québec – Programme de crédit d'impôt pour l'édition de livres – gestion SODEC.

Les Éditions Libre Expression
Groupe Librex inc.
Une société de Québecor Média
La Tourelle
1055, boul. René-Lévesque Est
Bureau 300
Montréal (Québec) H2L 4S5
Tél. : 514 849-5259
Téléc. : 514 849-1388
www.edlibreexpression.com

Dépôt légal – Bibliothèque et Archives nationales du Québec et Bibliothèque et Archives Canada, 2015

ISBN : 978-2-7648-1031-6

Distribution au Canada
Messageries ADP inc.
2315, rue de la Province
Longueuil (Québec) J4G 1G4
Tél. : 450 640-1234
Sans frais : 1 800 771-3022
www.messageries-adp.com

Diffusion hors Canada
Interforum
Immeuble Paryseine
3, allée de la Seine
F-94854 Ivry-sur-Seine Cedex
Tél. : 33 (0)1 49 59 10 10
www.interforum.fr

À mon chum et mes filles, les amours de ma vie.
À mon petit monde bien-aimé aussi.
Ils se reconnaîtront.
Je vous aime. Au pas de course.

1

Bonheurs tranquilles

Ça fait un moment que je les regarde jacasser et rigoler sans dire un mot, ce qui relève de l'exploit dans mon cas. Elles sont carrément étourdissantes à piailler joyeusement entre deux gorgées, mais je suis prise d'un grand élan de tendresse pour elles.

Notre amitié date du secondaire; donc, au bas mot, ça fait plus de vingt ans que nous venons en un savoureux quatre-*pack* de brunes. Faut le faire, quand même! Je n'en connais pas tant que ça, moi, des gangs de filles qui durent à travers les études, les amours, la famille, les enfants, alouette! Le passage chaotique d'adolescentes rebelles et ingrates à adultes majeures et vaccinées n'a pas toujours été de tout repos, mais nous nous en sommes plutôt bien sorties en fin de compte.

Au bout de la table, Roxane tente de nous expliquer pourquoi elle est aussi «cocktail». Elle nous fait la démonstration approximative, avec ses grands yeux de biche, que sa coupe ne contient rien de moins qu'une bouteille de vin. Elle a raison mais se trouve passablement plus intéressante qu'elle ne l'est en réalité. Sans compter que ça fait au moins dix fois que nous couvrons ce sujet, sauf qu'après quelques chaudières de vin, c'est le genre de détail qui s'oublie facilement. Par solidarité féminine, nous la laissons radoter en nous disant qu'elle va avoir toute sa journée demain pour récupérer.

Sans homme ni marmaille, mon amie journaliste aura bien un article ou deux à livrer, mais le tout se fera au rythme du battement de ses tempes – c'est-à-dire malgré son mal de tête carabiné de lendemain de veille.

Annabelle, à sa droite, c'est la sportive et «granole» du groupe. Ça en prend toujours une dans une gang pour aimer le café gris, les hot-dogs au tofu et les graines dans à peu près n'importe quel plat qui se respecte. L'expression «un esprit sain dans un corps sain» prend tout son sens chez mon amie. Le plus beau, c'est qu'elle trimballe avec elle sa fille de huit ans, Charlotte, qui ne demande pas mieux que de suivre les traces de sa maman. Elles sont si belles à voir, toutes les deux, que parfois nous avons l'impression que Louis, conjoint et papa, ne fait pas partie du portrait familial.

Je viens de la voir bâiller d'une façon qu'elle croit subtile. Je ne suis pas dupe et la soupçonne de penser à son cours du sur-lendemain avec sa classe de cinquième. Ça fait un petit moment qu'elle fait semblant de nous suivre en se trempant le bout des lèvres dans sa piscine rouge à demi pleine. Il faut dire qu'il est près de minuit et que nous n'avons plus vingt ans.

Sophie ne tarde pas à nous le rappeler gentiment en s'étouffant dans un verre qu'elle veut vraisemblablement finir avant de quitter la table pour rejoindre sa famille nombreuse. De ses trois garçons – dans l'ordre, Victor, Elliot et Émile –, il y en a sans doute un qui ne manquera pas de la réveiller aux aurores, lui réclamant une patte d'ours comme déjeuner. À moins que ça ne soit pour arriver à temps à l'entraînement de hockey de 7 heures.

Elle a obtenu une fois de plus le privilège de passer sa fin de semaine en solo avec ses *boys*, comme elle les appelle affectueusement, François, son PDG de mari, étant en congrès à l'autre bout de la planète. Ce n'est pas elle qui se plaint, c'est nous, ses copines, qui le faisons à sa place. Je lui jette un coup d'œil et la trouve malgré tout resplendissante. En dépit de l'heure, de la fatigue, de l'âge, du vin, de la situation familiale, du boulot – de comptable-fonctionnaire, certes, mais quand même –, mon amie respire le bonheur.

Bon, le temps est venu pour moi de faire mon *coming out*. Je ne vais pas sortir du placard ; non, je suis plutôt sur le point de faire une grande proposition aux filles. C'est mon dernier coup de tête. Avec mon imagination débridée, j'en ai beaucoup comme ça, des idées « fofolles », des petites fantaisies qui finissent par se frayer définitivement un chemin dans mon esprit. Et moi, quand j'ai quelque chose en tête, je ne l'ai pas dans le derrière ! Je donne rarement dans la demi-mesure, disons. J'ai toujours besoin d'une idée, d'un projet, de nouvelles expériences de vie. L'idée de la photographe de ce soir, c'est moi. Récit d'un bout de soirée sous le signe du bonheur.

À l'occasion de notre traditionnel souper estival, j'ai pris la décision de faire changement et de mettre ma famille dehors le temps d'un «repas plus hébergement». J'ai invité une photographe professionnelle et une maquilleuse de métier pour une séance photo version studio. La musique et le ventilateur dans le tapis, nous avons eu droit à un *shooting* ultra-glam où nous nous sommes franchement amusées. L'exercice a fait du bien à l'ego en nous rassurant sur le mythe de la couverture de magazine. Nous aussi, nous pourrions faire la une de n'importe quelle publication américaine sans sourciller! Sérieusement, je nous trouvais tellement ravissantes, toutes les quatre, et nous n'avions même pas été «photoshoppées»!

Je m'égare. Revenons à ma petite personne avant de poursuivre avec ma mission de fin de soirée. Je suis Gabrielle, la quatrième chipie – notre tendre surnom – de la gang. Mariée et toujours amoureuse de mon Philippe, je suis la maman de Juliette, huit ans, et Zac, cinq ans, deux adorables petits monstres. Je dirige une boîte de communication et j'adore mon boulot même s'il est exigeant sur tous les plans.

Je tente tant bien que mal d'équilibrer ma vie, mais je perds souvent pied à vouloir jouer les *superwomen*. Mes amies font partie du balancier et me permettent de décrocher de mon rôle principal de maman. Les rendez-vous avec elles sont chaque fois mémorables et nous redonnent à toutes une bonne dose d'énergie.

Ce qui me ramène à ma fameuse mission. J'ai besoin d'un rare moment de silence pour prendre la parole, ce qui n'est pas une mince affaire. C'est fou, j'ai quasiment la frousse de partager mon idée.

— Les filles, je sais que c'est beaucoup vous demander, mais j'ai besoin de silence pour vous parler.

— Tu vas pas nous annoncer que t'es enceinte d'un troisième pis que tu vas rejoindre le cercle très branché des supermamans de familles nombreuses? rigole Sophie.

Les copines éclatent d'un rire joyeux puis se retournent rapidement vers moi, la bouille qui veut dire: «Envoye, *shoot*-la, ta nouvelle!» Aucune n'a été diagnostiquée pour le TDAH, mais je sens que la plage horaire qui m'est allouée est fragile et risque de se perdre dans le prochain commentaire délirant d'une des filles. Je me lance, advienne que pourra.

— Je nous regardais ce soir toutes les quatre et je me disais que, malgré les hauts et les bas du quotidien, on a pas mal le tour avec la vie. Non, mais regardez-nous, on est plutôt douées pour le bonheur, non ? Sauf que c'est un bonheur assez tranquille, qui nous sort pas trop de notre zone de confort. Qu'est-ce que vous diriez si chacune d'entre nous se donnait un défi, une quête à entreprendre et à réaliser dans la prochaine année ? N'importe quoi, toutes les réponses sont bonnes. Le seul paramètre à respecter, c'est de faire quelque chose d'extra pour soi, pour les autres, pour devenir de meilleures personnes, finalement.

Le silence qui suit me déstabilise et m'angoisse légèrement. Après tout, je me suis peut-être trompée, et les filles n'auront pas envie d'embarquer dans cette galère où une certaine introspection ainsi qu'une gestion rigoureuse sont de mise. Et puis ce n'est pas comme si nous étions toutes des larves humaines qui ne font strictement rien de leur temps. Au contraire, chacune mène à sa façon une vie active avec son lot de difficultés.

Pourquoi s'engager là-dedans ? Pour être sûre d'être constamment dans le jus, de n'avoir aucun répit, aucune chance de respirer entre deux tâches connexes ? Je me questionne mentalement tout en me demandant qui va oser prendre la parole.

Roxane réagit la première.

— Me semble qu'on est pas si pires que ça, Gab, non ? C'est pas comme si on se cherchait quelque chose à faire, comme si on avait une banque d'heures qui dort quelque part, qu'on était désespérément à la recherche d'un but dans la vie…

Oh boy, c'est mal parti, mon affaire !

— Moi, je comprends ce que tu veux dire, Gab, et je suis vraiment partante pour ce trip-là, à condition qu'on soit prêtes toutes les quatre à plonger pis à s'épauler pendant les bouts *rough*, s'empresse d'ajouter Sophie, toujours aussi pétillante.

J'ai juste le goût de m'élancer vers elle et de lui faire une « colle » pour la remercier de plonger dans mon aventure. S'il y en a une qui n'a pas une microminute de libre, c'est bien elle.

— Ben moi aussi, je me lance ! crie presque Annabelle, nous faisant toutes sursauter de surprise.

On dirait bien que notre athlète accomplie vient de se réveiller.

— OK, c'est bon, vous pouvez compter sur moi aussi ! Vous me faites ben trop sentir *cheap* ! Non, mais sérieusement, à bien y penser, ça me tente, cette joyeuse escapade vers une vie meilleure.

Cette fois, je ne peux résister à l'envie de les prendre dans mes bras pour célébrer spontanément ce pacte que nous venons de sceller sans, avouons-le franchement, en connaître toutes les implications. La quête de chacune n'est pas encore déterminée que nous sommes là à nous énerver le poil des jambes, moi la première. Ce gros bouillon d'amour est certes très touchant, mais il faut maintenant nous trouver un défi de taille, celui qui va changer le cours de la prochaine année.

Quand je referme la porte derrière Roxane, comme toujours la dernière à partir et la première à me dire que mon idée était plus-que-géniale après tout, je me doute bien qu'elle ne fermera pas l'œil de la nuit, du moins ce qu'il en reste, trop occupée à imaginer sa quête.

Ce soir-là, je monte à l'étage en état d'ivresse – et d'ébriété aussi –, me coucher dans des couvertures et une maison trop grandes sans mon chum et mes enfants. Je ne dors pas beaucoup, me demandant encore et encore quelle pourrait bien être la quête qui serait parfaite pour moi, c'est-à-dire qui comporterait un minimum de *challenge*, mais dans les limites du raisonnable. Il est hors de question que je me plante en mettant la barre trop haut.

Je me donne vingt-quatre minuscules heures pour y songer sérieusement. On dit que la nuit porte conseil, mais si on ne dort pas, est-ce que ça compte quand même ? Je finis par sombrer dans un sommeil agité qui ne m'apportera pas grand-chose demain, à part une redoutable gueule de bois et d'immenses cernes sous les yeux. Décidément, on n'a plus vingt ans !

2

La course aux découvertes

J e me traîne péniblement jusqu'à la machine à café. J'ai un urgent besoin de caféine après la soirée et la nuit que j'ai passées. Je fouille frénétiquement dans l'armoire à la recherche de ma tasse préférée, un «format club», et je sors sur la terrasse encore endormie.

Le soleil et le ciel bleu se sont déjà donné rendez-vous pour nous faire profiter d'une magnifique journée. Confortablement calée dans ma chaise de patio et vêtue de mon *kit* mou Lulu – pour Lululemon –, je peux déjà entrevoir ma voisine imparfaite et insupportable, à quatre pattes dans ses platebandes parfaites et supportables, et entendre le cri joyeux des enfants du quartier. J'apprécie le gazouillis des oiseaux, ce même bruit qui m'a tant pompé l'air quelques heures plus tôt alors que je cuvais toujours mon vin sous les draps. La délicate rosée du matin a laissé une petite traînée de perles, rendant mon gazon fraîchement tondu plus vert et plus beau.

Quelques gorgées plus tard, mes pensées se tournent vers mon souper de la veille. Après des débuts difficiles, mon *coming out* est vite devenu l'idée du siècle. Les filles se sont emballées au bout de quelques minutes en donnant des exemples plus ou moins convaincants de défis à réaliser. Je ne nommerai personne, mais l'une d'entre elles a même mentionné la possibilité de se faire refaire les seins, mais s'est vite ressaisie en voyant notre réaction. Nous avons toutes eu le temps de pouffer de rire, ne sachant trop comment ni à quel degré prendre cette intervention. Nous n'avions établi aucune règle précise d'admissibilité, mais doutions fort que cette pseudo-quête réponde à tous les critères de sélection!

Il était près de 2 heures du matin lorsque nous avons finalement convenu de laisser passer quelques jours de réflexion pour nous trouver un défi sur mesure. Le prochain rendez-vous sera une formule cinq à sept jeudi ou vendredi soir prochain, ce qui me laisse un peu plus de temps que prévu, à mon grand dam.

Un surplus de temps signifie pour moi trop de réflexion, trop de questionnements, trop de doutes. Je n'ai pas envie d'étirer ça en longueur toute la semaine. Il me reste encore quelques heures de solitude avant le retour de ma marmaille, alors je compte bien y songer sérieusement, à grandes doses de café corsé.

Contrairement à ce que les filles croient, je n'avais absolument aucune idée de ma quête personnelle au moment où j'ai eu mon illumination. J'ai plutôt agi de façon spontanée, soutenue, je l'avoue, par une alcoolémie largement au-dessus de la moyenne. C'est un fait établi que, en état d'ébriété, nous devenons en quelque sorte une autre personne, perdant toute inhibition ou presque. *Exit* la gêne, nous avons le pouvoir de dire les vraies choses, d'exprimer nos émotions, de devenir plus démonstratifs et, surtout, d'être parfaitement bilingues !

Hier soir, j'étais un heureux mélange de tout ça, mais ce matin j'ai encore la certitude de nous avoir mises sur une bonne piste sans pour autant savoir où je m'en vais. Si ma pensée est philosophique, elle n'est pas magique.

Ma tasse à nouveau pleine de bon café fumant, je me mets à réfléchir à ce qu'il manque à ma vie. J'essaie aussi de me rappeler ce qui m'inspire, me fascine. C'est assurément la direction que je veux donner à ma quête. Comme Roxane l'a si bien relevé hier, nous sommes loin d'avoir un mode de vie sans couleur ni saveur. N'empêche, il y a bien quelque chose d'extra que je peux faire pour améliorer mon sort et celui des autres.

La sonnerie du téléphone me fait sursauter. C'est Alice, ma mère. Je ne réponds pas, car même si j'ai très hâte de lui raconter ma soirée, je ne suis pas prête à tout déballer maintenant. Toujours intéressée par mes projets et ceux de mes amies, elle me posera mille et une questions auxquelles j'ignore pour l'instant les réponses. Mieux vaut remettre notre discussion à plus tard et profiter de ma lancée en continuant de cogiter.

Mes pensées se bousculent dans ma tête à la vitesse grand V. Je me demande où en sont les copines dans leur processus de réflexion, me doutant bien qu'Annabelle doit déjà avoir sa petite idée. J'espère qu'elle ne nous sortira pas des sornettes du type « m'entraîner plus » ou « faire plus de sport » puisque, techniquement, elle fait déjà de l'*overtime* dans plusieurs disciplines. Roxane n'a probablement pas encore émergé des vapeurs de la veille, roupillant encore à cette heure. Quant à Sophie, elle a sûrement manqué de temps pour y songer.

Force est d'admettre qu'il est rare que j'aie autant de minutes consécutives pour réfléchir sur moi-même. Je suis carrément en train de me perdre dans toute cette méditation, qui n'est pas mon genre, mais alors là, pas mon genre du tout. Le yoga et tous ces trucs où l'on doit rester immobile et silencieux pendant des heures, très peu pour moi ! Mon esprit est tenté de vagabonder vers les préoccupations du boulot où mon bureau croule littéralement sous les dossiers.

L'idée me vient alors que je regarde un coureur de l'autre côté de la rue. Il s'agit en fait d'une joggeuse qui plane sur l'asphalte comme si c'était la chose la plus facile du monde. Elle doit dégouliner de sueur, mais a un style d'enfer avec sa camisole et sa jupette coordonnées aux couleurs de l'été. Même de loin, elle respire – ou transpire, c'est selon – la forme et la santé.

En la regardant s'éloigner, je repense à cette fois où je suis allée encourager une copine de bureau qui courait un marathon. Jamais je n'oublierai l'effet que m'ont fait tous ces coureurs, jeunes et moins jeunes, en direction de leur objectif, leur rêve, leur soif de dépassement ultime. Je m'étais mise à pleurer doucement, tout émue par autant de courage et de détermination au kilomètre carré.

Il fallait voir ces hommes et ces femmes de tous les âges courir, courir et courir encore. Si tous m'ont touchée profondément, les personnes âgées et handicapées m'ont particulièrement marquée, à un point tel que je me suis mise à leur hurler des encouragements alors que je ne les connaissais même pas.

Ces images, belles et inspirantes, enfouies dans ma mémoire depuis longtemps, surgissent soudain. Ma quête se dessine enfin devant moi. Advienne que pourra, je vais courir non pas un marathon, mais un demi-marathon. Il y a un début à tout, quand même, et celui-là me suffit amplement ! Si tous ces gens qui m'ont tant bouleversée peuvent le faire, moi aussi.

Maintenant que j'ai trouvé mon défi, je suis surexcitée à l'idée de le partager avec ma famille et mes amies. Je me sens tout à coup très seule, mon café désormais tiède n'arrivant plus à me réconforter. Si j'ai savouré un rare moment de solitude, je veux de la compagnie, là, maintenant. À quelle heure revient Philippe, déjà ? Comment réagira-t-il ?

Son enthousiasme sera palpable, j'imagine, mais il me faut plus. Je dois sentir qu'il croit en moi, qu'il est fier comme un paon de ma décision. Un entraînement rigoureux nécessitera des sacrifices à plusieurs égards, notamment dans le temps de qualité accordé à mes enfants et à mon chum.

Mon questionnement est en train de prendre des allures de torture quand j'entends soudain le son joyeux et familier de ma marmaille dans l'entrée. Quelques microsecondes plus tard, mes deux gentils monstres me sautent dans les bras en me disant combien ils m'aiment et avaient hâte de me retrouver. Quel moment de pur bonheur ! Le métier de maman est sans doute le plus difficile de la planète, avec ses innombrables hauts et bas, mais ces déclarations d'amour spontanées font certainement partie de mes *best of*.

— Heille, ça sent le fond de tonne depuis la cour avant ! me lance Philippe avec un demi-sourire en s'avançant vers moi pour m'embrasser sur la tête.

— T'inquiète, je pète le feu ! je lui réponds vivement. Avec l'air que t'as, ta mère et nos enfants ont pas dû te faire la vie trop dure !

Dans la légère brise du matin, le toupet au quarante-cinq, mon tendre époux se tient devant moi et semble en pleine forme malgré la route. Planté comme ça à contre-jour, il est vraiment beau gosse avec sa silhouette musclée, son sourire coquin irrésistible et une barbe de quelques jours. Il arbore son look du week-end – t-shirt-jeans-baskets –, celui que je préfère. De toute évidence, nous ne nous sommes pas mis au lit à la même heure hier !

— Maman, on a fait des super bons biscuits au chocolat avec mamie Cookie pis on a fait un spécial… m'annonce fièrement Zac, tout content d'être heureux.

— Ah bon, quel genre de spécial ?

— On a eu le droit d'en manger pour déjeuner !

Mon fils est visiblement fier de son coup. Il a ce petit air espiègle que j'aime tant et qui m'empêche souvent de le réprimander. Très proche de sa grand-mère depuis qu'il est bébé, il a le tour avec elle. La mère de Philippe, mieux connue sous le nom de «mamie Cookie», ne lui refuse pas grand-chose et Zac le sait trop bien. Il est maintenant assez grand pour comprendre et en tire profit sans scrupules.

Le coup des biscuits au déjeuner, ce n'est pas la première fois et j'ai cessé il y a longtemps de m'en faire avec ça. J'en suis venue à la conclusion que les papis et les mamies n'ont pas du tout le même rôle que les parents et qu'ils peuvent se permettre quelques entorses au code d'éthique à l'occasion.

— On a écouté un super bon film, maman, pis on s'est couchés super tard! reprend vivement Juliette.

— C'était *cool*, papi nous a fait du «pofcorn» pis nous a installés sur un *full* gros matelas avec plein de doudous, complète mon petit verbomoteur de Zac.

— Moi, j'ai placoté avec p'pa pis m'man pendant des heures en buvant ma petite bière tranquille. Je me rappelle pas la dernière fois où j'ai passé autant de temps seul avec eux à jaser de tout et de rien. Tu connais mon père, il pouvait pas s'empêcher de jeter un coup d'œil vers la télé à l'occasion en zappant machinalement avec la télécommande. Quand même, c'était ben l'*fun*! me raconte Philippe. Toi, comment s'est passé ton souper de chipies?

— Génial sur toute la ligne! On s'est vraiment bien amusées. Le *shooting* photo glam a été un *hit*, j'ai hâte de te montrer ça!

— Mamaaaaan! Qu'est-ce qu'on mange? me crie Zac de l'intérieur.

Au secours! Je parlais tantôt des hauts et des bas de la vie de maman. À ce moment précis, je suis dans le creux de la vague. J'entends cette phrase tous les jours avec exactement la même intonation. Aujourd'hui ne fait pas exception et je n'ai aucun passe-droit même si je suis en lendemain de veille. Je dois trouver une réponse à cette sempiternelle question qui tue, surtout un samedi matin, avec une haleine de poney de course.

Je me lève à contrecœur. Ma méditation vient de prendre abruptement fin. Et, au moment précis où je franchis le pas de la cuisine, la *wannabe* joggeuse fait place à la supermaman qui, je le décrète, fait les meilleurs sandwichs au monde. Je regarde Philippe au passage et, d'un air entendu, je lui balance qu'il ne perd rien pour attendre et que j'aurai une histoire savoureuse à lui raconter un peu plus tard.

* * *

Enfouie sous la couette, quelques sandwichs pas de croûte et brassées de foncé plus tard, je n'arrive pas à dormir. Deux nuits d'affilée à compter les moutons, est-ce le début d'une vilaine insomnie ? Je repasse dans ma tête la réaction de mon chum et de ma mère, sans doute les deux personnes les plus importantes dans ma vie après mes enfants.

Les réactions ont été ultra-positives. Pas de « À quoi t'as pensé ? » ou de « Quand vas-tu trouver le temps de t'entraîner, toi qui cours toujours comme une poule pas de tête ? ». Rien, absolument rien de tout ça. Que des encouragements et des félicitations sentis de leur part. Ils saluaient d'abord mon idée, puis mon courage. Ils étaient si positifs qu'ils sonnaient faux. Me cachaient-ils leur véritable pensée sur le sujet ? Sûrement pas. Je sombre dans la paranoïa, ma parole ! Décidément, j'ai un urgent besoin d'une bonne nuit de sommeil.

* * *

Assise au bout de l'interminable table de conférence, à quelques minutes de commencer la réunion hebdomadaire de l'agence, j'entends mon iPhone gronder. C'est un texto de Roxane.

« Trouver ma quête… *Check !* »

Je dois prendre la parole d'une seconde à l'autre, mais, affichant mon air sérieux des grands jours, celui que je me donne quand j'ai un truc important à faire, je pianote en moins de deux mon message urgent qui peut faire patienter mon équipe. Gestion des priorités 101 !

« Et moi donc ! Ça m'a coûté deux nuits de sommeil, mais j'y suis arrivée. Tu devineras jamais ! »

Je toussote pour cacher mon sourire et demande le silence dans la cacophonie qu'amènent invariablement les histoires de week-end.

* * *

Le soir même, je rentre tard et crevée du bureau, comme tous les lundis. Heureusement que Philippe peut organiser son horaire en conséquence. Avec nos agendas chargés, nous devons partager nos engagements et nous assurer de couvrir le cinq à sept familial composé essentiellement, dans l'ordre, d'un souper vite fait et, avec un peu de chance, qui inclut les quatre groupes d'aliments, puis des devoirs et leçons, des bains, d'une histoire, d'un brossage de dents et du dodo. À ne pas confondre, donc, avec l'autre formule, où le vin et les cocktails coulent à flots sur les banquettes ou les terrasses des endroits branchés de la ville.

Il nous faut former une équipe tissée serrée pour conjuguer perso et boulot. Il y a des jours où nous nous tapons littéralement dans la *mitte*! Certaines semaines, nous n'avons d'autre choix que de faire appel aux papis et mamies qui, chaque fois, se font un plaisir de donner un coup de main. N'empêche, nous ne voulons pas abuser et ne sommes pas du genre à demander trop souvent de l'aide. Ce n'est pas nécessairement une qualité, j'en conviens.

Après avoir lu pour la centième fois l'histoire du pirate-qui-se-perd-en-mer-et-tombe-amoureux-d'une-sirène, je borde mes enfants avec tendresse avant de me faire couler un bon bain chaud. C'est alors que je me demande à quel moment je serais allée courir ce jour-là. Quand je descends me préparer une tisane fumante pour passer à travers mon journal du matin, je n'ai pas encore trouvé la réponse.

*   *   *

Cela va de soi, la semaine a passé à une vitesse folle, me laissant à peine le loisir de poursuivre ma réflexion sur mon emploi du temps pour la prochaine année. Au bureau, j'ai eu réunion après réunion puis des lunchs d'affaires tous les jours. Je n'ai même pas trouvé le moyen d'aller à mon traditionnel match du mercredi midi.

Depuis plusieurs années déjà, je joue au tennis au minimum deux fois par semaine au club sportif. Je complète l'entraînement à l'occasion avec du cardio. Mes enfants suivent aussi des cours chaque samedi matin depuis l'âge de cinq ans. C'est donc tout récent pour Zac et, entre nous, pas gagné d'avance! Pendant leur leçon, je joue avec des filles du club. Philippe fait la même chose avec des amis ou des partenaires d'affaires.

Je vais devoir me reprendre samedi prochain pour ce match manqué. Le cinq à sept de ce soir, prévu pour faire le point sur les défis, devra être plus tranquille que notre dernier rendez-vous. J'ai plus ou moins fait cette promesse à Philippe, me sentant un peu coupable de m'offrir deux sorties de filles à une semaine d'intervalle à peine.

Fidèle à mon habitude, je suis arrivée la dernière au resto. J'ai eu une rencontre avec un client qui s'est éternisée. Quelle idée aussi de planifier une présentation à 15 heures un vendredi! Les filles n'ont pas l'air de trop s'en formaliser, tenant un verre de vin d'une main, se tapant la cuisse de l'autre. Visiblement, l'ambiance est déjà à la fête et, du coup, ma petite soirée tranquille est en péril, je le sens!

J'ai choisi notre endroit chouchou en ville, Citron Lime, un resto plutôt branché et animé d'une foule bigarrée, équipé d'une fabuleuse terrasse sur le toit. Un bar trône en plein centre, entouré de petits espaces *lounges* ultra-tendance, aux coussins d'un blanc si immaculé que je me demande sérieusement comment les proprios arrivent à tenir ça si propre. Moi, un jour où je n'avais pas toute ma tête de maman, j'ai acheté un sofa de cette couleur. À peine quelques semaines plus tard, il s'est retrouvé avec les empreintes des quatre groupes d'aliments!

Ici et là, d'immenses parasols surplombent les tables bistro. Des plantes exotiques géantes se dessinent dans le ciel au gré du vent et ne sont pas sans rappeler l'ambiance festive des îles du Sud. Ce qui, dans l'ensemble, nous donne la vague impression d'être en vacances. À cette heure du jour, la lumière dorée du soleil plane doucement sur la terrasse et oblige mes amies à porter leurs lunettes de soleil grandeur maxi.

Nous papotons comme ça pendant un bon moment, alignant les verres sans trop nous soucier des autres et du lendemain. Il faut dire que nous avons la réputation d'être particulièrement *loud* en public. Le constat est indéniable, lorsque nous sommes toutes les quatre réunies, toute notion d'autrui se perd comme par magie. Philippe me le rappelle sans cesse lorsqu'il est admis dans notre groupe sélect. C'est probablement à cause de ses qualités de rabat-joie qu'il est rarement invité !

— Bon, est-ce qu'on commande quelque chose à manger ou on boit comme des alcoolos toute la soirée ? Avec le ventre vide, ça rentre au poste ! Si ça continue, je pourrai pas aller aux toilettes toute seule, moi là ! lance tout à coup Sophie.

— Pareil pour moi. Je me sens « cocktail » pas à peu près. Je suis en train de me magasiner un solide mal de bloc pour demain ! renchérit Roxane.

Annabelle propose que nous commandions quelques entrées à partager. L'idée enchante tout de suite le reste du groupe, qui tient quand même à préciser que la tâche de choisir les amuse-gueules ne lui reviendra pas à elle. Nous avons peur de nous voir servir des craquelins faits de deux cents pour cent de grains entiers, coiffés d'une montagne de tofu. Avec le temps, Annabelle a compris que nous exagérons et prenons plaisir à entretenir le mythe de la « granole » finie malgré ses protestations.

Dès que la serveuse tourne les talons, je me dis qu'il vaut mieux que je prenne la parole. J'ai l'impression que les filles n'attendent que ça, mais n'osent pas se lancer la tête la première. Elles doivent penser que, en tant qu'instigatrice du projet, je suis celle à qui revient tout naturellement cette tâche.

— Bon, les p'tits choux, je voudrais surtout pas interrompre notre *party* improvisé, mais faut pas oublier qu'on est ici pour une raison bien précise.

— Ouais, on dirait bien qu'on évite le sujet. Tout le monde a trouvé au moins ? rétorque Roxane.

Nous nous regardons toutes un peu timidement en hochant la tête avec un semblant d'audace. Roxane reprend la parole.

— Moi, je vais vous surprendre parce que ça fait des siècles que je me vante du contraire... J'ai besoin d'un homme dans ma vie !

S'ensuit, façon très *loud*, une série inégale d'exclamations de surprise et de « Je le savais ! » dans l'assistance. N'écoutant que son courage, Roxane poursuit en faisant fi de notre envolée délirante.

— Ouais, je veux me trouver un chum, un vrai. Pas juste un *friend with benefits* ou un gars qui me plaît de temps en temps. Sérieux, les filles, j'en peux juste plus de me retrouver toute seule quand vous vaquez toutes à vos occupations de supermamans et de superépouses. Ma solitude me pèse de plus en plus.

Roxane lâche la dernière phrase du bout des lèvres, avec un trémolo dans la voix. Sophie, qui est assise juste à côté d'elle, lui fait une petite accolade maladroite. Un peu plus et elle lui balançait une « bine » pour désamorcer le drame !

De toutes mes amies, Sophie est de loin celle qui est la plus réservée sur le plan émotif. Généreuse et attentionnée, elle a beaucoup d'empathie pour nous toutes, mais un talent fou pour la cacher. Ses grandes marques d'affection se reflètent davantage dans les cartes d'anniversaire, qu'elle n'oublie jamais de nous écrire chaque année. Elle arrive toujours à me toucher profondément dans le choix de ses mots et la vérité de ses paroles. On dit que j'ai la couenne dure en affaires, mais pour le reste, il en va tout autrement.

L'air taquin, nous rassurons tout de suite Roxane en lui disant qu'il est tout à fait normal de vouloir connaître le véritable amour, qu'elle a simplement tardé avant de s'en rendre compte. Annabelle lui parle même d'un prof à l'école, « un type incroyablement canon », qui pourrait être un bon *fit* pour elle. Nouvelle vague d'onomatopées, suivie d'un balayage naturel des regards vers Annabelle. Nous pourrions miser gros là-dessus : notre copine a trouvé sa quête moins de vingt-quatre heures après notre pacte.

— Est-ce que je sens une petite pression sociale pour prendre la parole, moi là ? lance-t-elle, l'air faussement contrarié.

Avec un demi-sourire, elle pousse un grand soupir d'hésitation.

— Moi aussi, je vais peut-être vous surprendre avec ma décision.

Nous faisons les bonnes filles et attendons patiemment la suite.

— J'ai choisi de retomber en amour avec Louis.

Louis est son homme depuis une bonne dizaine d'années et le père de sa fille Charlotte. En surface, ils forment un beau petit couple comme tant d'autres. Nous, en revanche, savons que si l'affection profonde existe vraisemblablement toujours entre les deux, la routine et le train-train quotidien semblent avoir eu raison de leur belle complicité d'antan.

Ultra-active et indépendante, Annabelle passe beaucoup de son temps libre avec sa fille, ayant du coup délaissé sa vie de couple au fil des ans sans trop s'en apercevoir. Elle vit très bien ainsi et ne s'en est jamais cachée. Je perçois toutefois chez Louis une certaine tristesse et une forme d'impuissance que je m'explique mal. S'il est conscient et insatisfait de la situation, n'a-t-il pas envie d'y remédier? De tenter de trouver des pistes de solution? Je suis sans doute mal placée pour juger. Il a peut-être déjà fait tout ça, sans obtenir de mon amie l'ouverture et l'engagement nécessaires. Quand elle s'y met, Annabelle peut n'en faire qu'à sa tête.

— C'est teeeeellement une bonne nouvelle, Anna! je m'écrie spontanément. Retomber en amour, c'est teeeeellement bien dit et teeeeellement une bonne idée!

À noter ici la surutilisation et la déformation du mot «tellement» qui vient en *package deal* avec la quantité d'alcool que je consomme. Je poursuis du même souffle:

— De toute façon, la situation est pas si dramatique que ça, non? C'est sûr que Louis va te suivre là-dedans.

— Bah, disons que ça s'est pas amélioré dans la dernière année, depuis que je m'implique plus dans le parasco de mes étudiants.

— Ah non? Au moins, y a une prise de conscience, c'est un début. Je suis sûre que vous pouvez y arriver, philosophe Sophie.

— Ben oui, ben oui, Anna… T'es belle, t'es fine, t'es capable! blague Roxane.

Annabelle nous donne quelques exemples pratiques qui nous convainquent qu'effectivement leur vie de couple est sur la pente descendante et qu'il est temps de prendre un virage à cent quatre-vingts degrés avant qu'il ne soit trop tard. Pour ma part, j'estime que tous les espoirs sont permis avec un minimum d'effort collectif.

— Bon, à mon tour, maintenant. Gab, on te garde pour la fin. Moi, ma quête est archiprévisible parce que c'est pas la première fois que vous en entendez parler. Je veux faire du bénévolat. Pas juste un téléthon par année pour me donner bonne conscience. Non, je parle d'un engagement ferme et récurrent auprès d'une fondation, d'un OSBL qui me touche particulièrement.

Sophie nous énumère les organismes qu'elle a approchés pour cerner LA cause qui lui permettra de faire une différence à ses yeux à elle. Sans avoir arrêté son choix, elle laisse entendre que ça risque d'impliquer plus d'une fondation pour enfants et qu'elle entend donner sans compter.

Secrètement, nous trouvons son défi périlleux dans la mesure où elle en a déjà plein les bras avec sa marmaille, mais le moment est mal choisi pour s'attarder là-dessus. Nous devons plutôt respecter son choix et l'encourager dans sa démarche, c'est aussi ça, le *deal*.

Mon heure est venue et je réalise que, dès que les mots sortiront de ma bouche, il ne sera plus question de reculer. Je devrai maintenir le cap et faire absolument tout pour y arriver. C'est dans ma nature, je vais me donner à cent pour cent, au risque d'en oublier mes limites. Je constate du même coup que je suis la seule à avoir choisi un défi demandant un effort physique.

Avant d'aller plus loin, je prends soin de vérifier l'état de mes dents en observant mon reflet sur mon couteau – une petite graine disgracieuse entre les deux palettes, c'est si vite arrivé! Il s'agit d'une marque de commerce brevetée à mon nom et qui ne manque jamais de susciter des réactions. Règle générale, tout le monde m'imite, découvrant la redoutable efficacité du stratagème.

Le dossier dentition réglé, j'entreprends de leur révéler ma quête à moi. Mon défi consistant à m'entraîner pour courir vingt et un virgule un kilomètres dans un an. Moi qui suis en forme, mais n'ai jamais couru. Le tout, sans négliger les autres secteurs de ma vie. Pour la première fois, je parle de ce marathon qui, il y a quelques années, m'a tant bouleversée. Toutes les trois m'écoutent religieusement, ne semblant pas s'étonner du tout de cette envie que j'ai de repousser mes limites encore une fois.

La soirée tire à sa fin, nos secrets sont dévoilés et mon couvre-feu, largement dépassé. Il s'agit en fait d'une heure que je me suis moi-même imposée, Philippe n'étant pas du genre à compter ou à me faire sentir *cheap* parce que je passe trop de temps avec les copines. Moi non plus, d'ailleurs. Avant et même après l'arrivée de Juliette et Zac dans notre vie, nous avons toujours respecté nos moments de solitude et de sorties entre amis. À tous les coups, je suis emballée de voir mon homme s'offrir du bon temps en jouant au tennis ou en pliant bagage pour un week-end de golf avec ses chums. Le topo est le même du côté de Sophie et d'Annabelle.

Nous quittons à contrecœur notre petit coin de paradis longtemps après que le soleil est tombé sur la terrasse. Non sans une moue boudeuse, Roxane finit par écouter nos recommandations en acceptant de se faire raccompagner par l'une d'entre nous. C'est plus sage et plus prudent pour elle, mais aussi pour la faune nocturne qui circule toujours.

Si Annabelle, Sophie et moi avons cessé d'enfiler des *drinks* à l'arrivée des délicieuses bouchées, Roxane ne s'est pas imposé cette discipline. Mon amie est carrément allergique à toute forme de gaspillage, les bouteilles de vin figurant en tête de liste. Elle DOIT en voir le fond, c'est plus fort qu'elle. Je connais déjà par cœur le contenu de son premier texto de demain. Ça ressemblera drôlement à : « OMG, je me suis levée avec une hache dans le front, ma journée est foutue ! »

En roulant vers la maison, je me repasse en boucle les bribes de conversation de la soirée. Je trouve que je fais bande à part avec mon défi d'ordre physique. J'ai la désagréable impression de m'imposer le plus difficile, d'être somme toute celle qui court le plus de risques de se casser la gueule, finalement. Puis je me ressaisis en me disant qu'il n'y a pas de mauvaise réponse. Que les filles ont été vraiment chouettes de se présenter à mon rendez-vous en s'étant fixé un défi concret à réaliser.

La quête de Roxane n'a rien d'une surprise pour moi. Une révélation, oui, dans la mesure où elle n'a jamais avoué de façon aussi claire et sentie ses véritables émotions, mais personne n'était dupe. Son discours sonnait souvent faux quand elle faisait des remarques désobligeantes sur notre vie de couple et de famille. Aussi, trouver un homme pour partager sa vie ne veut pas forcément dire trouver l'homme de sa vie. Avec du recul, je m'aperçois que la nuance est importante et je me promets de clarifier ce point avec elle.

Pour le cas d'Annabelle, je n'ai pas les idées claires. Je souhaite de tout cœur que son couple redevienne comme avant et je la sens sincère dans sa prise de conscience et son engagement profond. Mais le doute persiste. Est-il trop tard pour revenir en arrière et raviver la flamme ? Comment Louis réagira-t-il à ce revirement de situation ? Je suis persuadée qu'il ne portera plus à terre, lui qui, selon moi, est toujours follement amoureux de sa douce. À bien y penser, en fait, je doute surtout de mon amie. C'est peut-être honteux de ma part de penser de la sorte, mais c'est la triste vérité. J'espère me tromper.

Pour Sophie, le véritable défi est de trouver le temps de faire tout ce bénévolat qu'elle se promet de réaliser. Techniquement, la tâche est assez simple si c'est fait à petites doses. Mais non, il a fallu qu'elle se la joue compliquée en souhaitant s'impliquer beaucoup ET dans plusieurs causes. Je me demande où elle va trouver tout le temps nécessaire et, surtout, tout ce courage. Sophie a beau être la moins émotive du groupe, elle n'en est pas moins sensible, particulièrement quand ça touche les enfants. Il ne faut pas qu'elle y laisse sa peau, que son geste salutaire se transforme en énergie négative. Notre amie n'a pas l'habitude de se plaindre, et la plupart du temps, il ne tient qu'à nous de savoir lire entre les lignes. Son dossier est à suivre de près.

* * *

Ce week-end, entre deux textos de Roxane dont le premier est, comme prévu, «OMG, je me suis levée avec une hache dans le front, je suis foutue pour la journée!», je me mets en mode recherche. Moi qui avais bon espoir de pouvoir compter sur Annabelle, ma prof d'éducation physique surdouée dans plusieurs disciplines, il a fallu que je tombe sur celle, de son propre aveu, qu'elle maîtrise le moins!

Je fouille donc frénétiquement dans le fabuleux monde sans fin d'Internet pour dénicher quelques sites intéressants sur la course 101. Mes recherches me mènent, entre autres, vers l'abonnement au magazine *Runner's World*, un incontournable chez tout coureur qui se respecte. Ça me fera du même coup un double perfectionnement, la course et l'anglais.

En parcourant les articles, je réalise à quel point, moi non plus, je ne connais strictement rien à cette discipline. Je suis prise d'un vertige soudain qui me vaut un retentissant: «Doux Jésus, dans quelle galère me suis-je embarquée?» Je vais non seulement avoir besoin de lire beaucoup sur le sujet, mais j'aurai aussi tout intérêt à me lier d'amitié avec un coureur d'expérience qui pourra me donner un minimum de *coaching* pour apprivoiser la bête.

Je me dis alors que demander conseil aux entraîneurs du club s'avérerait un bon début. Puis je repense à Pénélope, cette copine de bureau qui est la source même de mon inspiration lumineuse.

Si ma mémoire est bonne, elle travaille maintenant au département du marketing d'un ministère dont j'oublie le nom.

Facebook et LinkedIn me seront d'un grand secours pour faciliter mes retrouvailles. Dans mon souvenir, Pénélope est une chouette fille avec qui j'ai battu, à une certaine époque, des records d'assistance aux cinq à sept des boîtes branchées de la ville et dont, c'est triste à dire, la moitié n'existe plus aujourd'hui.

En fin d'après-midi, dimanche, alors que je commence à peine à comprendre les rudiments de mon nouveau sport, Zac se plante devant moi en me lançant candidement :

— Tes sourcils sont vraiment drôles, maman, ils sont comme genre en accent circonflexe !

— Ça, c'est parce que maman est très concentrée sur ce qu'elle lit et qu'elle se pose beaucoup de questions, tu comprends ?

— Tu lis quoi ? C'est quoi tes questions ? Est-ce que je peux t'aider ? débite-t-il d'un trait en se penchant sur mon MacBook, intéressé.

— Je fais des recherches sur comment apprendre à courir.

— Hein, tu sais pas encore courir ? Je peux te montrer, moi ! À l'école, je cours souvent, pis vite là !

J'ai juste envie de lui administrer un gros bisou sonore tellement je le trouve mignon avec ses bajoues rosies par le soleil de la journée et ses yeux en forme de bonbons ronds. Il se tient là, du haut de ses cinq ans, à m'écouter et à vouloir m'apprendre à courir comme si c'était la chose la plus naturelle du monde.

Sans le savoir, mon fils vient de me servir une belle leçon de vie. Apprendre à courir ne peut pas être si ardu. Je me lève en l'embrassant, portant sous le bras ma pile d'articles à conserver précieusement pour les consulter plus tard.

Dès demain midi, je vais filer au club afin de rencontrer un entraîneur privé. Je ferai aussi ma petite enquête sur Pénélope. Ouf, gros programme ! C'est de bon augure pour la prochaine année !

Je me suis mis en tête de commencer mon entraînement dès cette semaine. Je devrai faire en sorte d'alléger mon horaire à l'agence pour entreprendre ma quête du bon pied, c'est le cas de le dire.

3

Les premiers pas

M es lundis sont toujours et sans exception des journées de fou. Règle générale, et même si j'ai le *shift* du matin avec les enfants, j'essaie tant bien que mal d'arriver assez tôt à l'agence. Avec un peu de chance, ils acceptent sans rechigner de se traîner hors du lit au son du timbre sonore – ma voix –, de porter les vêtements que j'ai judicieusement placés sur leur bureau la veille et d'avaler leur déjeuner tout en se laissant coiffer. Chaque minute est comptée, ils ont intérêt à coopérer!

Pendant ces matins qui se suivent et se ressemblent, je m'illustre particulièrement dans le *multitasking*. Dans mes meilleurs moments, j'arrive à me doucher, me laver les cheveux, faire une brassée de lavage, en plier une autre, vider le lave-vaisselle et le remplir à nouveau. Tout ça sans négliger l'essentiel, c'est-à-dire veiller à ce que ma progéniture parte pour l'école habillée, peignée, nourrie ET à l'heure!

Mon deuxième quart de travail débute officiellement lorsque je mets les pieds à l'agence, mon iPhone dans une main, un café dans l'autre. C'est vital et non négociable. Je ne peux juste pas fonctionner de façon normale et cohérente sans mon « mezzo » cappucino. Ça fait beaucoup rire les membres de mon équipe qui s'amusent à me livrer, à tour de rôle, le format « venti » quand ils sentent que j'ai un trop-plein et qu'il me faut « ventiler ».

Ces dernières semaines, j'ai consommé beaucoup de cafés en raison de ces petits dons spontanés. Deux clients se sont récemment ajoutés à notre portfolio, occasionnant une surcharge de caféine et de travail non seulement pour moi, mais pour tous les services de l'agence. Il s'agit d'entreprises en pleine croissance qui nous confient l'ensemble de leurs mandats de communication. L'euphorie était à son comble lorsque j'ai annoncé l'obtention des deux comptes. Les célébrations ont été pétillantes comme le champagne après tant d'énergie et d'efforts collectifs.

Je prends régulièrement soin de saluer les bons coups à l'agence. Généralement, ça se passe en fin d'après-midi le vendredi. Je demande à l'équipe de préparer quelques exemples de réussites à partager et je m'occupe du vin. Ce *happy hour* improvisé est un prétexte béton pour se taper sur l'épaule, mais aussi pour se retrouver, tout simplement. Dans le quotidien souvent chaotique du monde de la pub, le rassemblement des troupes relève de l'exploit. Je tiens donc mordicus à cette habitude que j'ai instaurée dès mon arrivée à la tête de la boîte il y a deux ans.

Avant ça, j'ai occupé quelques emplois en marketing, chacun m'ayant beaucoup apporté, tant sur le plan personnel que professionnel. Mes plus grandes forces se sont rapidement imposées d'elles-mêmes, soit la communication, la gestion des ressources humaines et le développement des affaires, ce qui m'a un jour valu une offre que je n'ai pu refuser, celle de prendre la direction de l'entreprise au moment où son avenir était le plus prometteur.

À l'époque, j'ai hésité puisque je n'avais jamais travaillé en agence et que j'aimais profondément mon boulot, dont je n'avais pas l'impression d'avoir fait le tour. Le DG du moment, M. Thomas, qui prenait sa retraite et me connaissait assez bien dans le milieu, m'a fait changer d'idée avec doigté. Primo, il m'offrait, je l'avoue en toute humilité, un *package* hyper intéressant. Secundo, il s'est appliqué à me déballer tous les défis à venir pour nous, jeune équipe fougueuse, pleine d'idées et d'avenir.

J'ai donc plongé la tête la première, avec toute l'ardeur qu'on avait décelée en moi, et je ne l'ai jamais regretté depuis. La première année a été plus difficile puisque je devais me familiariser avec le fonctionnement de la boîte, apprendre à connaître l'équipe et les clients, avant d'entreprendre un virage si je le jugeais nécessaire. Je n'allais pas faire l'erreur stupide de chambouler l'entreprise en y mettant les pieds.

Avant d'ajouter ma couleur et mon style, il me fallait avancer à petits pas, avec finesse et intelligence, pour que l'équipe en place poursuive dans la même direction que moi. Après tout, Jumpaï. com roulait très bien avant mon arrivée. Jumpaï.com, c'est le nom de l'agence depuis ses balbutiements et j'ai choisi de le garder, puisque je l'adore.

Malgré la folie du lundi, je suis mon plan en quittant le bureau à midi pile, même si j'ai encore une bonne cinquantaine de courriels non lus. À la première heure ce matin, j'ai appelé au gym pour prendre rendez-vous avec mon entraîneur préféré, Félix. Le connaissant plutôt bien, je lui ai offert un lunch *gratos* moyennant une consultation privée. Il m'a fait promettre de ne rien dire aux propriétaires, histoire de ne pas créer de précédent. Marché conclu !

Nous sommes attablés à la Boîte à lunch, le petit resto sympathique du club, devant une de ses succulentes salades. Dans cet environnement ultra-sain, je sens toujours une légère pression sociale qui me porte à me nourrir de verdure. En même temps, c'est logique : je ne suis quand même pas pour reprendre en moins de deux toutes les calories que je viens de perdre de peine et de misère en m'entraînant !

Une feuille de salade pendouillant encore au coin de la bouche, j'entreprends de raconter à Félix la galère dans laquelle je me suis embarquée. Il fait preuve d'une grande écoute – plutôt rare pour un gars – et ne montre aucun signe de panique. Je me sens rassurée. En brandissant la liste impressionnante d'articles que j'ai colligés et annotés, je manque d'envoyer balader ses légumineuses aux quatre coins du resto ! Nous éclatons d'un fou rire après lequel je dois reprendre mon souffle. Félix en profite pour réagir à ma tirade.

— D'abord, je te félicite, Gabrielle ! Pour ton idée de départ, mais aussi pour ton défi. Je te vois aller et venir au club, avec ou sans les enfants, et je vois bien que tu fais pas ça parce que t'as un surplus de temps.

— C'est sûr que, vu de même, c'est effectivement pas le cas ! Mettons que j'ai foncé sans trop réfléchir, après beaucoup de verres de vin, pis que là, le vertige me prend parce que je veux pas me planter, tu comprends ?

— Je vais te rassurer tout de suite… Tu vois ton projet pas mal plus gros qu'il l'est en réalité.

Devant ma moue sceptique, il enchaîne tout de suite.

— Ce que je veux dire, c'est que t'es une fille en parfaite santé, en bonne forme physique, y a pas de raison pour que tu te plantes. En plus, tu te donnes un an pour réaliser ton défi, c'est super raisonnable. Tu vas même pouvoir te permettre de travailler sur ton temps.

Si je n'avais pas passé une partie de mon week-end à lire sur le sujet, j'aurais sans doute ouvert de grands yeux perplexes, ne comprenant pas un traître mot de son discours patriotique. Mais ce n'est pas le cas et je suis plutôt fière de moi. Mes lectures m'ont notamment appris que, si l'objectif de base est de relever le défi en courant une distance donnée, la plupart des coureurs s'imposent un temps précis pour passer la ligne d'arrivée. C'est souvent là le véritable dépassement de soi, me confirme Félix qui, grâce à sa formation, en sait beaucoup sur le sujet.

Me connaissant, je sais trop bien que je vais vouloir faire un temps plus que raisonnable. Du coup, je prends conscience de mon souhait de finir ma course, oui, mais aussi de «performer». Respecter ou, mieux, dépasser mon objectif pour me dépasser, moi. Je suis comme ça dans la vie, à exiger de hauts standards de performance, d'abord pour moi, mais aussi pour ma famille et l'agence. Seulement voilà, l'exercice me donne maintenant le vertige, probablement parce que, cette fois-ci, je devrai me surpasser encore davantage sans délaisser l'essentiel. Il se trouve là, mon véritable dépassement à moi. Félix semble lire dans mes pensées, car il ajoute :

— Gabrielle, ça va bien aller, essaie pas de t'en mettre trop sur les épaules. Prends ça au jour le jour, tu vas être surprise de ce que tu peux faire en quelques mois.

— Ouais, t'as raison. Je me mettrai pas trop de pression en partant. Je me connais, je vais me donner à cent pour cent, mais faut pas que j'oublie tout le reste. Je commence à comprendre que j'ai du temps devant moi, que pour le moment le but est pas de forcer la note pis de brûler des étapes.

Nous parcourons ensemble un plan d'entraînement de course que je vais tenter de suivre à la lettre. Au départ, les sorties sont d'environ quinze minutes, à raison de trois fois par semaine. Le rythme doit en principe permettre de converser normalement avec le partenaire de course. Comme si, pendant que je monterai la belle pente naturelle de mon quartier, j'aurai envie de placoter ! Sans compter que je n'ai pas de partenaire de course !

Après avoir pris soin de régler la note en douce, je file avec une démarche assurée, la tête haute, souriante et gonflée à bloc par mon entretien avec Félix. Nous avons convenu de nous revoir à l'occasion afin d'échanger sur l'évolution de mon entraînement.

À mon retour au boulot, je me demande si chercher désespérément Pénélope est toujours d'actualité. Mon nouvel ami Félix pourrait me suffire. Et puis qui sait, peut-être ne court-elle plus depuis belle lurette, trop occupée à veiller sur tout sauf sur elle-même ?

Même si je ne suis pas l'exemple parfait à suivre en la matière, je trouve toujours aberrant de voir des femmes, beaucoup trop de femmes, s'oublier complètement dans leur rôle de maman. Fière militante de l'équilibre – sans jamais y parvenir tout à fait –, je crois me situer à mi-chemin entre la supermaman et la mère indigne.

Bon, je mentirais si je disais que je n'ai jamais de petites invasions de remords. J'apprivoise lentement mais sûrement ce sentiment en me répétant qu'il est en quelque sorte inévitable pour maintenir le mode de vie auquel nous tenons. Aussi, j'ai besoin de temps avec et pour moi. Un peu comme le café, c'est vital et non négociable. Je privilégie plutôt le temps de qualité, le vrai, en famille. Dans l'ensemble, ça fonctionne.

Je n'ai pas encore mis le pied dans mon bureau et j'en suis déjà à ma troisième escale. On dirait que les employés se sont donné le mot pour m'assaillir de questions alors que je n'ai pas du tout la tête à ça. Mon air satisfait toujours étampé sur le front, j'ai envie de retrouver ma bulle dans mon bureau afin de décanter le contenu des dernières heures. Après m'être rongé les sangs à me demander dans quoi je m'étais embarquée, voilà que j'ai un excès de confiance. L'effet Félix, me dis-je. C'est temporaire, alors autant en profiter pendant que ça passe.

J'atterris finalement sur ma chaise une demi-heure plus tard, constatant avec une pointe de découragement qu'une bonne vingtaine de courriels se sont ajoutés aux cinquante pendant mon absence. C'est quoi, là, ils ne dînent pas, eux ? En consultant mon agenda du coin de l'œil, je réalise que j'ai une rencontre avec un client dans moins d'une heure. Au secours !

Il faut absolument que je passe à travers tous ces messages, tout en me gardant une petite plage horaire pour dénicher Pénélope dans le monde virtuel. Tout compte fait, je me suis convaincue que deux, c'est mieux. Les conseils de Pénélope ne seront pas de trop. Au pire, je passerai un moment agréable en faisant un bond en arrière. Comme pour le reste, donc, je me suis mis en tête de faire les démarches de retrouvailles dès aujourd'hui et je n'en démords pas. C'est une fâcheuse habitude que j'ai et j'en suis parfaitement consciente.

Dieu merci, la plupart de mes courriels ne nécessitent pas un suivi rigoureux. Éprouvant beaucoup de difficultés à laisser ma boîte de réception pleine de messages non lus, je m'applique à tous les lire avec attention en moins de quarante-cinq minutes. Sous pression, je peux être dangereusement efficace! L'exercice me laisse donc une bonne quinzaine de minutes pour jouer les Sherlock Holmes.

Entre LinkedIn et Facebook, j'opte pour le second. Plus personnel et dans le même ton que ma requête, qui est de cet ordre. Je mets au maximum dix secondes avant de la repérer. Elle n'a pas changé d'un poil, avec sa silhouette fine et élancée. Je risque un regard navré vers le bas, vers mon mou à moi. Elle n'a pas eu d'enfants, elle? Je scrute sa photo de profil. Est-ce qu'elle porte un petit *mix and match* de coureuse? Je crois rêver!

Ou bien mon imagination me joue de vilains tours, ou bien j'ai la chance collée au derrière. Pénélope, ma Pénélope du temps où j'étais célibataire et pleine de liberté, court toujours, c'est indéniable. Pourquoi se donnerait-elle tant de mal à s'habiller de façon aussi impeccable et coordonnée? Certainement pas pour emmener ses enfants au parc! De toute façon, j'ai déjà statué qu'elle n'a pas de bambins. Trop mince, trop arrangée, trop parfaite, trop chiante.

Mon iPhone me rappelle qu'il me reste à peine cinq minutes pour lui faire un petit coucou.

«Salut Pénélope! Comment vas-tu? Ça fait un bail! J'espère que tu vas bien et que la vie est bonne pour toi. Ça serait sympa de se revoir. J'en profiterais pour te parler d'un petit projet perso. Je t'expliquerai… Fais-moi signe si le cœur t'en dit. Gabrielle X»

J'ajoute mon bisou tout en me dirigeant – d'un pas mal assuré dans mes escarpins d'un inconfort légendaire – vers la salle de conférences, qui fourmille de nos nouveaux clients et de l'équipe choisie pour gérer leur compte. Tous ont déjà l'air de bien s'entendre et ça me réchauffe le cœur. Voilà une perception très rassurante lorsque nous entamons un mandat important.

* * *

Les jours ont passé sans que ma vieille copine se manifeste. Je commençais à me faire à l'idée que je devrais me débrouiller sans elle, tout en me questionnant sur son silence. Il y avait quand même des chances qu'elle ne soit pas comme moi une fan finie de Facebook qui, boulot et vie perso obligent, consulte sa page une bonne dizaine de fois par jour ! L'autre option, moins probable, était qu'elle n'avait tout simplement pas envie de me faire signe. Qu'à cela ne tienne, je n'attendrais pas sa bénédiction pour entreprendre mon plan de course.

Comme prévu, donc, je suis allée courir une première fois le mardi, puis le jeudi suivant, pendant l'heure du dîner. Le mercredi, c'était jour de tennis, et vendredi, j'avais un lunch d'affaires avec une cliente de longue date. Fidèle à mon plan, j'ai fait des sorties d'environ une demi-heure en prenant soin de courir l'équivalent de quinze et même vingt minutes. Je m'accordais ainsi des pauses de marche rapide entre mes séquences de course.

J'ai beau être en parfaite santé et relativement en forme, je n'ai pas l'habitude de ce type d'entraînement. Si l'exercice s'est avéré un bon *challenge*, je me suis somme toute bien amusée et, pour moi, ce constat était soudain important et même primordial. Dans toute la frénésie qu'avait causée mon défi à ce jour, la notion de plaisir n'avait jamais vraiment été abordée alors que, avouons-le, tant qu'à mettre temps et énergie dans un sport, autant l'aimer pour la peine !

C'était donc un soulagement bref mais senti de constater que, d'entrée de jeu, le *fun* était palpable. J'ai tout de même eu la présence d'esprit de me rappeler gentiment que la partie était loin d'être gagnée. Que ma belle notion de plaisir s'envolerait parfois avec les kilomètres à parcourir ou au fil des pirouettes et courbettes de la vie quotidienne.

Pendant la semaine, les filles et moi avons échangé quelques courriels et textos. Roxane est sortie avec un mec du journal pour lequel elle bosse, un nouveau reporter affecté aux sports.

« Non, mais vous auriez dû l'entendre ne me parler que de sport ou de lui-même ! C'était d'un ennui mortel, et le pire, c'est qu'il n'avait même pas l'air de se rendre compte qu'il m'emmerdait royalement !! Son cochon ronflant n'avait clairement pas d'oreilles !!! »

Explications. Nous avons un *running gag* qui traverse le temps et qui concerne un test psychologique où il faut dessiner un cochon. Si ce dernier a des oreilles, ça signifie que la personne qui l'a dessiné a de l'écoute.

« À un moment donné, je vous jure, je le regardais même plus et il continuait à s'écouter parler !!! Je me suis tirée de là en prétextant un rendez-vous aussi soudain qu'urgent et en prenant soin d'oublier de payer la facture !!!! »

Si moi, j'utilise à outrance le mot « teeeeellement » lorsque je suis « cocktail », Roxane, elle, fait une surutilisation des points d'exclamation à l'écrit, et ça me fait beaucoup rire, car je l'imagine me raconter ses histoires colorées avec toute sa spontanéité et sa gestuelle légendaire.

Quant à Sophie, elle a fait un premier appel à sa fondation coup de cœur, Jaune Soleil. Elle a laissé entendre à son interlocutrice qu'elle pouvait s'impliquer à plusieurs niveaux, et ce, davantage le soir et le week-end. Nous avons eu envie d'ajouter que François, son mari – que nous appelons (pas si affectueusement que ça) « Françous » –, ne lui donne pas beaucoup plus de répit lors de ces plages horaires, mais nous nous sommes gardé une petite gêne.

« Je suis un peu déçue de la réaction de la p'tite madame. On dirait que je m'attendais à ce qu'elle m'appelle son sauveur, qu'elle me dise qu'elle espérait justement l'implication d'une âme généreuse pour l'aider à changer la vie de la famille qui vient de se pointer au centre. Je sais, c'est d'un ridicule ! Mes attentes sont trop élevées, faut que je me donne du temps. »

Inutile de préciser que nous avons pas mal toutes cette propension à vouloir tout, tout de suite. Une question de génération ou de personnalité ?

Annabelle nous a textées, elle, en nous laissant sur le qui-vive pas à peu près et en me donnant, du coup, le goût de l'étrangler !

« Depuis notre dernier rendez-vous, les filles, j'ai beaucoup réfléchi et, avec du recul, je réalise que mon défi va être plus difficile que je pensais. En fait, je vous ai pas tout dit... Désolée, faut que j'y aille, mais on s'en reparle.»

Oh boy! Ne JAMAIS laisser ses amies en plan avec une affirmation aussi assassine! Un cinq à sept devait être organisé d'urgence pour couvrir ce sujet! Bon, j'allais devoir me mettre là-dessus, comme si j'avais le temps en plus de tout le reste.

J'ai essayé tant bien que mal de nous prévoir un petit rendez-vous doux *in extremis*, en formule lunch. En vain. Nos quatre agendas sont remplis mur à mur pour les deux prochaines semaines. L'accomplissement de nos défis respectifs laisse forcément moins de place à notre vie sociale aussi. On dirait que je n'étais pas préparée à ça. Moi qui croyais avoir pesé tous les pour et les contre de ma quête, j'ai loupé quelques détails!

Un peu après nous avoir balancé sa bombe, Annabelle s'est au moins donné la peine de nous rassurer sur le fait qu'il n'y avait aucun drame majeur à l'horizon. N'empêche, c'est quoi l'idée d'amorcer une telle conversation en y coupant court en moins de deux? Ce n'est pas *cool* et elle le sait. Rien à faire, j'ai encore envie de l'étrangler de mes deux mains.

* * *

Le vendredi en fin de journée, alors que je n'espérais plus rien d'elle, Pénélope s'est manifestée comme par magie.

«Hé Gab, comment vas-tu? Ravie d'avoir de tes nouvelles, ça fait si longtemps! Je t'avoue que tu piques ma curiosité avec ton projet, faut absolument qu'on se voie! Appelle-moi!»

Elle me laissait son numéro de cellulaire et signait «Pénélope, ton ex-partner de cinq à sept». Elle m'appelait encore affectueusement Gab et avait les mêmes souvenirs que moi: j'étais à la fois touchée et amusée.

Nous avons vraiment beaucoup fait la fête, toutes les deux. C'était l'époque chérie du célibat, des flirts, des sorties entre filles dans les boîtes de nuit et sur les terrasses. Nous avions zéro responsabilité ou presque, l'univers entier étant braqué sur notre petit nombril. C'était une belle période, mais je n'y retournerais pas pour autant. Revoir Pénélope allait raviver une tonne de souvenirs mémorables et d'anecdotes douteuses qui devraient rester entre nous afin de préserver notre dignité !

Pendant mon retour à la maison, j'ai essayé de la joindre et je suis tout de suite tombée sur elle. Manifestement, Pénélope était folle de joie de m'avoir au bout du fil. Elle me faisait penser à Roxane avec sa vivacité et son enthousiasme naturel. Nous avons papoté comme si nous ne nous étions jamais quittées. C'est sans doute ainsi qu'on reconnaît les grandes amitiés.

Après une bonne vingtaine de minutes à nous mettre à jour sur nos vies, nous nous sommes donné rendez-vous pour le lunch du lundi suivant. Décidément, mes dîners seraient chargés au cours des prochaines semaines. J'allais devoir faire des choix judicieux parmi les déjeuners-conférences, les soupers-bénéfice et les tournois de golf pour le reste de l'été !

Cette fin de semaine marquait le début de mon entraînement pendant les jours de congé. Ça tombait pile, car nous n'avions, ô miracle, absolument rien au programme à part le tennis du samedi matin et les emplettes d'usage. Le reste du temps, Philippe et moi avons passé nos journées avec les enfants à faire du vélo sur la piste cyclable et des pique-niques au bord du lac. Nous n'en avions que pour eux, que pour la famille.

À travers nos folles semaines réglées au quart de tour, nous ressentons à l'occasion le besoin de nous retrouver dans notre bulle familiale, à faire des sorties ou des activités rien que nous quatre. Parfois, il nous prend des envies de ne faire strictement rien. Nous tournons ça en combo pyjama-popcorn, avec deux, parfois trois films l'un à la suite de l'autre.

Notre samedi matin étant complet, j'ai entrepris ma troisième course le dimanche, un peu après le délicieux déjeuner santé que je me suis fièrement concocté en ayant mon entraînement en tête. Félix m'a bien avertie que tout bon programme comporte un heureux mélange d'activité physique et de saine alimentation. La course s'est relativement bien déroulée, compte tenu des quelques verres de vin que je n'avais pas voulu éviter la veille, trop contente de passer un rare moment en tête à tête avec mon amoureux une fois les enfants au lit.

Nous avons bien failli nous faire prendre «les culottes à terre» par un Zac à demi endormi qui, du haut de l'escalier du premier, a demandé si maman criait parce qu'elle était malade… Ça nous apprendra à vouloir innover en nous baladant de pièce en pièce au rez-de-chaussée !

Le soleil s'est pointé tôt ce dimanche-là, portant le mercure à une température qui avoisinait les trente degrés pendant presque toute la journée. Le ciel était sans nuages et l'humidité, pas trop suffocante. Nous avons profité de la piscine, d'abord en famille puis avec maman, qui s'est jointe à nous pour le barbecue du midi.

Si je suis davantage du genre à mariner quelques minutes seulement, histoire de me rafraîchir, Juliette et Zac, et même Philippe souvent, peuvent jouer dans l'eau pendant des heures. Je m'installe près d'eux, sur ma chaise longue préférée, un bon polar sous la main et, sur le coup de 16 heures, avec un petit rosé bien frais à siroter. Après tout, il est sûrement l'heure de cinq-à-sept quelque part dans le monde !

Parfois, alors que je les sais absorbés par leurs jeux marins, je sors mon iPhone en douce et j'en profite pour jeter un coup d'œil à l'état de ma boîte de réception. C'est rarement la catastrophe, mais je ne prends pas de risques. Philippe déteste voir que je ne décroche pas complètement, mais en même temps, il comprend le lot de responsabilités qu'amène le titre de grand patron.

Avec l'équipe, je tente d'éviter les débordements et les échanges de courriels pendant le week-end, mais ça peut arriver à l'occasion. Surtout à la veille d'un *pitch* important. Et quand ils se donnent à cent pour cent, ils savent très bien que ça leur reviendra d'une manière ou d'une autre.

Sur le coup de midi, la moitié de la terrasse est baignée de soleil, nous laissant profiter de la chaleur jusqu'en toute fin de journée. L'autre moitié est recouverte d'un toit qui nous permet de nous installer confortablement, beau temps, mauvais temps. Fixé à la maison depuis le printemps dernier seulement, c'est le *hit* de l'été !

En nouveauté aussi, un espace *lounge*, dans le genre de ceux qu'on retrouve au Citron Lime, occupe la portion non protégée. Puisqu'il était hors de question que je choisisse du blanc, pour les raisons pratico-pratiques que nous, mères de famille, avons appris à connaître, j'ai choisi un turquoise flamboyant avec coussins assortis. Philippe a eu du mal à s'y faire au départ, mais le temps a bien fait les choses.

Un peu plus loin se trouve la piscine creusée, que les enfants appellent «la pinotte». Quelques chaises longues en osier et feuillages de type palmier complètent ce décor au goût du jour, exactement comme je l'avais imaginé alors que je feuilletais les magazines en compagnie de maman.

À vrai dire, j'avais cet aménagement en tête depuis deux étés, mais nous avons fait le grand saut cette année, après un lobbying acharné de ma part auprès de mon homme. Je dois avouer que je suis fière du résultat, mais pas mal moins de l'état de mon compte de banque! Peu importe, c'était ça l'entente.

L'année qui a suivi la naissance de Zac, nous sommes tombés sous le charme d'une maison située en bordure d'un lac, à quelques minutes d'une montagne de ski. Le rêve! Tout ce que nous n'avions pas auparavant y était : vaste espace à aire ouverte au rez-de-chaussée, foyer au bois, poutres, lambris, bibliothèque et garage excavé – juste pour Philippe! Seulement voilà, la cour arrière était à repenser au grand complet. Il y avait bien la piscine déjà en place, mais l'aménagement laissait à désirer.

Qu'importe, le site était si prometteur que nous avions convenu – en fait, Philippe avait décidé – de nous y mettre quelques années après l'achat de la maison. J'avais donc mon plan en tête et mes magazines sur la table de chevet! J'ai passé, au bas mot, les quatre dernières années à étourdir mon tendre époux avec mes idées de grandeur. Je le soupçonne d'avoir entrepris les travaux simplement pour ne plus m'entendre me répéter saison après saison!

La patience n'étant pas une grande vertu chez moi, l'attente m'a semblé interminable. Force est d'admettre, toutefois, que la sagesse de Philippe nous a servis de belle façon puisque nous avons pris tout le temps qu'il fallait pour, d'abord, renflouer les coffres depuis l'achat de notre maison de rêve, puis pour bien faire les choses.

Allongée sur ma chaise de luxe, le iPhone camouflé dans le dos, j'ai jeté un nouveau regard satisfait sur ce qui m'entourait. Un peu plus loin, le lac était comme un long fleuve tranquille, agité par moments par les rares bateaux profitant des derniers rayons avant de rentrer au bercail. L'autre rive était infiniment petite devant la montagne qui se dessinait nettement au loin dans le ciel et qui laissait entrevoir des pistes de ski sans âme puisque sans neige. Nous avons opté pour la campagne en ville et nous en félicitons encore chaque jour.

* * *

Pour une rare fois dans ma vie, je suis attablée au resto en attendant sagement l'arrivée de mon invitée, Pénélope. C'est rassurant de penser que je ne suis pas la seule à collectionner les retards! Je pianote frénétiquement sur mon iPhone, feignant de répondre à quelques textos qui n'existent pas, pour ne pas avoir l'air trop *loser*. En ce beau lundi midi, ma boîte de réception est débordante de contenu corpo, mais je me laisse tenter par la procrastination pendant cette attente. Ma vieille copine se pointe finalement avec une bonne quinzaine de minutes de retard.

Elle n'a pas changé d'un poil, la jolie Penny. Sa longue robe soleil à rayures laisse entrevoir une taille ultra-fine qui n'a pas bougé d'un iota depuis la belle époque. C'est plus que confirmé, elle n'a assurément pas d'enfants! Elle s'approche d'un pas rapide, me fixant déjà de loin d'un œil amusé et dégageant une énergie solaire peu commune.

— Désolée, désolée, désolée pour mon retard… Gaaaaab, j'suis vraiment contente de te revoir! me lance-t-elle en me serrant dans ses bras. Dès que je t'ai aperçue, des souvenirs pas très racontables me sont revenus, c'est fou comme le temps passe vite!

Elle a du mal à s'arrêter de jacasser et de gesticuler, me laissant à peine le temps de placer un mot. Je profite de sa pause-respiration pour la remercier d'avoir répondu à mon message et d'être au rendez-vous aujourd'hui. Puis nous nous racontons sommairement nos dernières années tout en savourant notre plat de pâtes.

À ma grande surprise, Pénélope a des jumelles de sept ans même si elle doit faire, pour un jeans disons, vingt-quatre de taille gros maximum! Le père a disparu dans la brume depuis un méchant bout de temps, alors elle élève ses filles avec l'aide de sa mère. Je ne peux m'empêcher d'éprouver une immense vague de sympathie pour elle. Sérieusement, les mères de famille monoparentale ont toute mon admiration. Je sais pertinemment que ma vie aurait pu prendre un tournant très différent si j'avais dû élever mes enfants en solo.

— Tu sais, j'ai souvent pensé à toi pendant les dernières années, je me demandais ce que tu devenais, m'avoue-t-elle en sirotant sa tasse de café au lait.

— Moi aussi, je pensais à toi, et honnêtement, je me demandais pourquoi on n'avait pas gardé contact après toutes ces soirées à rigoler et à s'éclater. Avec le temps, j'ai compris que c'était pas personnel, qu'on a fait chacune notre petit bonhomme de chemin.

En amitié, j'ai une fidélité béton. Pas étonnant que j'aie les trois mêmes meilleures amies qu'au secondaire. Mes copines, je les traite aux petits oignons, d'abord en essayant d'être toujours disponible pour elles, à l'écoute, puis en leur prodiguant de douces attentions de temps à autre. Je suis du genre à arriver avec un bouquet de fleurs si je sens que l'une d'elles file un mauvais coton. Parfois, ça peut être simplement un texto pour remonter le moral ou un courriel pour partager un bouillon d'amour. Elles m'accompagnent à l'occasion dans les soirées que je m'amuse à appeler mondaines.

Quand j'en perds une de vue, ça vient me chercher. Ce n'est pas arrivé souvent, mais Pénélope est un bon exemple d'une séparation qui, je me rappelle très bien, m'a fait de la peine dans le temps.

— Mais raconte-moi donc la vraie raison de ta réapparition, Gab ! me coupe-t-elle tout à coup.

— Imagine-toi donc que je me suis mis dans la tête de courir un demi-marathon pis que l'inspiration m'est venue de toi.

— Pour vrai ? s'empresse-t-elle de répondre, visiblement émue.

— Oui, madame ! J'ai fait un pacte avec mes amies pis je me cherchais un défi à la hauteur de mes ambitions. J'ai repensé à cette fois où j'étais allée te voir courir ton premier marathon. Ça m'a donné le goût de m'embarquer là-dedans. Je me suis dit que tu pourrais peut-être me refiler quelques trucs. Tu cours toujours, hein ? J'ai vu ta photo sur Facebook et…

Devant sa mine soudain déconfite, je m'arrête net, comprenant que je ne pourrai peut-être pas trop compter sur elle.

4

Gabrielle et compagnie

J'ai pris l'habitude de courir sur la piste cyclable qui longe la montagne pendant les jours de congé. Notre maison étant située pas très loin, je m'y rends au pas de course, non sans mal en raison des belles pentes naturelles du quartier. Mais j'ai beau en arracher au départ et à l'arrivée de mon parcours, cette routine me plaît puisqu'elle me fait sillonner un paysage de carte postale. À chaque course, je côtoie les arbres, les fleurs, la verdure, le lac, la montagne. Rien à voir avec la piste cyclable que j'ai adoptée en ville, près de chez Jumpaï.

Courir me donne un accès illimité à mes pensées. Toutes les réflexions sont permises, d'autant plus que le temps se bouscule lorsqu'on ne le passe pas à regarder sa nouvelle montre GPS! En plus de cet incontournable joujou, il m'a fallu investir dans deux bonnes paires d'«espadrilles volantes» et quelques petits ensembles coordonnés dernier cri, afin de maximiser mes chances de «performer». Je n'allais quand même pas courir en jupette de tennis!

J'ai beaucoup fait rire Philippe et ma mère quand j'ai tenté de les convaincre le plus sérieusement du monde que je devais ABSO-LUMENT ajuster ma garde-robe sportive à ma nouvelle discipline. Mes amies, elles, étaient plus réceptives et compréhensives.

Forcément, l'hyperactivité de mes pensées m'a ramenée à plusieurs reprises à la triste histoire de Pénélope. Pendant notre lunch de retrouvailles, j'ai compris qu'en dehors de ses filles la course était toute sa vie. Au cours des dix dernières années, elle a collectionné les marathons dans toutes les villes imaginables. Autrement dit, c'est une «crinquée», Annabelle l'adorerait!

L'ennui, c'est qu'il y a un an, elle s'est blessée au genou et n'a pu reprendre l'entraînement depuis. Le coup a été très difficile à encaisser et continue de la hanter. Pénélope ne se voit tout simplement pas sans la course dans sa vie. Suivie de façon assidue par un physiothérapeute, elle a bon espoir de courir à nouveau bientôt, mais l'attente est interminable pour elle. Son moral est somme toute très bon, mais dès que nous abordons ce sujet délicat, elle devient vite mélancolique. Après ce dîner à la conclusion plus dramatique que je l'aurais souhaitée, je m'en suis voulu pour le « parfait » *timing* de ma démarche. Décidément, j'ai le sens du punch !

Nous nous sommes quittées sur une note positive, nous promettant de ne pas laisser passer une autre décennie sans nous voir. Malgré son histoire, elle m'a assuré qu'elle se ferait un plaisir de répondre à mes questions n'importe quand. Elle s'est même engagée à venir m'encourager lors de ma toute première course.

— Le mental, c'est la base, mais le soutien moral, c'est vraiment important pendant une course ! a-t-elle martelé.

* * *

À bien y penser, le début de mon entraînement tombe pile au bon moment, car pendant la belle saison – celle des vacances –, tout tourne davantage au ralenti à l'agence. Pour la plupart de nos clients, ce n'est pas la période la plus chargée de l'année et, bien que nos journées soient toujours remplies, la folie qui anime parfois nos bureaux n'est pas au rendez-vous.

Règle générale, les déjeuners-conférences et les dîners-bénéfice, où j'ai un objectif avoué de *PR*, cèdent le pas aux tournois de golf, qui se multiplient et se réinventent. Comme je ne suis pas une golfeuse aguerrie – il y a des limites à la diversification ! –, je décline poliment les invitations. Il m'est arrivé de faire quelques apparitions aux soupers qui suivent les tournois, sans plus. Au fait, le réseautage au spa, c'est pour quand ?

Une bonne nouvelle pointe à l'horizon de mon après-vacances. Chaque année, vers la mi-septembre, il y a un événement incontournable à New York, où des agences en provenance des quatre coins de la planète se donnent rendez-vous pour un marathon de conférences et d'échanges sur le merveilleux monde des communications. Je ne manquerais ce rassemblement pour rien au monde, en raison du boulot, mais surtout parce que ça devient mon prétexte béton pour rejoindre ma petite sœur, Rosalie, qui habite la Grosse Pomme depuis plusieurs années déjà. Quand même, il y a pire dans la vie !

N'écoutant que son courage, elle a plié bagage aussitôt son baccalauréat terminé afin d'affronter la grande ville, caméra à l'épaule. Photographe de métier, ma frangine a un talent brut qui lui a déjà valu de nombreux et lucratifs contrats. D'ailleurs, j'aurais bien voulu qu'elle prenne en charge le *shooting* photo glam de notre dernier souper de filles, mais nos horaires n'étaient pas compatibles. Elle m'avait refilé le nom d'une copine d'université avec qui elle avait étudié. Nous avons été conquises, comme Rosalie nous l'avait promis. Malgré la distance, ma petite sœur me connaît encore par cœur.

Inutile de préciser que nous faisons de mon passage annuel à New York un trip de filles délirant, trop ravies de nous retrouver après des mois d'absence. Elle passe bien les vacances de Noël avec nous et nous visite une ou deux fois dans l'année. N'empêche, c'est trop peu, trop rare. S'étirant sur quatre jours, le congrès me permet d'y jumeler un congé pour faire durer le plaisir en profitant au maximum de ma sœur et de la ville.

Naturellement, notre horaire compte des séances intensives de magasinage dans les rues new-yorkaises. Rien que d'y penser, j'hyperventile! Magasiner est un plaisir coupable que je renouvelle sans cesse, ici comme ailleurs, et je m'assume à deux cents pour cent dans ce rôle d'accro du shopping. Disons que ce n'est pas moi qui gère les finances familiales et qui cotise le maximum à nos REER!

Ma frangine et moi prenons quand même soin de récupérer à l'aide de grasses matinées bien méritées après autant de labeur. Sur la terrasse de son condo minuscule mais hors de prix, lovées dans des couvertures qui nous protègent de la brise du matin, nous enfilons les bols de café au lait au rythme de nos histoires de vie. C'est bien beau Skype, Facebook, les textos et les courriels, mais rien ne vaut une bonne discussion face à face pour refaire le monde.

Mon séjour à New York n'est pas pour demain, mais il viendra bien assez vite. En attendant, je dois poursuivre l'entraînement coûte que coûte, en dépit d'un mal de pieds persistant. Ce n'est pas là-bas, ville de tous les excès, que je pourrai compter sur une discipline rigoureuse. Je ne me fais pas trop de soucis: je m'adonnerai volontiers à la marche rapide d'une boutique à l'autre!

Alors que je termine une course un midi, je reçois un texto de Roxane.

« J'ai pris la liberté de nous booker un déjeuner sur ma terrasse, pas ce dimanche-ci, l'autre. Je me suis dit que tu saluerais ma remarquable initiative, moi qui n'ai pas ton étoffe de leader, et que ça me reviendrait au centuple. :) Je vous attends vers 10 heures. Sur ton chemin, peux-tu nous ramasser des Starbucks corsés ? On va en avoir besoin ! En passant, j'ai bien averti Anna d'attacher sa tuque avec de la broche, qu'elle allait devoir nous déballer toute son histoire à la virgule près ! »

* * *

— Fais comme chez toi, Gab ! me crie Roxane.

Me doutant qu'elle est déjà dehors à sortir ses coussins dépareillés ou à tenter de dresser – sans succès – une table à la Martha Stewart, je passe par l'extérieur pour me rendre sur la terrasse. Si je suis pile à l'heure et pas mal fière de mon coup, je ne m'attendais certes pas à être la première arrivée.

— Je passe à l'histoire, ce matin ! je glousse joyeusement en déposant les cafés brûlants. Sérieux, je pense que c'est la première fois de ma vie que j'arrive avant tout le monde !

— J'avais prévu le coup, mon amie, je t'ai invitée une bonne demi-heure avant les autres pour être sûre de t'avoir à temps ! me répond Roxane en me rejoignant pour une accolade.

— Non ! T'as pas idée de ce que j'ai fait endurer à mon chum pis mes enfants pour être ici à 10 heures ! Mais faut que j'avoue que c'est assez ingénieux et efficace comme idée.

— Je sais, j'ai l'air de rien, mais ça fonctionne à plein régime là-dedans ! me rétorque-t-elle avec un petit clin d'œil. Le hic, c'est que la prochaine fois, tu vas me voir venir… Bon, j'imagine qu'on va avaler nos cafés avant d'entamer le rosé ?

— Oh que oui, je vais te prendre un café volontiers, moi ! lance Sophie en tournant le coin du condo pour nous rejoindre.

— *Oh boy !* Grosse soirée hier, ma So ! dis-je, tout sourire.

Je lui tends son verre après l'avoir serrée dans mes bras. J'ai l'impression que ça fait une éternité que je ne l'ai pas vue. Sans maquillage, elle a les traits tirés et la voix un peu rauque.

— Ouais, on l'a un peu échappée hier avec les voisins. On s'est fait un feu improvisé quand François est rentré, les enfants ont joué ensemble, se sont baignés jusqu'à en être ratatinés. Nous autres, ben, on buvait pis on dansait. On s'est couchés pas mal plus maganés ET pas mal plus tard que je pensais!

— On va t'arranger ça avec un bon rosé pour déjeuner tantôt! blague Roxane en nous invitant à nous asseoir pendant qu'elle nous apporte des chocolatines et des croissants aux amandes tout droit sortis du four.

Annabelle, la *guest speaker* de la journée, se pointe en même temps que les viennoiseries. On dirait bien qu'elle a retardé son arrivée, pas trop certaine d'avoir envie d'affronter sa brigade d'amies. Un dossier chaud est à l'ordre du jour, mais il y a toujours un « varia » que nous choisissons, cette fois-ci, de couvrir dès le début. Nous accusons un retard lamentable sur tous les sujets et en profitons pour faire, entre autres, une mise à jour de nos quêtes.

C'est ainsi que j'apprends que Sophie a fait une petite collecte de vêtements et de jouets parmi les – nombreuses – équipes de hockey de ses fils pour les remettre à son organisme chouchou. Je lui promets d'ailleurs d'y contribuer en récupérant quelques sacs abandonnés dans mes fonds de placard. Après cette besogne barbante, mais nécessaire, il est clair que je me sentirai autrement plus légère.

Quant à Roxane, elle n'a rien de bien heureux à signaler côté cœur. Elle n'a évidemment pas accepté un second rendez-vous doux avec le connard qui ne connaissait même pas son nom tellement il n'avait parlé que de sa petite personne! S'il avait au moins eu quelque chose d'intéressant à raconter, je ne sais pas, moi, un safari en Afrique ou le tour du monde en voilier… Eh non, il entretenait sa *date* de « stats » et de sa vision du retour d'une équipe de la LNH! Pas étonnant qu'il soit encore célibataire à la mi-trentaine! Oups! Je me prends une note mentale de ne jamais répéter tout haut cette pensée en présence de Roxane.

Vient le tour d'Annabelle, qui fait tout pour entretenir la conversation courante en posant trop de questions à développement. Un peu plus et elle se met à causer météo! Visiblement, elle repousse le moment de son intervention même si elle sait très bien que nous sommes ses amies pour le meilleur et pour le pire.

— Bon, Anna Bella, on va arrêter de tourner autour du pot. Qu'est-ce qui se passe, mon p'tit chou ? je lance soudainement.

Les autres s'empressent d'acquiescer en déposant leur verre comme si le moment devenait tout à coup grave et solennel. À cet instant précis, si je pouvais faire jouer la trame sonore dramatique d'un de nos films de filles, l'effet serait plus-que-parfait.

— Je sais pas trop par où commencer… Ça fait un bout que je vis ça toute seule, mais là, c'est comme devenu insupportable. J'étouffe avec mon secret bien gardé…

Nous sommes à ce point en mode écoute que, oui, on entend une mouche voler. Une belle mouche fatigante qui virevolte bruyamment autour de moi, en prenant soin de se poser sur nos chocolatines encore intactes. Ce n'est pas le moment de briser le rythme de la révélation-choc à venir, mais j'ai du mal à rester concentrée.

— J'ai… euh… J'ai rencontré quelqu'un y a quelques mois… laisse-t-elle tomber.

Il faut voir notre tête à toutes les trois quand elle déballe son sac à surprises. Personnellement, je suis tellement estomaquée que je manque d'avaler la foutue mouche qui ne me lâche toujours pas ! Comme le silence persiste, sous nos regards pleins d'interrogations, Annabelle poursuit dans la foulée :

— C'est-un-prof-que-j'ai-rencontré-dans-le-cadre-du-parasco-de-mon-école-on-a-fait-quelques-activités-de-groupe-ensemble-et-un-soir-on-a-pris-un-verre-pis-un-autre-et-ça-s'est-terminé-chez-lui-voilà !

— Ben, j'ai mon voyage ! s'exclame spontanément Roxane.

— Pareil pour moi, je suis sous le choc… d'ajouter Sophie.

— Et moi donc ! Si je m'attendais à ça… On parle bien de la totale ici, c'est ça ? j'ose demander.

Devant l'affirmative de mon amie, j'enchaîne aussitôt :

— Mais qu'est-ce qui est arrivé depuis ? T'en es où dans tout ça ?

— Justement, c'est ça le punch. On avait convenu lui et moi qu'on avait fait une grosse bêtise, que ça se reproduirait plus, qu'on voulait pas foutre en l'air nos familles. La preuve, je voulais reconquérir mon chum, comme je vous le disais. Bref, on s'en est tenus à notre plan, la fin des classes aidant, jusqu'à ce que je le revoie au gym l'autre jour. On a lunché ensemble, pis malgré le sentiment de culpabilité qui me rongeait, j'ai bien vu qu'y se passait encore quelque chose entre nous. C'est pas normal que je me sente de même quand je prends un café avec un gars, non ?

Sur ces mots, la voix d'Annabelle se brise et elle fond en larmes comme une petite fille. Elle semble tout à coup si fragile, si vulnérable. Nous, Sophie-la-*tough* incluse, nous levons toutes d'un bond synchro pour lui faire un gros câlin collectif.

— Anna, on est avec toi peu importe ce qui t'arrive. Tu peux compter sur nous autres pour t'aider à voir plus clair, la rassure doucement Roxane.

Nous reprenons nos places respectives, incapables d'avaler quoi que ce soit, surtout pas les chocolatines souillées par les pattes de mouche. Annabelle entreprend alors de nous raconter toute son histoire sans oublier un seul détail, sous peine d'être grondée gentiment. Petit à petit, nous découvrons que la pauvre est confuse à un point tel qu'elle mélange tout.

En plus d'être une sale menteuse, elle est selon elle une mauvaise copine, une mauvaise mère et surtout une mauvaise conjointe. Nous mettons illico un frein à cette autoflagellation. Ses épaules ont beau être musclées et entraînées à la dure, elles ne méritent certes pas ce traitement sans pitié.

Si notre amie en est là, c'est forcément parce que son couple ne tourne pas tout à fait rond. Je persiste à penser que, si elle filait le parfait bonheur, elle n'aurait pas envie d'aller voir ailleurs si le monde est meilleur. Le beau Louis a peut-être l'air idéal, mais il n'est sans doute pas blanc comme neige.

— Mais c'est justement ça, le problème ! Il est trop parfait, Louis. Il me tombe sur les nerfs à la longue avec sa façon de tout calculer, de toujours faire la bonne chose au bon moment. Y reste pas grand-chose pour l'improvisation, je vous jure !

— Lui as-tu déjà dit tout ça ? je demande, prenant au sérieux mon rôle d'intervieweuse empathique à la Oprah.

— Ben, oui et non… Quand on s'engueule, ça finit par sortir tout croche. Mais lui, il voit pas ça de même. Il dit que je cherche des bibittes où y en a pas. Il a peut-être raison, remarque. En plus, c'est un super bon papa, pis moi, je lui trouve des défauts pis je lui laisse pas beaucoup de place…

— … Et comme tu penses encore souvent à l'autre, ça te vire à l'envers pis ça te donne pas trop le goût de te mettre en mode solution, complète Sophie, pleine de compassion.

— C'est ça… Je suis comme toute mêlée, je sais plus trop ce que je veux. Le pire, c'est les remords qui continuent de me ronger. J'avais vraiment les meilleures intentions, je voulais vraiment réorienter mes pensées vers mon chum, mon couple, je vous jure !

— Anna Bella, t'as pas besoin de jurer tout le temps, on te croit sur parole ! je lui lance à la blague.

Nous sourions toutes doucement, désamorçant du coup l'ambiance dramatique. C'est un sourire un peu triste, tandis que tous les regards se perdent dans le vide et le silence. Notre amie est plus mal en point que je le croyais. J'ai vu juste à certains égards, mais jamais je n'aurais imaginé qu'elle en était là. Et bon sang, elle a couché avec un autre homme ! Anna Bella, ma douce et discrète amie, a entretenu, n'ayons pas peur des mots, une idylle secrète pendant quelques semaines, et nous, ses copines, n'avons rien remarqué. Je ne suis pas fière de moi.

Absorbée par mes pensées, à fixer bêtement notre déjeuner presque intact, je prends conscience que nous ne connaissons jamais profondément les gens faisant partie de notre vie. Qu'ils ont tous un jardin secret qui leur appartient et qu'ils acceptent ou pas de dévoiler un jour ou l'autre. Je pense à Philippe, mon mec à moi. Celui avec qui j'ai l'impression de tout partager. A-t-il quelque chose à cacher depuis toutes ces années ? J'ai toujours présumé que nous n'avions aucun secret l'un pour l'autre, passé ou présent. L'épisode Annabelle-la-rebelle porte à réfléchir.

Lorsque nous nous sommes rencontrés, lui et moi, nous avons bavardé des heures durant. Ça peut sembler cliché, mais ça a été le coup de foudre. Pendant les semaines qui ont suivi, nous avons passé un temps fou ensemble à nous raconter notre enfance, nos souvenirs de vacances, nos rêves, toutes nos premières fois. C'étaient des moments infiniment exquis.

J'y resonge avec une pointe de nostalgie, car bien que nous soyons encore amoureux, Philippe et moi, nous n'avons plus cette flamme, cette fougue qui nous donne les papillons et l'énergie de baiser jusqu'au petit matin soir après soir ! J'ai déjà entendu quelque part qu'après la passion l'amour véritable s'installe. Je suis peut-être naïve, mais j'y crois. Pour moi, comme pour Annabelle.

Chose certaine, mon amie est loin de l'euphorie amoureuse. Je ne peux m'empêcher de la plaindre, la pauvre. Connaissant Annabelle, je n'arrive pas à m'imaginer qu'elle a couru après. Le sort s'est simplement acharné sur elle, l'obligeant à faire face à la tourmente et à repenser les fondements de son couple. Ce gars-là n'est que l'élément déclencheur qui a brouillé les cartes au moment où on s'y attendait le moins. Je me dis aussi que ni moi ni Philippe ne sommes à l'abri de cette croisée des chemins.

Le déjeuner se conclut sur notre engagement à soutenir moralement notre copine coûte que coûte. Pour ma part, je lui planifie un parcours de shopping extrême avec, en prime, des séances gratuites de psychologie 101 en ma compagnie.

— Techniquement, « habiller ses émotions » est une véritable thérapie, t'as un redoutable témoin à l'appui.

Je fais de grands gestes pour m'identifier de façon claire, ce qui fait rire les filles. Elles n'ont pas besoin d'un dessin pour comprendre de qui il s'agit.

Sophie promet de devenir sa *pusher* de cafés au lait et de croissants aux amandes frais du jour, avec livraisons à domicile sur demande. Roxane, elle, se donne pour mission – impossible – de lui tenir compagnie au gym le plus souvent possible, activité qu'elle a en horreur. Elle nous avouera plus tard qu'elle a délibérément fait ce choix pour jouer les espions. Elle meurt d'envie de voir le péché mignon d'Annabelle en chair et en os. Tant qu'à être infidèle, autant l'être avec un pétard plutôt qu'un pichou !

— Ça, c'est de l'amour, ma chérie ! s'époumone une Roxane pince-sans-rire, ravie de sa ruse, mais tout de même découragée par l'engagement qu'elle vient de prendre.

La promesse d'Annabelle est de tenter d'y voir plus clair, de se poser les bonnes questions et, surtout, de ne pas provoquer les rencontres avec son amant d'un soir. Elle doit fuir les tentations pendant sa période de réflexion, nous sommes toutes d'accord sur ce point. Nous décrétons aussi qu'il vaut mieux laisser Louis en dehors de tout ça pour éviter de lui faire de la peine. Une petite voix me dit qu'une partie du mal est faite, mais bon, je fonde encore beaucoup d'espoir sur ce couple. Je l'aime bien, moi, son Louis.

* * *

En rentrant à la maison, j'ai envie de poser mille et une questions à Philippe. J'aimerais avoir son opinion de gars. Souvent, la lecture que font les hommes d'une situation est bien différente de la nôtre. Curieusement, j'ai l'impression qu'il me dirait qu'il s'en doutait. Qu'Annabelle semblait à des années-lumière de son homme depuis un bail. Qu'elle l'avait peut-être même cherché en faisant son petit numéro de charme, à la conquête de papillons. Je ne suis pas prête à entendre ça et, de toute façon, j'ai donné ma parole aux filles que notre discussion resterait dans le périmètre de la terrasse aux fleurs fanées de Roxane.

L'histoire de mon amie m'a ébranlée, mais il me faut maintenant me recentrer sur moi-même pour la semaine à venir. Je dois maintenir mon rythme de trois sorties de course et faire tranquillement les préparatifs des vacances, à travers les tribulations de la vie quotidienne. Ne me reste plus que cinq jours ouvrables pour faire avancer quelques dossiers chauds à l'agence, assister au *briefing* d'automne de deux clients majeurs et préparer l'équipe à mon absence au cours des deux semaines suivantes. Ouf, est-ce que quelqu'un quelque part pourrait me téléporter dans l'avenir, à une semaine d'ici?

* * *

Vendredi, 15 heures. Je me rapproche de plus en plus du bonheur. Par l'immense fenêtre de mon bureau, je vois encore tous les services fourmiller pour terminer les urgences de la semaine. L'agence est une grande aire ouverte aux hauts plafonds où les tuyaux ont été volontairement rendus visibles. Il y a beaucoup de blanc, mais chaque département a une couleur d'accent et des mots inspirants y tapissent les murs. Mon idée. Le mur du fond est en briques rouges. La cuisine, très chouette, est située non loin de là.

La déco a été complètement repensée juste avant que je prenne la barre de la boîte. M. Thomas, le chic type plein aux as qui m'a vendu le bureau, m'a prise en affection et m'a gentiment proposé cette cure de jeunesse comme cadeau d'adieu. Je lui étais d'autant plus reconnaissante qu'il m'a consultée dans toutes les étapes des rénovations.

J'ai mis ma mère dans le coup. Après que mon père l'a quittée et la période, disons, sombre et chaotique qui a suivi, elle a sauté dans le vide et s'est réorientée comme designer. Mon idée aussi. Du plus loin que je me souvienne, Alice a toujours eu un don pour tout ce qui touche la déco et la réno. Tout le contraire de moi, qui ne fais pas la différence entre un marteau et un pied-de-biche! Côté déco, je me débrouille assez bien, mais je ne fais pas le poids. Il suffit de jeter un coup d'œil à son loft, une pure merveille, pour comprendre qu'elle est douée pour créer des espaces aux ambiances fabuleuses.

Un soir où nous étions attablées devant une tasse de café ou, plus probablement, un verre de vin, je lui ai déballé mon idée plus-que-parfaite pour elle.

— Maman, ça te ressemble tellement, tu devrais plonger.

— Oh, je sais pas trop, Gaby, pas sûre que j'aie le *guts* de me lancer en affaires à mon âge. Je pars de loin, tu sais.

— Arrête ça, tu me fais mourir quand tu t'y mets! T'es bourrée de talents gaspillés! Pis je vais t'aider, papa aussi, je suis sûre. On connaît un tas de gens. Tous tes futurs clients vont t'adorer, c'est écrit dans le ciel.

Quelques semaines plus tard, nous avions monté son plan d'affaires, identifié plusieurs clients potentiels, et même décroché deux ou trois contrats. En parallèle, Alice avait entrepris une formation intensive en design d'intérieur. Notre réseau d'affaires nous avait permis, à papa et à moi, de lui donner l'énergie et le coup de pouce nécessaire pour foncer et ne plus jamais se retourner. Il faut bien que ça serve à quelque chose de concret, toutes ces belles activités de réseautage!

Si les balbutiements ont été difficiles, le temps qu'elle se bâtisse une image et une réputation, sa boîte roule rondement depuis quelques années. Colorée et d'une créativité démesurée, elle n'a pas tardé à conquérir son petit monde. Le *PR*, je tiens ça de ma mère !

Pendant ce qui a été l'un de ses premiers mandats, donc, nous nous sommes amusées comme des folles à dépenser l'argent des autres sans compter ! Maman n'en revenait tout simplement pas de voir à quel point le propriétaire de l'agence que j'achetais était sympathique en diable. Et elle avait raison.

M. Thomas est un véritable gentleman, avec pour seule famille sa femme, qui a été emportée par un cancer il y a quelques années. Il n'a jamais eu d'enfant, trop occupé à faire carrière et fortune en agence, mais aussi en immobilier. C'est un personnage cultivé et attachant que Philippe et moi aimons beaucoup.

J'ai aussi la vague impression que, au fil du temps, je suis devenue la fille qu'il regrette de n'avoir jamais eue, ce qui explique sans doute sa générosité sans bornes à mon égard, tant sur le plan personnel que professionnel. Encore aujourd'hui, je le considère comme mon mentor et le consulte régulièrement à propos de la gestion de l'agence.

Plus qu'une poignée de courriels à retourner avant d'activer mes messages d'absence. Par la porte entrouverte, je distingue de plus en plus chez mes collègues l'excitation du week-end ou, tout comme pour moi, des semaines *off* qui approchent. Quelques chefs d'équipe sur le départ passent me saluer et me souhaiter à nouveau de bonnes vacances. Nous avons fait une brève réunion en début d'après-midi, je peux partir l'esprit en paix. Je prévois même pousser l'audace jusqu'à ne pas trimballer mon iPhone vingt-quatre heures sur vingt-quatre ni me l'enfouir subtilement derrière le dos en présence de ma tribu. Des plans pour que je le laisse tomber dans l'océan ! L'eau salée, ça ne pardonne pas.

À bien y penser, j'ai besoin de prendre une pause de boulot et de technologie même si je ne l'avoue pas haut et fort vu mon orgueil mal placé. Plus d'une semaine de vacances à la mer, seule avec ma petite famille, sans gadget électronique ou presque, c'est tout ce qu'il me faut pour refaire le plein. J'ai le syndrome de la *superwoman*, mais pas de la *workaholic*.

En sortant du bureau, avec une pointe de soulagement mêlée de satisfaction, je révise mentalement ma liste. Tout est quasiment prêt pour le grand départ du lendemain à l'aube. Mes dernières soirées ont été en partie consacrées à boucler les valises. Philippe, lui, se concentrait sur les à-côtés inévitables incluant, dans le désordre, un GPS, un BlackBerry, un iPhone, trois iPod, un iPad, un lecteur DVD et tous les fils de recharge qui vont avec! Je me suis dit qu'avec cet attirail à peine croyable les enfants pourraient se rendre jusqu'au Mexique sans nous balancer la phrase qui tue: «Mamaaaaan, quand est-ce qu'on arriiiiive?»

J'ai aussi dû me «sacrifier» et courir les magasins pour dénicher casquettes, gougounes et maillots de bain. J'ai réussi à me convaincre – mais pas Philippe! – que j'avais absolument besoin d'une ou deux robes d'été aux chevilles pour mettre un peu de soleil dans mon look de vacances. Ça m'a coûté, au bas mot, une petite fortune en crèmes solaires, tous FPS confondus, et en jeux-surprises pour la route. Sans compter la bonne dizaine de brassées que j'ai lancées pour me tenir à jour et me permettre de plier bagage.

Les enfants, eux, ne tiennent plus en place. Je les comprends. Nous avons deux semaines de rêve devant nous.

5

Le goût des vacances

Il n'est pas 8 heures et le ciel est déjà éclatant et sans nuages. Je sens la brise du petit matin et les rayons encore timides du soleil me caresser doucement le visage. L'odeur des vacances, celle du sel et de la mer, me donne un souffle nouveau à chaque inspiration. L'océan se dessine et se perd à l'infini, avec ses milliers de perles brillantes sous la lumière du jour qui se lève. Les vagues déferlent bruyamment au rythme de mon pas de course, me chatouillant parfois les orteils. Tous mes sens sont éveillés, prêts à voir, sentir, toucher et écouter.

Depuis le début de mes vacances à la mer, j'ai pris l'habitude de délaisser mes fidèles baskets Adizero pour courir sur la plage pieds nus, une façon non seulement inspirante, mais toute naturelle de s'adonner à la course, selon mes lectures d'appoint. L'exercice me donne un petit air d'athlète accomplie et le temps file à vive allure grâce au splendide paysage. J'en viens même à oublier la fatigue de plus en plus envahissante, charme ambiant ou pas. Sans compter la chaleur du Sud qui ne tarde jamais à s'installer pour souvent devenir accablante sur le coup de midi.

J'ai eu ma leçon avec ma première sortie plutôt pénible en début de semaine, juste avant l'heure du lunch. Après à peine vingt minutes, j'avais une crampe qui me coupait le ventre en deux, j'étais complètement en nage et assoiffée. J'aurais pu tuer pour mettre la main sur un Gatorade !

Les vacances s'achèvent sur ma quatrième course, et je suis plutôt fière de moi. Alors que je croyais avoir les piles de ma motivation à plat pendant mes semaines *off*, j'ai battu ma moyenne de trois sorties hebdomadaires. Hormis ma première fois, j'ai couru un peu plus vite, un peu plus longtemps. La mer, qui suivait mes pas de course, me donnait l'impression de planer, le sentiment que le monde m'appartenait.

Le moment devenait aussi plus-que-parfait pour faire le bilan de mes journées, réfléchir à ma vie et à celle de ceux qui gravitent autour de moi. Je m'efforçais de ne pas trop penser au boulot, mais je songeais parfois aux copines restées à la maison. Particulièrement à Annabelle, qui avait sans doute cheminé depuis ma petite visite-surprise, marguerites à la main, le soir avant mon départ. Mes amies me manquaient, ma mère aussi, mais je n'étais pas prête à rentrer à la maison. La vie était trop belle si près de la mer.

Notre promesse de vacances de rêve faite aux enfants a été tenue. Après avoir refusé à répétition, nous avions fini par accepter l'invitation de M. Thomas d'habiter sa résidence d'été, un grand cottage d'inspiration anglaise, sur le bord de l'océan de Cape May. Chaque été depuis plusieurs années, ce dernier descend avec sa rutilante Porsche décapotable y passer quelques semaines, histoire de se ressourcer et de voir des amis de longue date. Il en revenait d'ailleurs, la maison n'attendait que nous pour reprendre vie, selon ses dires.

Je me doutais qu'elle allait être belle et agréable à vivre, mais jamais je n'aurais pu imaginer qu'elle serait aussi pleine de charme et de perfection. M. Thomas aurait pu éviter de gaspiller sa salive en me montrant simplement des photos, j'aurais volontiers piétiné sur mon malaise et mon orgueil à grands coups de *runnings* neufs !

Hier, pour notre soirée d'adieu, j'ai eu l'heureuse idée de cinq-à-sept sur la plage en compagnie du coucher du soleil. Nous avons préparé un pique-nique composé de baguettes, de fromages, de prosciutto, de fruits frais et – bien sûr – de vin. Un moment de pur délice, dans tous les sens du terme.

— Te rends-tu compte, Philoup, qu'on a failli passer à côté de tout ça ? ai-je soupiré en regardant l'astre doré se fondre dans une aquarelle aux tons pastel.

— Ouais, mais je vais t'avouer que je suis encore un peu mal à l'aise. C'est fou, la chance qu'on a d'avoir tout ça pour rien !

— Je sais… J'ai longtemps pensé comme toi. Mais là, je suis rendue ailleurs. Je me dis que ça fait vraiment plaisir à M. Thomas. Nous, on a juste à apprécier pis à savourer. Dans le fond, on serait fous de s'en passer, non ?

Je me suis étirée pour lui déposer un bisou doux sur la bouche. Ses lèvres avaient le goût salé du brie, mêlé à l'odeur corsée du rouge, dans un parfait accord mets-vins.

— Faut aussi que les enfants le comprennent pis l'apprécient. On a beau leur répéter à quel point ils sont privilégiés, c'est sûr qu'ils réalisent pas la chance qu'ils ont.

— C'est clair, mais c'est des enfants, Phil, tu l'as dit. On était sûrement comme eux à leur âge. Je trouve qu'on les gâte juste assez bien, nos p'tits chatons.

Sur ces mots, je me suis tournée vers Juliette et Zac, qui couraient pieds nus dans l'eau, les capris approximativement repliés aux genoux.

— Maman, r'garde, c'est comme ça qu'on court! m'a crié Zac en amorçant un sprint sur le sable mouillé, arrosant du même coup sa sœur qui, plutôt que de rechigner, a éclaté de rire.

Les vacances avaient décidément un effet positif sur le caractère de mon aînée. Naturellement, nos deux petits monstres s'étaient chamaillés à quelques reprises, surtout sur la route, mais dans l'ensemble, le résultat était plutôt spectaculaire. C'est un peu comme s'ils redécouvraient le plaisir simple de jouer ensemble, de passer un moment rien que tous les deux. Nous avions rarement tout ce temps, sans famille ni amis aux alentours.

— Oui, chaton, je t'observe attentivement pis je vais prendre tes trucs, ai-je répondu en échangeant un sourire avec Philippe.

— Mamaaaaan, tu m'regardes pas!

— Oui, oui, je te quitte pas des yeux! Tu viendras me raconter comment tu fais pour courir aussi vite.

Ils continuaient de gambader gaiement tous les deux, l'air insouciant, heureux, complices.

— Ils sont tellement beaux, a chuchoté Philippe, presque pour lui-même.

— C'est pas compliqué, on est faits pour les vacances, mon loup! Va falloir que tu nous amènes aussi près de la mer deux fois par année maintenant. Primo, l'eau salée fait du bien au sale caractère des deux femmes de ta vie, et secundo, la libido de ta tendre épouse est dans le tapis. Tu vas être gagnant sur toute la ligne!

On a ri la bouche pleine, les yeux brillants. Le vin qui coulait depuis un moment dans nos veines commençait à faire son effet, nous rendant à la fois euphoriques et tristes de devoir quitter ce paradis le lendemain. Mon verre dans une main, un bout de fromage dans l'autre, je laissais mon regard se perdre au bout de l'océan. Mes pieds s'amusaient à dessiner des formes dans le sable plus frais maintenant que les chauds rayons nous échappaient peu à peu. Attentive au son léger et berçant des vagues, j'inspirais profondément afin de sentir l'air marin. Je faisais tout pour profiter de cet instant, pour capter tous ces petits bonheurs alignés les uns contre les autres.

Le soleil était sur le point de disparaître, laissant derrière un ciel magnifiquement tacheté de bleu, de rose et de blanc. Le tableau était si fort que j'avais envie de pleurer. Je me suis bien gardée de le dire à Philippe, il n'aurait pas compris et se serait moqué grassement de ma sempiternelle intensité. J'ai plutôt pris quelques clichés avec mon super appareil photo que je n'ai pas encore tout à fait apprivoisé.

Les bons moments me revenaient en boucle. Les journées à la plage à jouer dans l'eau, à regarder Philippe et les enfants braver les vagues avec leurs planches. Les longues promenades près de la mer en se tenant la main et en collectionnant les coquillages. Notre escapade en voilier afin de voir les dauphins de près. Ou encore celle dans ce curieux vélo pour quatre à longer la plage sans fin. Mes – rares – solitudes avec le dernier numéro de *Runner's World*, sans iPhone cette fois. Les fins de journée à la piscine de la maison, sirotant le premier d'une série de plusieurs cocktails.

Je me remémorais nos chaudes soirées sur l'immense terrasse, parfois devant une bonne bouffe ou un jeu de société, d'autres fois simplement à discuter tous les quatre. À quelques reprises, nous étions sortis de notre petit coin de paradis pour aller marcher dans le sympathique village après un bon resto de fruits de mer. Les ruelles étaient très chouettes et les boutiques, elles, charmantes, sans plus. Rien à voir avec New York.

Curieusement, par contre, je m'en fichais. J'étais ici pour faire le plein de ma famille, pas de ma garde-robe. Je ne pouvais toutefois pas m'empêcher de visualiser la petite virée shopping promise lors de notre passage à Boston pour le retour. Dieu merci, nous ne passerons pas par la Grosse Pomme, ma sœur n'étant pas en ville ces jours-ci. Ma carte de crédit ne s'en portera que mieux, mon ministre des Finances aussi !

— Maman, est-ce qu'on peut enlever nos vêtements ? m'a demandé Juliette en s'approchant de nous, complètement détrempée.

Zac trottinait derrière, dans un état plus pitoyable encore que sa sœur, une quantité astronomique de sable collé partout sur son t-shirt évidemment blanc.

Les enfants ont l'étrange habitude de toujours me poser leurs questions existentielles, mais Philippe prend souvent la liberté de répondre. Je me dis que ça sera pratique quand, plus tard, *beaucoup* plus tard – je sais, je suis dans le déni total –, ils partiront à la découverte de leur corps et commenceront à fréquenter le sexe opposé. Un frisson me parcourt l'échine juste à y songer.

— OK, Juju, mais tu gardes ta petite culotte, m'a devancée Philippe.

— Moi aussiiiii ! a gloussé Zac.

— Profites-en, ma chouette, parce que ça achève, ce temps-là !

— Qu'est-ce que tu veux dire, papa ?

— Je veux dire que, bientôt, tu pourras plus te balader comme ça. Regarde maman, elle couvre toujours sa poitrine en public.

Il a ajouté tout bas à mon intention :

— J'aimerais bien qu'elle se pavane les seins à l'air, mais elle le fait même pas en privé avec moi !

— T'es vraiment con, Philippe Renaud ! me suis-je empressée de rétorquer en étouffant un fou rire.

Déjà, Juliette repartait au trot en direction de l'océan, Zac sur les talons. Ils faisaient maintenant la chasse aux coquillages sans trop se soucier de la fougue des vagues. L'obscurité commençait à tomber, laissant entrevoir le croissant de lune dans un ciel qui promettait des milliers d'étoiles, comme lors de toutes nos nuits à Cape May. Même si quelques sombres silhouettes se dessinaient au loin, nous avions l'impression d'être les seuls au monde à savourer le secret le mieux gardé en ville.

C'est le moment que j'ai choisi pour déballer ma surprise. Des chandelles de mille et une couleurs, que j'ai installées dans un désordre convenu sur le sable, tout autour de notre couverture. J'avais déjà vu ça dans un magazine. L'effet était saisissant, encore plus que dans mon souvenir. Je savais que mon chum était conquis, mais il préférait me laisser croire qu'encore une fois j'étais un peu trop intense.

— Wow, c'est *full hot*!

— Trop *cool*!

J'avais au moins ma marmaille de mon bord. Les enfants gambadaient à nouveau vers nous, surexcités de voir mon petit manège. Enjambant à la hâte les chandelles sous nos regards horrifiés, Juliette s'est lovée contre Philippe pendant que Zac venait se blottir sur moi. Si nous sommes tous les deux très proches des enfants, ma grande est la fille à son papa alors que Zac me voue une adoration sans bornes.

Nous sommes restés là, à nous coller et nous aimer, espérant suspendre le temps, au moins pour une autre semaine encore. On dit que toute bonne chose a une fin. Ça n'a jamais été aussi vrai qu'à cet instant précis.

6

Le marathon des tâches connexes

Ce matin, même mon café ne vient pas à bout de ma torpeur. Pour une des premières fois de ma vie, j'ai l'impression de rentrer au boulot à reculons, un peu comme quand je cours, un vent de cent kilomètres à l'heure dans la face. Est-ce que quelqu'un quelque part m'envoie un signe ? Mais non, c'est simplement que mes vacances à la mer, et le petit passage obligé par Boston, étaient plus-que-parfaites et m'ont fait décrocher pas à peu près.

— Bon retour, *boss* ! Tu t'es pas trop ennuyée de nous autres ? me lance mon directeur de création au toupet *pluggé* dans le deux cents volts.

Ils ont le don, ces artistes – ou ces « pelleteux de nuages », comme les appelle avec humour Philippe –, de se donner un petit style bien à eux. Un peu comme s'ils se disaient : « Plus j'ai l'air étrange, plus j'ai l'air créatif. » Pour en avoir côtoyé quelques-uns, je peux confirmer que certains sont pires que d'autres. Heureusement, je n'ai pas de cette espèce rare dans l'agence ni de têtes enflées qui se prennent pour ce qu'elles ne sont pas. Je ne pourrais pas le supporter.

Il y a bien quelques coupes de cheveux particulières et deux ou trois styles vestimentaires, disons, discutables, mais dans l'ensemble, les créatifs de Jumpaï se fondent bien dans l'équipe. Et ils ont toute mon admiration pour ces innombrables et brillantes idées qu'ils pondent sous la pression que nous leur mettons, les clients et moi.

— Non, pour une fois, je vous ai complètement oubliés. Sérieux, c'était génial, vraiment ! La mer tous les jours, c'est des vraies vacances ! J'ai refait le plein pis je suis prête à reprendre le rythme, je réponds d'un ton beaucoup trop enthousiaste.

En plus d'être à des années-lumière de l'attitude femme-d'affaires-dangereusement-en-contrôle ce matin, je suis certaine que je sonne ridiculement faux, mais Max ne bronche pas.

— Content d'entendre ça. Ici, c'était plutôt calme, ça roulait bien. Y avait pas mal de monde en vacances, pas de gros mandats à livrer ou de surprises. Ça a fait du bien de reprendre un peu notre souffle.

— Ouais, et c'était le calme avant la tempête, parce qu'on va avoir un gros automne.

Sur ces paroles peu rassurantes, je me dirige vers mon bureau en saluant quelques employés au passage. Je manque de piquer du nez trois fois à cause de mes nouveaux talons aiguilles dernier cri, mais outrageusement inconfortables, tout droit sortis de Boston. Non, mais qu'est-ce que je fabrique ? J'ai l'air d'une gamine de dix ans qui essaie de porter les chaussures de sa mère ! Après deux semaines à porter des gougounes ultra-confortables du matin au soir, je suis rouillée, voilà ! Je m'écroule sur ma chaise en retirant illico l'instrument de ma torture. *Oh boy !* La journée va être longue.

Je dois maintenant faire la grande fille et affronter la réalité, c'est-à-dire les quelque deux cent cinquante courriels qui m'attendent, la bonne vingtaine de messages vocaux malgré les bons soins de mon adjointe, le rattrapage des dossiers en cours, sans oublier la réunion d'équipe exceptionnellement repoussée à cet après-midi. Il me faut aussi me rendre à l'évidence : je vais devoir remettre ma première course de la semaine à demain midi. Et ça, c'est si j'ai de la veine.

La journée s'avère moins pénible que je pensais. Au terme de notre réunion, j'ai repris le rythme de croisière comme promis à Max, presque comme si je n'étais jamais partie. *Exit* la fille relaxe qui joue dans l'eau et le sable à longueur de journée, passe à travers son roman policier en quelques jours, évite la lessive comme la peste et boit plus d'alcool en une semaine qu'en un mois complet. Je suis en plein contrôle de tous les dossiers et, du même coup, de l'agence.

L'ennui, c'est que je n'ai pas encore terminé la tâche colossale de lire tous mes courriels, mais fait étrange, j'affiche une attitude giga zen par rapport à ça. Je remets à plus tard, découvrant tout à coup que les messages peuvent attendre comme ils l'ont fait pendant les deux dernières semaines alors que mon iPhone gisait dans les bas-fonds de mon sac à main. Décidément, les vacances me vont à ravir, je ne suis plus accro à mon téléphone ni à mes courriels! Reste à savoir si ce curieux comportement va durer. Rien n'est moins sûr, je suis de toute évidence encore engourdie par les vapeurs de l'air salin.

* * *

En rentrant, ce soir-là, je suis attendue de pied ferme par mon petit clan. Juliette et Zac me cassent presque une vertèbre en me sautant au cou alors que Philippe me fait un câlin qui signifie: « On a passé à travers la première journée, le pire est derrière nous. »

Le coup de départ a été difficile ce matin avec fiston, en larmes, accroché à mon mollet douloureux, prétextant qu'il avait peur de s'ennuyer de nous et de Cape May. Ce qu'il ne savait pas, c'est que je me disais exactement la même chose. Pour Juliette, le passage des vacances au camp de tennis s'est déroulé dans le calme. Je me doutais bien aussi qu'elle avait hâte de retrouver son cercle d'amies, elle qui, en général, ne peut tenir plus d'une journée sans jouer avec l'une d'elles. « Je me demande bien de qui elle peut tenir », me taquine toujours Philippe, pince-sans-rire.

— Comment a été ton retour? me questionne-t-il, à nouveau affecté à ses fourneaux, le regard sympathique à ma cause.

Après m'avoir accueillie en *rock star*, les enfants, eux, se sont téléportés au salon pour ne rien manquer de leur émission.

— Correct. Le cœur un peu gros toute la journée. Une chance qu'on aime notre job, t'imagines ceux qui font du temps à longueur d'année en attendant leurs deux minuscules semaines de vacances?

— Moi aussi, je pensais à ça aujourd'hui. Le retour est difficile pis on aime ce qu'on fait. Le pire, c'est de reprendre la routine, le rythme du go-go-go-vite-vite-vite. Ça pas été long que je réintégrais ces deux mots-là dans mon vocabulaire en préparant les enfants ce matin.

Je souris tristement, parfaitement d'accord avec les propos de mon chum, qui m'a donné une pause en prenant le *shift* matinal. Je sais très bien que, dès demain, alors que nous reprendrons l'horaire habituel, je ferai moi aussi une surutilisation de ces deux détestables mots. Philippe a bien résumé l'affaire. Au fond, nous sommes prêts à retourner au boulot que nous aimons profondément. C'est seulement l'éternelle course folle contre la montre qui est difficile à digérer et à réintroduire dans notre quotidien. Avec le défi colossal faisant partie de ma vie pour la prochaine année, ça n'ira pas en s'améliorant !

À l'agenda de cette semaine, j'ai deux dîners d'affaires, un après-tournoi de golf, une dizaine de réunions, trois courses, deux matchs de tennis et une séance de psychologie 101 avec Annabelle. OUF ! Également, dans un registre beaucoup moins glam, cinq soupers avec zéro gras trans, dix lunchs sans traces d'arachides, cinq douches doubles dont deux avec lavage de cheveux, douze brassées de toutes les couleurs imaginables, et quoi encore ? Ah oui, les préparatifs entourant le traditionnel barbecue estival que je ne manquerais pour rien au monde.

Ça doit faire au moins dix ans que nous organisons un gros *party* à la maison avec mes trois amies de toujours et leurs familles. Mes parents sont aussi invités puisqu'ils connaissent mes copines – et leurs frasques d'ados – depuis ma première année au secondaire. Il y a même eu des étés, avant qu'ils ne se séparent pour de bon, où ils nous emmenaient toutes les quatre en camping. Une tente pour eux, une autre pour nous.

Ce n'est pas compliqué, nous ne dormions pas de la nuit ! Je nous revois, collées comme des sardines, le sac de couchage au menton, à raconter des histoires d'amour et d'horreur ponctuées d'effets spéciaux à la lampe de poche. Nous avions un pacte que je qualifie aujourd'hui de ridicule : si l'une d'entre nous devait aller au petit coin à l'orée du bois, toutes les autres devaient suivre.

Une fois, nous avons carrément failli mourir de peur en tombant face à face avec un immense chevreuil. Dans la panique générale, Sophie s'est pissé dessus et le camping au grand complet a été réveillé par nos cris alarmés. Il ne se passe pas un barbecue annuel sans que nous revenions là-dessus, au grand dam de nos hommes qui n'en peuvent plus de faire semblant d'être encore amusés par ces histoires de filles.

Dans le but avoué de faire durer le plaisir, nous commençons les festivités en après-midi, avec jeux et invité-surprise pour les enfants, et poursuivons jusqu'au petit matin avec les dix-huit ans et plus. Il y a même un bain de minuit au programme pour les plus courageux, dont moi. Quoi? Je suis l'hôtesse de la soirée, je dois montrer l'exemple!

Les burgers de Philippe, les meilleurs en ville, sont encore et toujours au menu du jour. L'alcool coule à flots, chacun s'auto-proclamant le grand vainqueur du concours des cocktails les plus délectables. La formule couette et café est donc offerte aux plus fripés. J'ai même quelques maillots, serviettes et petites laines en extra, spécialement pour Roxane qui va oublier un des trois. Non, vraiment, rien n'est laissé au hasard, nous pensons à tout.

Nous pensons tellement à tout que j'ai complètement oublié de réserver la fameuse surprise destinée aux enfants! Eh merde! Je fais quoi maintenant? À une semaine d'avis, il ne restera plus qu'un Pépé le Cinglé ou Gérard le Pétard! À moins que je saute une année. Ni vu ni connu, avec le beau temps mur à mur qui s'annonce pour une fois, ils n'y verront que du feu… Mais non, je ne peux pas faire ça. C'est devenu une tradition, l'incontournable qu'on a hâte de découvrir.

Il est hors de question de décevoir qui que ce soit et de perdre mon titre de « top coordo » démesurément créative et organisée. Je vais trouver l'idée de génie en courant demain.

* * *

Sous la pression, je me débrouille plutôt bien. J'ai déjà entendu une phrase quelque part que je n'ai jamais oubliée tellement je la trouvais criante de vérité : *If you want something done, ask a busy woman.* Cette semaine en particulier, elle me colle à la peau. Je ne suis pas du genre à paniquer, mais quand j'ai finalement eu quelques précieuses minutes pour mettre ma liste à jour, j'avoue avoir été prise d'un petit vertige.

Moi et ma fâcheuse habitude de faire des *to do lists*! C'est presque devenu une maladie chronique, j'ai TOUJOURS une liste sous la main! De cette façon, j'ai la certitude d'être totalement en contrôle et de ne rien oublier. Philippe a beau se payer ma tête dès qu'il met la main sur l'une d'elles, je ne retourne jamais au supermarché trois fois dans la même heure afin de terminer une recette. On ne peut pas en dire autant de mon homme!

Ce n'est pas pour me vanter, mais mes listes sont toujours impeccables, ou presque. Pour la suite, je sais que je dérape complètement, mais c'est plus fort que moi. Je me donne la peine, même si la tâche est déjà terminée, de la noter et de la biffer! C'est de la pure folie, mais la sensation que me procure ce *check* est indescriptible! La liste interminable de ma semaine prébarbecue n'a pas fait exception et m'a procuré beaucoup de petites victoires.

J'ignore d'où me vient cette énergie nouvelle et constante, mais je suis carrément en feu! Il faut dire que je n'ai jamais été du genre à faire des plaies de lit en regardant le train passer. N'empêche, mon agenda est rempli au bouchon, et pourtant je ne m'en porte pas plus mal, mis à part quelques courbatures en lien direct avec mon entraînement.

Félix, que j'ai croisé au club, est allé plus loin.

— Ça me surprend pas, ce que tu dis là, Gabrielle. On serait porté à croire le contraire, mais l'exercice physique donne vraiment de l'énergie. Si t'as plus de jus, dis-toi que ç'a sûrement quelque chose à voir avec ton entraînement de tennis combiné avec la course.

— Chose certaine, je fais pas d'insomnie ces temps-ci! J'ai pas la tête sur l'oreiller que je dors déjà! C'est beaucoup de discipline et d'organisation en même temps, mais contrairement à la course, j'étais déjà douée pour ça avant. J'essaie d'en faire le plus possible pendant le jour, histoire d'éviter de trop empiéter sur ma vie de famille, tu comprends?

Il faut que je cesse d'ajouter «tu comprends» à la fin de mes phrases. Béatrice, mon adjointe, le fait régulièrement et je déteste ça! Je cherche encore le moyen de lui expliquer gentiment que, oui, je comprends tout, je ne suis pas nunuche au point de ne pas saisir les nuances de ses propos.

— Donc, ça se passe comment, ton entraînement? Tu tiens le coup? me questionne-t-il, intéressé.

J'enchaîne avec le détail de ma routine en me gonflant quasiment la poitrine de fierté dans mon petit *top* moulant. Du calme, championne, du calme. Il en a vu d'autres. Mais je suis tout de même en droit d'être fière de mon exploit, celui de tenir le coup, non?

— Grosso modo, je fais trois sorties hebdomadaires. Deux midis de semaine pis le dimanche matin. J'ai gardé le tennis le mercredi et le samedi, mais ça achève. Après, c'est le ski, alors je vais devoir réévaluer mon horaire.

— C'est bon, tu maintiens le rythme. T'es rendue à combien de kilomètres après, quoi, deux mois d'entraînement ?

— Ouais, à peine huit semaines, j'ai commencé début juillet. Le midi, je fais un trente minutes en essayant de garder un *pace* de cinq minutes cinquante-cinq du kilomètre. Le dimanche, je peux me permettre une sortie un peu plus longue, donc je cours trois quarts d'heure pour un peu plus de six minutes du kilo. C'est pas de la performance de haut niveau, mais en ce moment, j'essaie juste de courir mon trente à quarante-cinq minutes sans avoir envie de vomir ma vie, tu comprends ?

Ça ne fait pas soixante secondes et j'ai déjà rechuté de façon magistrale. Pauvre Félix, il se donne même la peine de hocher la tête le plus sérieusement du monde, exactement comme moi avec mon adjointe. Pathétique.

Pourtant, il ne semble pas s'en formaliser et reprend :

— C'est bon, Gabrielle, c'est très bon ! T'es plus en forme que tu pensais pour être déjà rendue là. Je savais que tu t'inquiétais pour rien.

— Ça avance bien, mais je suis loin d'être rendue à courir mon demi ! Quand je finis mon huit kilos, à moitié morte, je me dis qu'il m'en reste au moins quatorze autres pis je capote un peu !

Félix se met à rire avant de me rassurer encore une fois, à savoir que la progression viendra bien assez vite si je suis mon plan. Qu'il faut juste que j'arrête de mettre la barre trop haut en partant.

— Avec un *training* adapté, tu pourrais même y arriver en quelques mois seulement. Sois patiente, je te dis, tu m'en reparleras dans une couple de semaines.

« Sois patiente », bien sûr, pourquoi n'y ai-je pas songé plus tôt ? *Come on !* Au risque de me répéter, la patience n'est pas une vertu chez moi ! Bien sûr que je vois déjà des résultats, mais je voudrais plus, j'aimerais « surperformer » tout de suite sans être sur le bord de la crise d'asthme après l'effort !

J'ai toujours été comme ça, et ce n'est pas très reposant à la fin ! Tout comme le jogging, ce sera donc un apprentissage qui devrait faire de moi une meilleure personne, l'un des objectifs de notre défi personnel. Bon, c'est cohérent, tout ça. J'aime et j'accepte les termes et conditions. Je m'efforcerai dorénavant d'être un modèle de patience sur tous les plans.

Foutaises ! Je ne tiendrai pas deux jours ! Je veux bien faire un petit effort pour tout ce qui touche mon plan d'entraînement, ma santé mentale en dépend presque. Mais il ne faut pas trop m'en demander. Mon ADN a ses limites, quand même !

* * *

Il est plus que temps d'aller dormir, une grosse journée nous attend demain. Les enfants sont au lit depuis un bon moment, épuisés par notre *run* de lait. Résultat de notre périple, la table de la salle à manger croule sous tous les « cossins » achetés en prévision du barbecue. Philippe s'est occupé de la SAQ et de l'épicerie, MA liste en main, pendant que je me chargeais du reste.

Comme chaque année, j'ai pris un malin plaisir à dénicher tout ce qui allait habiller ma cour et ma table. Je me suis malencontreusement enfargée, une petite demi-heure sans plus, dans une de mes boutiques préférées offrant vingt pour cent de rabais sur tout. Quelle délicieuse coïncidence ! Je n'ai pas pu résister devant une si belle occasion d'affaires, qui me permettrait non pas d'économiser, mais d'acheter plus !

À voir la mine de Juliette, et à entendre quelques-unes de ses remarques de pré-préado – je rappelle qu'elle n'a que huit ans ! –, force est de constater qu'elle ne s'est pas amusée autant que moi. Elle devra faire ses preuves avant de se qualifier pour mes pèlerinages new-yorkais !

Plus tôt cette semaine, j'ai eu l'idée du siècle pour la surprise de dernière minute destinée à notre ribambelle d'enfants. À 16 heures tapantes, deux artistes de l'École de cirque débarqueront chez nous pour présenter un mini spectacle en plein air jumelé à un atelier interactif. Même les grands devraient s'amuser ferme, surtout les filles, car les hommes seront sans doute trop occupés à mixer et à déguster leurs cocktails fluo.

J'étais en pleine réunion de production quand le *flash* m'est venu. J'ai sursauté dans la salle de conférences, créant du même coup un silence complet et gênant. J'ai prétexté je ne sais quoi pour me sortir de là, sachant que je n'avais sûrement impressionné personne avec cette réaction de petite junior coincée.

C'est que, à l'agence, nous venons tout juste de conclure une entente avec l'École de cirque pour la refonte complète de son nouveau site internet et de sa page Facebook. En bonne position pour négocier, j'ai conclu l'affaire à prix d'ami et me suis juré de garder le secret jusqu'au jour J. Même Philippe, qui a réglé la note sans le savoir, n'est pas dans le coup. Chaque année, il insiste pour couvrir tous les frais sous prétexte que ce barbecue, c'est son idée. Ce n'est pas moi qui vais m'en plaindre… ni couper dans les dépenses!

Je pose un dernier regard satisfait sur ma liste entièrement noircie de grands traits. Voilà, tout y est! Même le soleil, à en croire la météo, qui prévoit une journée sans une seule goutte de pluie. Du jamais vu en dix ans d'histoire. Ce sera une autre bonne raison de lever notre verre.

7

Rires et délires

— Juuuuu! Zaaaac! Qui a ENCORE laissé traîner sa serviette et son maillot? Pis ces gougounes-là, elles sortent d'où? Ça fait au moins trois minutes que je les ai rangées!

— J'ai rien fait! s'empresse de répondre Zac.

— Moi non plus! rétorque aussitôt Juliette.

— Bon, c'est personne! Sérieux, les enfants, c'est trop vous demander de pas ressortir à mesure ce qu'on ramasse?

Sur ces mots, et dans un long soupir de maman désillusionnée, je ramasse pour la énième fois la serviette trempée, le maillot en boule et les sandales dépareillées. Debout depuis 6 heures, je cours comme une poule pas de tête à travers la maison, ma fidèle liste à la main.

Ma nuit de sommeil a été perturbée par un mauvais rêve dans lequel Philippe et moi, manquant de victuailles, étions obligés de nous empiffrer de croustilles et de *cupcakes* en cachette pour laisser les burgers aux invités. Au petit matin, je n'ai pu m'empêcher de retourner au supermarché acheter quelques paquets de plus de pains à hamburger et de bœuf haché maigre, histoire d'éviter le pire. Puis, tant qu'à y être, j'ai ajouté chips et guimauves dans le panier.

— Voyons donc, Gab! T'exagères pas un peu, là? Selon mes calculs, on en a déjà pour une armée! a maugréé Philippe, à peine réveillé, en m'apercevant dans le cadre de porte, un nouveau sac réutilisable multicolore dans chaque main.

— C'est juste au cas où... J'ai déjà une ou deux petites recettes en tête pour passer mon inventaire au besoin.

Philippe éprouve rarement une quelconque forme de stress ou d'anxiété, peu importe la situation. Il en est presque fatigant. Lorsque nous préparons quelque chose de gros ensemble, il ne se gêne pas pour me qualifier d'«énervée et énervante». Moi, je préfère parler de fébrilité. C'est beaucoup plus positif et conforme à la réalité.

Il est 13 h 45, magne-toi, Gab, les invités devraient arriver dans une quinzaine de minutes. Je suis déjà douchée, habillée et coiffée, mais rien n'y paraît. J'ai tellement eu chaud en sprintant partout dans la maison que, primo, je pourrais assurément louper un entraînement cette semaine, et secundo, j'aurais besoin d'une bonne douche froide et d'une nouvelle mise en plis.

Qu'à cela ne tienne, me passer le fer plat dans le toupet à demi frisé par l'humidité est la seule extravagance que je me permets. Tant pis, pas de temps à perdre avec le reste ! Ma famille et mes amis m'aiment pour le meilleur et pour le pire. Ils me prendront comme je suis.

Ils arrivent dans l'ordre habituel. Mon père d'abord, puis le clan d'Annabelle, Louis inclus, ensuite l'équipe de hockey de Sophie, et enfin Roxane, en solo. Fidèle à son habitude, ma mère brille par son absence. Elle arrive toujours bonne dernière, toujours avec une bonne raison. J'ai de qui tenir.

La terrasse prend rapidement des airs de fête. Nos invités papotent joyeusement, mes fabuleux verres à la main qui, même en plastique, ont de la gueule, pendant que notre bruyante marmaille patauge de bonheur dans l'eau.

— C'est à mon tour ! Je vais tellement vous déclasser, les gars ! roucoule Roxane en bondissant de sa chaise pour rejoindre les quatre hommes accoudés au bar du *lounge*.

— Fais pas trop ta fraîche, Rox, y a du gros calibre jusqu'à maintenant, rétorque François. Le cocktail de Louis se laissait pas mal boire, tantôt.

Peu bavard au quotidien, François devient plus volubile à mesure qu'il enfile les *drinks*.

— Même moi, je l'ai trouvé bon, reconnaît mon père, qui d'ordinaire ne jure que par les bons rouges, lui dont la cave à vins est plus grande que ma salle de bains familiale !

Roxane fouille frénétiquement dans un sac de plage si génial, mais si petit qu'on a peine à croire qu'elle en sortira quelque chose de potable. Puis le son familier de bouteilles s'entrechoquant se fait entendre. La voilà qui extirpe son secret si bien gardé jusqu'ici que même nous, les copines, n'en avons jamais vu la couleur.

— *Now, watch and learn !*

Barmaid dans un bar branché pendant quelques-unes de ses années d'études, elle se trémousse derrière son bar, dans son bikini qu'elle aurait pu choisir, entre nous, dans une taille plus grande. Alors qu'elle s'exécute comme une véritable pro, tous les regards sont rivés sur elle, ceux des hommes surtout. C'est tout juste s'ils n'ont pas un léger filet de bave à la commissure des lèvres. Nous, les filles, savons très bien qu'elle en rajoute pour épater la galerie et la laissons s'amuser comme à cette époque où elle avait tous les hommes à ses pieds.

— Tenez, mes chéris, le Sexy Roxy ! Vodka, litchi et jus de canneberges !

Le « Sexy Roxy », on aura tout vu ! Mais j'adore, et pour être franche, je crève d'envie. Je n'ai pas cette énergie sensuelle si naturelle chez mon amie.

Pendant son petit numéro de charme, Roxane prépare un verre format piscine à tout le monde et trouve le temps d'y ajouter une tranche d'orange pour en faire un cocktail écarlate au goût de soleil. Nous sommes conquis. Je suis la première à glousser de plaisir.

— Wow, c'est donc ben bon, Rox !

— On aime ! C'est léger, pas trop sucré, un peu dangereux, finalement, renchérit Sophie.

— Ouais, le genre de *drink* que tu prends à répétition, mais qui finit par te rentrer dedans, précise Annabelle, se sachant en danger avec ce jus aux allures de Gatorade.

Pendant que nous encensons le cocktail de notre amie, les quatre hommes ne prononcent pas un mot, trop occupés à échanger des regards tout en trempant leurs lèvres encore pleines de salive dans leur verre. Gonflés d'orgueil de mâles, et d'une bonne dose d'alcool aussi, ils me donnent l'impression qu'ils aimeraient mieux s'étouffer avec leur gorgée plutôt que d'admettre la vérité. Nous tranchons, le *mix* de Roxane remporte le titre tant convoité du barbecue. Même Zac qui, techniquement, fait partie de l'autre clan, est de notre avis après avoir procédé, avec mon consentement, à un test de goût.

— *Come on*, les gars, avouez-le donc que c'est délicieux ! demande une Roxane déjà pompette après avoir calé son verre comme un jus d'oranges pressées au petit matin.

La journée est bien partie ! Avec ce soleil tapant d'aplomb sur la terrasse et sur nos têtes, j'ai intérêt à doser en début de journée si je veux être apte à sortir les condiments du frigo tout à l'heure ! Je peux déjà en nommer quelques-uns qui, au rythme où ils vont, ne se rendront sans doute pas au feu de camp, encore moins au bain de minuit. Je vais profiter de mon activité-surprise pour réclamer une petite trêve et donner à mes artistes invités, qui arrivent à l'instant, toute l'attention qu'ils méritent.

Mon idée a la cote auprès de tous les auditoires. Même le bar est temporairement fermé pour donner toute la place aux arts du cirque. Après plusieurs numéros très réussis devant un jeune public conquis d'avance, Philippe, Louis et François tentent quelques acrobaties avec un manque total de grâce malgré les conseils des pros. Mon père, lui, décline gentiment l'invitation de se joindre aux malheureux, prétextant une douleur persistante aux reins.

— Papa chéri… Mal de dos, mon œil ! je lui glisse à l'oreille, sachant très bien qu'il a l'orgueil aussi mal placé que moi.

Nous rigolons un bon coup à les voir se démener pour sauver leur réputation. Les gamins, eux, se débrouillent plutôt bien dans l'ensemble. À entendre leurs rires et leurs cris stridents qui doivent faire pester ma voisine sans enfants – mais toujours brûlée –, je me dis que c'est mission accomplie cette année encore.

Philippe ne tarde pas à rejoindre mon paternel, qui observe la scène d'un air amusé tout en sirotant son vin tranquillement. Je les regarde de mon poste, témoin une fois de plus de leur complicité palpable. Je m'approche en douce.

— Les taux d'intérêt vont augmenter, Charles, je mettrais un brun là-dessus.

— Si je me base sur le rapport que je viens de lire, c'est un peu l'effet que ça me fait à moi aussi.

— Comment tu penses que le marché va réagir ?

— Wouuuuuhouuuuuu, le *party* est pogné ici d'dans ! je m'exclame, faisant mine de bâiller à m'en décrocher la mâchoire. Sérieux, les garçons, est-ce que je suis vraiment en train d'entendre ce que j'entends ? C'est d'un ennui mortel, votre affaire ! Venez donc vous amuser pour de vrai, là !

Il se trouve que Philippe a repris les affaires de mon père depuis sa retraite qui, pensait-on, ne viendrait jamais. Ce n'est pas pour me vanter, mais mon petit papa, passionné par son métier, a été toute sa vie le meilleur conseiller financier de la terre entière. Avec une volonté de fer et un front de bœuf, il s'est bâti une liste enviable de bons clients appartenant désormais à Philippe. Dès qu'ils se retrouvent, ils ne discutent pratiquement que de la *business*. De toute évidence, l'époque où ils formaient un duo d'enfer leur manque.

Ils ont travaillé quelques années ensemble, histoire de bien préparer le plan B de la relève. Le plan A, c'était moi! Mon père fondait beaucoup d'espoir sur son aînée, mais il a vite déchanté quand je lui ai fait part de mes aspirations. Inutile de préciser, donc, que les deux hommes de ma vie savent compter et m'ont été d'un grand secours au moment de l'achat de la boîte de communication. Je n'y serais jamais arrivée seule devant toutes ces colonnes de chiffres sans âme. Avec le temps, j'ai appris à les apprivoiser quand il le faut, seulement quand il le faut vraiment, boulot oblige.

Avant de piquer un somme, bercée par leurs propos ronflants, je me dirige vers la cuisine déjà bordélique pour revenir recouvrir la table extérieure de tout ce qu'il y a de plus *junk* sur la planète: croustilles, chocolat, arachides, crottes de fromage, Skittles, «pofcorn et jubejubes», comme le dit si adorablement bien Zac. La totale, quoi! Demain, on reprendra le régime. La course, pas avant lundi. Aujourd'hui, c'est jour de fête et tous les excès sont permis. Bon, j'ai quand même pensé à Annabelle avec une trempette de légumes bien santé, mais bien fade à côté de mes friandises bourrées de calories. Chacun son truc.

Un coup d'œil à ma montre me rappelle qu'il est presque 18 heures et que maman n'est toujours pas là. Mais qu'est-ce qui lui prend d'être aussi en retard? Je la texte illico.

«Maman, qu'est-ce que tu fabriques? T'as quand même pas oublié le barbecue?»

Même mon père me fait la remarque quelques instants plus tard tout en ajoutant, à demi sérieux, qu'en près de vingt ans de mariage il n'est jamais arrivé à l'heure quelque part en compagnie d'Alice. Nul besoin de s'inquiéter, elle est dans son élément naturel, selon lui.

Après le départ des artistes, la fête bat son plein sur ma terrasse, qui se transforme en plancher de danse pour les petits comme pour les grands. Nos D.J. officiels, Juliette et Victor, l'aîné de Sophie, se font un iPod *battle*. Entre deux gorgées de vin et quelques déhanchements, nous devons, d'une fois à l'autre, voter pour le meilleur *hit* des deux. Oups, je viens de trébucher sur absolument rien, je suis nettement « cocktail ».

Le cinq à sept, c'est mon heure de gloire. Je suis au sommet de ma forme. Il s'agit aussi de la période où je deviens officiellement *loud* et, disons, portée sur la chose. Passé ce *happy hour*, il n'y a rien à faire avec moi, comme la plupart des filles que je connais, d'ailleurs! C'est donc le moment que je choisis, sans trop réfléchir, pour entraîner mon homme dans la salle de bains du deuxième en lui proposant une *quickie*. Il faut voir sa bouille : un petit garçon devant le père Noël.

— Hein, t'es sérieuse là, Gab? J'ai déjà un petit croquant rien que d'y penser, me chuchote-t-il dans le creux de l'oreille, un peu *feeling* sur les bords lui aussi.

— On a cinq minutes top chrono! je lui réponds dans un éclat de rire, tout en vérifiant ses dires de mes mains baladeuses.

Cinq minutes pile plus tard, nous sommes de retour sur la terrasse, avec un FS look – *freshly satisfied look* – en prime. Je reprends peu à peu mes esprits en volant un bisou à ma marmaille qui passe près de moi en coup de vent, espérant que je ne sente pas le sexe à plein nez! C'est le moment que choisit Roxane pour me lancer :

— D'où tu sors de même, espèce de petite coquine? T'as la face toute rouge pis ton toupet frise déjà, c'est pas normal!

Je la gratifie d'un sourire entendu et lui fais promettre de se taire. Ce serait tellement son genre de sauter sur l'occasion pour balancer des commentaires juteux, mais douteux à ce sujet, sans faire attention aux enfants.

Au beau milieu de toute cette ambiance festive et même de ma partie de jambes en l'air improvisée, mon iPhone ne me quitte pas depuis mon texto de tout à l'heure. Le cerveau ramolli, je suis sur le point de drôlement m'énerver d'attendre une réponse qui ne vient pas. Je rapplique avec un message plus insistant. Ma mère a beau collectionner les retards, je me demande bien ce qui a pu la retenir autant cette fois-ci. Elle aurait au moins pu se donner la peine de me texter ou de me téléphoner pour me prévenir.

Malgré tout le sucre qu'ils ont ingurgité sans scrupules, les enfants crient famine: la récréation est terminée. C'est le signal qu'attendait Philippe pour aller dégriser devant son nouveau joujou, son barbecue supersonique. Rien de moins. Pendant qu'il se démène avec les burgers, secondé par Charles qui l'entretient probablement de passionnantes finances, je me dirige tout droit vers ma petite protégée. La dernière fois que je l'ai vue, pendant une séance combo alliant magasinage et confidences, elle n'en menait pas large.

— *Hola*, Anna Bella, comment ça se passe dans ta petite tête? je lui fais en désignant Louis du regard.

— Ça va moyen…

— Pas plus que ça?

— J'essaie d'oublier mon faux pas, de faire comme si rien s'était passé.

— As-tu revu l'autre?

— Non, je l'ai pas recroisé, mais ça veut pas dire que je pense pas à lui. Heureusement, Louis se doute de rien, enfin, je crois.

— Est-ce que ça te tentait qu'il soit ici aujourd'hui? Je parle de Louis évidemment…

— Ah, pour ça, oui, le *fit* est bon avec la gang, il vous adore! Même si on n'est pas vraiment ensemble, j'ai l'impression qu'on fait une vraie activité de famille, tu comprends?

Nooooon! Ne me dites pas qu'elle a attrapé la même maladie que moi! C'est contagieux ou quoi? Je me demande comment elle réagirait si je répondais: «Non, je ne comprends pas.»

— Laisse passer encore un peu de temps. Tu vas voir, il arrange pas mal de choses, celui-là…

— Ouais, j'espère que t'as raison. Au fait, Alice était pas censée être ici aujourd'hui?

Eh merde! Moi qui venais pour me changer les idées noires, voilà que mon amie ravive mon inquiétude. Je commence à sérieusement m'agiter, mais rien n'y paraît. Pas question d'alerter la terrasse au grand complet avec mes angoisses.

— Oui, oui, mais elle a dû être retenue par un client important. Elle devrait arriver d'une minute à l'autre.

Un client important un samedi soir à 19 heures, ce n'est pas très crédible. Quoique plausible. S'il est beau garçon et célibataire, c'est encore plus probable. Cette attitude de croqueuse d'hommes, c'est la nouvelle Alice. Je ne suis pas sûre d'aimer ça, mais bon. N'empêche, séduisant ou pas, ce comportement ne lui ressemble guère. Je vais opter pour la bonne vieille méthode et lui passer un coup de fil. C'est papa qui va être content, lui qui ne saisit toujours pas l'engouement pour les nouvelles technologies.

— As-tu réussi à rejoindre ta mère, Gaby ?

— Je lui ai envoyé un texto deux fois plutôt qu'une, sans réponse.

— Un quoi ?

— Un texto, papi… Un SMS, tu connais ça, j'espère ? répond Juliette en s'introduisant dans la conversation.

Devant ses sourcils broussailleux en accent circonflexe, elle poursuit le plus sérieusement du monde :

— Ben voyons, papi, c'est comme un courriel, mais on n'a pas besoin d'Internet ni de Wi-Fi.

— De quoi ?

Devant la mine abasourdie de sa petite-fille, mon père en rajoute sans le savoir.

— Ah, moi pis les Internets !

Juliette et moi éclatons de rire, à la fois dépassées par son entêtement redoutable et attendries devant ce choc naturel de générations. Du temps où Philippe était associé avec mon père, il avait essayé par tous les moyens de le convertir. Rien à faire. Il savait à peine lire ses courriels, encore moins en envoyer ! Et je ne parle même pas de toutes les fois où j'ai voulu lui offrir un iPhone pour Noël. À tous les coups, alors que je lui vantais les mérites de ce petit bijou, il me regardait comme si je parlais chinois. Il aurait fallu que je me mette à analyser les actions d'Apple ou du marché asiatique en pleine effervescence, là nous aurions parlé le même langage !

Je m'isole pour faire mon appel. Au moment où je vais raccrocher, Alice répond subitement, la voix rauque et à bout de souffle.

— Allô, ma puce !

— Maman ? T'es où ?

— Désolée, je sais que je suis très en retard, mais j'ai été retenue. T'inquiète pas, ma fille, on se parle plus tard…

Elle raccroche sans même me laisser le temps de placer un traître mot. Étrange. Et cette voix essoufflée, limite expéditive… Elle n'est quand même pas en pleine séance d'ébats avec son beau client ! Je chasse tout de suite les images qui accompagnent cette pensée. Trop d'informations. Elle et moi sommes très proches, mais j'ai fait en sorte que nous nous gardions une petite gêne. Je n'ai pas besoin de savoir qu'elle a une meilleure moyenne que moi au bâton ! Encore moins Philippe, qui se ferait un plaisir d'utiliser cet argument à outrance s'il l'apprenait !

Un brin amusée par cette idée et rassurée de l'avoir eue au bout du fil, je retourne à mes invités à qui je fais un signe que tout va bien. Le service des burgers est commencé et la brigade de chefs a du mal à fournir. Je vois que Roxane a pris ma marmaille en charge et je lui fais un clin d'œil reconnaissant. À l'autre extrémité de la table, Sophie tente de tartiner en simultané les trois pains de ses garçons. Bien entendu, le beau Françous a mieux à faire en discourant sur le vin qu'il vient de nous servir.

M'adressant à Annabelle, je grommelle :

— Celui-là, je sais pas ce qui me retient de l'étriper ! Il me pompe l'air, t'as pas idée !

Elle me jette un regard qui veut tout dire. Affectée à la distribution du jus, elle fait mine de maîtriser ses gestes mais manque carrément de crédibilité. Satané alcool !

Le souper, toujours aussi bien arrosé, se passe dans un chaos organisé, au milieu des rires et délires de trois générations. Les discussions sont animées, les regards brillants, les joues roses de plaisir et de boisson. Le soleil, qui ne nous a pas quittés de la journée, est sur le point d'amorcer sa descente derrière la montagne.

— Quand est-ce qu'on fait le feu ? demande en chœur la bande de garçons aux joues encore barbouillées de ketchup et de moutarde.

Il me prend une envie de les mettre en rang pour leur débarbouiller le visage avec ma salive sur le bout du pouce droit. Je me retiens juste à temps. Philippe m'arrache la tête s'il me voit en pleine action.

— Est-ce qu'y a des guimauves ? ajoute le petit Émile, plein d'espoir.

— Le feu et les guimauves s'en viennent, les enfants. On finit de souper, on ramasse pis on s'y met, OK ? Vous avez le temps de faire un petit jeu plus loin, je lance à la blague, leur faisant signe de s'éloigner pour nous laisser finir en paix nos burgers refroidis par nos tâches de mamans.

À l'exception de Roxane, aucune de nous n'a même en mémoire le souvenir d'un bon repas chaud. Je renchéris sur le cas de mes rôties matinales qui sont toujours et sans exception « raides comme une barre », malgré tout le beurre que je leur applique. Sans parler de toutes les fois où j'ai trouvé un cheveu sur mes tartines au beurre d'arachide parce que je donnais dans le multi-tâche, c'est-à-dire servir le déjeuner ET attacher les cheveux de Juliette.

— Je les mangerais bien, moi, vos rôties dures et froides… soulève une Roxane songeuse et tristounette. Sauf que, en ce moment, j'ai pas de poil sur mes rôties, pas de *kids* à peigner, et encore moins de géniteur pour les concevoir !

Malgré toute la détresse de son commentaire, nous rions un bon coup, elle incluse. Je rapplique :

— Toujours aucun *prospect* sérieux, mon p'tit chou ?

— C'est le monde à l'envers ! Les jeunes de trente ans m'intéressent, mais moi, je les allume pas avec mes rides, pis les bons-hommes de cinquante et plus me *cruisent*, mais moi, je veux rien savoir d'un *sugar daddy* !

Encore une fois, son commentaire cause l'euphorie générale, chacune l'imaginant plutôt mal au bras d'un quinquagénaire bedonnant. Puis je pense illico à Andy Garcia ou Richard Gere et rappelle gentiment à mon auditoire qu'il y a des exceptions à la règle, dans les films comme dans la vraie vie. La soixantaine rayonnante, mon père n'a pas de bedaine et est quand même loin d'être un pichou ! *Idem* pour M. Thomas, qui est plutôt beau gosse et ne fait pas son âge.

— Je vous niaise un peu, mais à peine. Sérieux, des hommes sexy, drôles et intelligents, cherchant encore l'amour, le vrai, c'est une espèce en voie de disparition.

— Pis si c'est pas trop demander, qu'il vienne pas avec trois ou quatre gamins! ajoute Sophie, qui sait exactement de quoi elle parle.

— Exact! J'adore les enfants, mais j'aimerais mieux gérer les miens plutôt que ceux des autres.

— Mais là, avec ton abonnement au gym, t'as des chances de trouver quelqu'un de bien. Y a pas juste des grands baraqués qui se promènent avec des pamplemousses en dessous des bras! fait Annabelle.

J'approuve mon amie:

— Au club, c'est plein de gens intéressants, tu sais. Dans l'ensemble, ils ont l'air sains de corps et d'esprit.

— D'accord aussi. Tu risques pas mal plus de tomber sur la perle rare en soulevant des poids lourds plutôt que des *shooters* dans les bars branchés. Le seul hic, c'est que t'auras pas exactement le même look, ironise Sophie.

— Oh que non! j'explose aussitôt. Se faire *cruiser* avec une moustache d'eau, c'est pas très sexy, mais ça peut marcher. Personnellement, à la façon dont je sue pendant l'entraînement, j'exciterais pas grand monde!

La bouche pâteuse et l'œil vitreux, les filles poursuivent leur rigolade pendant que je m'occupe des recharges de vin. Il y a bien Annabelle qui se fait hésitante, mais je l'ignore complètement. Ce soir, elle suit la parade, un point c'est tout.

Notre énième verre à la main, nous constatons avec bonheur que les garçons ont débarrassé l'essentiel de la table et que mon père s'active déjà à faire danser les flammes. Le moment est donc bien choisi pour prendre le chemin du feu de camp grouillant de monde. Les petits se disputent les premières loges afin de griller leurs guimauves pendant que les grands, plus en retrait, discutent de politique. Ouache! Philippe est en pleine tirade, faisant de grands gestes pour appuyer ses propos. Pauvre loup, il est aux anges. Ce n'est pas avec moi qu'il peut assouvir ce besoin d'échanger sur les prochaines élections. Heureusement, je peux compter sur mon père pour couvrir ce sujet palpitant!

Je retourne vers mes chipies et perçois quelques bribes de conversation comprenant des mots-clés comme shopping et vêtements griffés. Bon, voilà qui est mieux. Mieux, mais pas parfait. Alice n'est toujours pas là. Je n'arrive pas à me faire à l'idée qu'elle a choisi son amant plutôt que sa fille bien-aimée. Mon regard se perd dans les flammes tandis que les copines poursuivent leur babillage que je trouve tout à coup futile et superficiel.

Je me lève d'un bond, empoigne mon iPhone puis me dirige d'un pas décidé vers le devant de la maison. Bon, ça suffit, j'en ai ras le bol! Je lui passe un dernier coup de fil et elle a intérêt à répondre. La sonnerie retentit encore et encore dans mes oreilles au rythme de mon cœur qui bat la chamade. Puis j'entends un faible «Gaby» derrière moi. C'est maman, en chair et en os. Elle s'approche doucement, et c'est à ce moment que je vois son visage baigné de larmes.

— Maman… Mais qu'est-ce qui t'arrive? Où t'étais passée?

— Oh, ma puce…

Elle sanglote, incapable de parler. Mes battements de cœur s'accélèrent de plus en plus. Je la prends dans mes bras.

8

Le cauchemar après le rêve

Ce soir de barbecue passera à l'histoire, mais pas pour les mêmes raisons que les dernières fois. Le feu est éteint depuis long-temps, il reste des guimauves à la tonne. Le bain de minuit n'a pas eu lieu ni les confidences nocturnes à la lueur des flammes. Les invités n'ont jamais dégrisé aussi vite et sont rentrés plus tôt, beau-coup plus tôt que prévu. Un silence de mort plane sur ma terrasse.

Se demandant où j'étais passée, Philippe a émis un avis de recherche pour finalement nous trouver là où nous étions. Tou-jours dans la pénombre, à l'avant de la maison, effondrées, à pleurer en silence. Je caressais doucement les cheveux de maman qui s'accrochait à moi comme à une bouée. Après le choc, j'ai tout de suite voulu en savoir davantage, la bombardant de questions. Entre deux sanglots, elle m'a simplement répondu :

— Pas maintenant, plus tard, ma puce… Prends-moi juste dans tes bras, c'est tout ce dont j'ai besoin pour le moment.

Lorsque le regard inquiet de Philippe a croisé le mien, il a com-pris aussitôt que quelque chose de grave s'était produit. Je lui ai fait signe de m'attendre là avant de conduire maman à l'intérieur. Encore complètement ébranlée, je suis revenue comme un auto-mate lui raconter en quelques mots l'horreur de la situation, du moins ce que j'en savais. Secouée de violents tremblements, j'ar-rivais à peine à aligner deux mots avec cohérence. Il m'a alors enlacée tendrement, a caressé mon visage et essuyé les larmes lourdes et chaudes qui sillonnaient mes joues. Ses longs bras mus-clés se faisaient rassurants, mais ses yeux étaient brillants de tris-tesse et d'impuissance.

Philippe a vu juste, il aurait la lourde tâche d'annoncer la nou-velle aux invités et, naturellement, de mettre un terme à la fête. Je me trouvais lâche, mais ne me sentais pas la force d'affronter mes amis. Je n'avais qu'une envie, retrouver ma mère et la serrer contre moi tout en écoutant son histoire d'un bout à l'autre. Mille et une questions se bousculaient toujours dans ma tête, et mon cœur, lui, était en miettes. Malgré ça, je devais me ressaisir, en apparence du moins, et avoir les épaules solides pour la consoler et lui dire les mots qu'il fallait.

C'est ainsi que, par la fenêtre de la bibliothèque, j'ai vu partir mes trois fidèles amies, le pas traînant et le visage infiniment triste. Chacune leur tour, elles se sont tournées vers la maison et m'ont aperçue à travers les carreaux. J'ai senti une telle chaleur dans leurs yeux, un immense élan de sympathie et de tendresse, que j'ai salué par un faible geste de la main. Pestant contre moi-même, je me suis dirigée vers maman avec un demi-sourire, les larmes continuant de couler librement sur mon visage.

Cette nuit-là, nous avons peu dormi, mais beaucoup pleuré. Philippe a non seulement pris en charge la conclusion de la soirée, mais aussi la corvée de ménage, nous laissant délibérément seules toutes les deux. Bien collées l'une sur l'autre, nous avons tenté de nous réconforter le cœur avec du bon thé fumant et des couvertures chaudes. J'ai écouté, presque sans interruption, le récit complet de maman. Je me retenais de l'assaillir de questions ou de sauter aux conclusions, préférant la laisser raconter son histoire à son rythme.

Sagement à l'écoute, j'avais l'étrange impression de vivre un mauvais rêve. J'attendais avec impatience le réveil, la lueur du petit matin pour reprendre la vie là où je l'avais laissée plus tôt, pendant que la fête battait son plein. En quelques secondes, mon monde venait de basculer et je n'allais pas me réveiller infiniment soulagée demain. Non, demain, après-demain et les jours suivants allaient sans doute être les pires de mon existence.

Ainsi donc, Alice, à peine soixante-cinq ans, est atteinte d'un cancer du poumon. Plus précisément, elle a un néo du poumon avec des métastases osseuses vertébrales et costales. Les chances de survie sont très minces, voire nulles. En raison de la nature des métastases, elle n'est pas candidate pour une résection du poumon, c'est-à-dire une chirurgie permettant de retirer le lobe de l'organe. En revanche, la chimiothérapie est envisageable afin de diminuer, et non d'éliminer, la présence de métastases. Elle permettra aussi d'acheter du temps, de prolonger la vie d'Alice, sans plus.

Pour le reste, j'en passe et j'en oublie. Volontairement. Allons à l'essentiel, celui qui fait mal. Il ne lui reste qu'une année à vivre environ, quelques mois de plus avec un peu de chance. Impossible ! Ma mère pète le feu avec ses amies, ses amants et sa carrière. Elle a toute forme de médicaments en horreur et les fuit comme la peste. C'est tout juste si elle accepte d'avaler ses petites granules pour contrer les effets de la ménopause.

C'est là que je me trompe. Elle m'avoue que, ces derniers temps, elle a éprouvé des douleurs au dos en plus d'endurer une toux persistante. Son examen annuel avec son médecin de famille étant pour bientôt, elle a patiemment attendu son rendez-vous. C'est à partir de ce moment que les événements se sont précipités.

À la demande du docteur, Alice est passée, en quelques semaines, par une série de tests allant de la radiographie au *scan*, en passant par une bronchoscopie. Finalement, elle a appris, de la bouche d'un pneumologue dépourvu de toute chaleur humaine, qu'elle était bel et bien atteinte d'un cancer du poumon. Tout ça, toute seule. Comme une grande. Comme une écervelée, j'ai envie de dire. C'est plus fort que moi, j'ai du mal à accepter qu'elle m'ait tenue à l'écart pendant ces épreuves.

— Mais pourquoi tu m'en as jamais parlé ? T'avais pas le droit de vivre ça toute seule ! Et t'aurais dû consulter plus vite, regarde où ça te mène !

— J'étais certaine que c'était rien et je voulais pas vous inquiéter avec mes petits bobos. Je mettais ça sur le compte de la vieillesse. Je suis plus jeune jeune, rétorque-t-elle dans un long soupir.

Il ne faut pas que j'en rajoute, car je sais pertinemment qu'elle doit s'en vouloir d'avoir laissé traîner les choses. Qui sait, plus de vigilance aurait pu la sauver. Résultat, les méchantes métastases se sont baladées dans son corps fragile sans rien ni personne pour leur barrer la route. Je n'en reviens juste pas de la vitesse à laquelle la maladie s'est emparée de son petit être. À peine un an à vivre, deux fois bravo, les médecins, pour votre optimisme démesuré ! Ça ne vous tentait pas de laisser davantage planer le doute, l'espoir ? En cet instant précis, je les déteste tous, sans exception.

Ce n'est pas le moment d'aborder ce sujet délicat, mais je n'arrive pas à me convaincre qu'il n'y a rien à faire pour la sauver. Il doit bien exister un spécialiste, quelque part dans le monde, qui pourra la sauver. Maman lit dans mes pensées.

— Je sais ce que tu penses, Gaby, toi qui vois toujours le verre à moitié plein. Te fatigue pas pour ça, y a plus grand-chose à faire. La maladie est trop avancée.

— Comment ça, plus grand-chose à faire ? Y doit bien y avoir des traitements pour t'aider ? On est en 2015, bon sang !

— Pour me soulager, oui, m'aider à moins souffrir et à gagner un peu de temps, c'est tout, ma puce.

— Ben alors, tu les commences quand, ces foutus traitements ?

— Je… je sais pas si ça me tente, Gaby… J'ai plutôt envie de profiter à cent pour cent du temps qu'il me reste avec toi, ta sœur, mes petits-enfants…

Sa voix se brise sur ces mots, sans doute en raison de l'air complètement affolé que je prends.

— Non, maman, dis pas de niaiseries, les miracles, ça existe pour vrai… Pourquoi ça t'arrive à toi ? crie mon cœur.

— Mauvais numéro… Le hasard de la vie… Bon, oui, j'ai déjà été une grande fumeuse, dans mon jeune temps puis quand ton père m'a quittée. Mais j'ai arrêté y a très longtemps. Et le spécialiste m'a expliqué qu'y a beaucoup de personnes atteintes de cancer du poumon qui ont jamais touché à la cigarette de leur vie.

— C'est tellement injuste, tellement injuste…

Moi aussi, je perds la voix, je perds tout. Même mon cœur a cessé de battre, on dirait. Je n'ai pas la force d'insister davantage, là, ce soir. Totalement anéantie et impuissante, j'éclate une fois de plus en sanglots en martelant les coussins qui se trouvent sur mon chemin. La peine prend toute la place, mais je sens une rage malveillante me chatouiller lentement les entrailles. Il faut que je me calme le pompon, Alice a besoin de ma force et de mon énergie, pas de mon attitude de pitbull enragé.

Et puis merde ! Plus tard, le calme, me dis-je. Maintenant, je m'accorde toutes les émotions qui me passent par le cœur. Je revendique le droit d'être dévastée par le malheureux sort qui s'abat sur ma famille. C'est maman qui me tend les bras cette fois. Elle est passée par là au cours des deux derniers jours, elle comprend certainement un peu ma grande colère.

Quand Alice a encaissé la nouvelle du pneumologue jeudi dernier, elle a choisi de s'offrir une retraite fermée avec elle-même dans une petite auberge en dehors de la ville. Voilà qui explique son retard record et son long silence. Elle m'a raconté qu'elle avait senti le besoin de se trouver seule pour revisiter le fil de sa vie et entrevoir ce qu'il en restait.

Rien qu'à l'entendre me débiter ça d'un trait, les yeux rivés sur le feu qui se meurt dehors, je sens une grosse boule douloureuse me nouer l'estomac. Encore dans le déni, je ne suis assurément pas prête à visualiser les derniers moments de la vie de ma maman. J'ai l'étoffe d'une battante, tout le monde le dit, il faut que je trouve la solution miracle. C'est mon lot quotidien au bureau, je vais forcément y arriver avec l'aide de Philippe et de papa.

* * *

— Mamiiiiie! crie Zac beaucoup trop fort pour un lendemain de cuite et de nuit cauchemardesque.

— Mon poussiiiiin! répond maman sur le même ton enjoué mais, Dieu merci, quelques octaves plus bas.

— Qu'est-ce que tu fais ici, mamie? Y est ben trop de bonne heure!

Alice et moi échangeons un regard chargé de sous-entendus avant qu'elle réponde en prenant mon petit homme sur ses genoux.

— Imagine-toi donc que j'avais plus de café, alors comme je sais que ta maman en fait du très bon et très fort tous les matins, je suis venue lui en voler un, peut-être deux.

— Ben y est où, ton café? Pis t'étais pas censée être au barbecue avec nous autres hier?

Cette fois, Philippe vient à la rescousse entre deux coups de vadrouille. Malgré toute notre bonne volonté de la veille, la maison est toujours dans un état lamentable. Il doit bien y avoir une demi-tonne de miettes sur le plancher de la cuisine. Sans parler de l'îlot qui croule sous une quantité astronomique de bouteilles vides. Le simple fait de les regarder me donne des haut-le-cœur. Comme si je n'avais pas déjà assez mal comme ça.

— Mamie a eu un empêchement de dernière minute. Elle a manqué toute une journée, hein, mon Zac?

Philippe n'a pas mis un point final à sa phrase qu'il réalise sa bourde. Ce n'est pas le moment de s'y attarder. D'autant plus qu'il n'a pas encore la version complète de l'histoire. La voix et le cœur secoués, je n'arrive même pas à sauver la mise avec une petite phrase parfaite glissée à point nommé. Je suis d'ordinaire plutôt douée pour ce genre de truc. Pas maintenant.

Maman fait comme si de rien n'était – quelle classe et quel courage! – et se lance dans une séance de chatouilles en règle avec son petit-fils, qui ne tarde pas à se tordre de plaisir. Son rire est si fort et si joyeux qu'il réveille notre marmotte nationale. J'ai nommé Juliette, qui fait irruption dans notre champ de bataille avec sa crinière de lion après une nuit vraisemblablement courte et agitée. Elle s'élance elle aussi dans les bras grands ouverts de sa mamie chérie.

— Mamie? T'es pas venue hier... Tu te reprends ce matin?

— On peut dire ça, oui. Je m'ennuyais de vous autres alors je suis passée vous faire un petit coucou... et avaler mes deux cafés, bien sûr! complète-t-elle à l'intention de Zac, à qui on peut difficilement en passer une, malgré son jeune âge.

— C'était *full cool*, mais on a veillé moins tard que d'habitude, hein, maman? On a même pas eu le temps de dormir dans la tente.

Chaque année, après le tant attendu feu de joie, notre marmaille finit par abandonner sa lutte contre le sommeil et termine la soirée à roupiller dans la grande tente aménagée spécialement pour l'occasion. Cette fois-ci, nous n'avons pas atteint ce stade. Les enfants ont cru une version inventée de toutes pièces, c'est-à-dire que les parents étaient soudain tombés de fatigue et qu'il était temps de rentrer.

— Oui, Juju, tout le monde était crevé de sa semaine et de son été. C'est pas grave, ça arrive dans les meilleurs *partys*, vous vous êtes bien amusés quand même, non?

— Vraiment! C'était trop l'*fun* de jouer avec Charlotte et Victor, ça faisait longtemps genre.

Avec un demi-sourire forcé, je me lève pour débarrasser la table des restes du déjeuner, laissant Zac et Juliette jacasser candidement avec leur mamie. Mes petits chatons ne se doutent de rien. M. Net, alias Philippe, n'est toujours pas au parfum, mais il est clair dans mon esprit que nous devrons passer sous silence les détails de la maladie mortelle de maman. Ce sont des histoires tristes de grandes personnes, je tiens mordicus à tenir les enfants en dehors de ça. Mon devoir sera plutôt de multiplier les sorties et les activités avec leur grand-mère. Ils sauront bien assez tôt tout le reste. Des larmes brûlantes me brouillent les yeux.

En mode vibration, mon iPhone se trémousse sans arrêt depuis les premières heures du matin. Ce sont sûrement mes amies qui viennent aux nouvelles sans me bousculer. Même si une dose d'amour et de soutien me ferait le plus grand bien, je préfère remettre la conversation à plus tard et concentrer toutes mes énergies sur maman et la suite des événements.

La bibliothèque s'avère à nouveau le repaire tout indiqué pour discuter librement et, avouons-le, éviter de jouer les Mmes Blancheville à la cuisine. Alors que je cherchais désespérément une boîte de mouchoirs ultra-doux cette nuit, j'ai retrouvé la trace de ma baise torride de la veille, c'est-à-dire mon slip ultra-sexy, dans le lavabo de la salle de bains ! Non, mais qu'est-ce qu'il fout là, lui ? Ai-je vraiment passé le reste de la soirée « commando » ? Si je mettais mon homme au courant de cette trouvaille, il me dirait sans doute que l'alcool me va comme un gant. Bien que rigolote, cette pensée ne me fait pas rire, ce matin.

D'entrée de jeu, j'insiste pour que maman informe illico Rosalie puis papa de la situation. Nous nous mettons d'accord là-dessus et convenons qu'elle le fera une fois rentrée à la maison. Philippe n'en sait rien, mais je lui propose de s'installer chez nous, ce qu'elle refuse catégoriquement.

— Pourquoi pas ? Tu serais bien ici, on prendrait soin de toi, tu pourrais te reposer quand tu veux. On pourrait même embaucher une infirmière, tiens.

— Gaby chérie, à part ma toux et des petites fatigues passagères, je vais bien en ce moment. Je me sens assez en forme pour terminer quelques contrats à mon rythme. Après, on verra.

— Oui, on verra… Faut pas que tu te fatigues trop en travaillant. Pis tu pourras pas habiter toute seule jusqu'à…

Ma voix se brise, mais je continue tant bien que mal.

— Tu vas avoir besoin de soins, maman, d'une présence qui veillera sur toi, sur ta santé. On va être là, nous autres, c'est sûr, mais avec les traitements…

— Mais rien, Gaby! me coupe-t-elle d'un ton tranchant. Il n'y en aura peut-être pas, de traitements! Pour le moment, je vais bien. Pour le reste, on verra quand on sera rendus là, OK? Essayons de profiter de ce qui passe, d'accord?

Alice a tellement raison. Alice, la grande malade qui ne verra pas ses petits-enfants grandir, me fait la leçon avec une force démesurée malgré sa grande peine. Oui, Alice a tellement raison, mais je n'en suis tellement pas là dans ma tête ni dans mon cœur. On dit que le temps arrange les choses. Je suis loin d'être certaine que ce sera le cas ici.

Rosalie a sauté dans le premier avion après l'appel de maman. En plein *shooting* sur un plateau de tournage, ma petite sœur a tout laissé tomber pour débarquer en catastrophe chez Alice. Avec ce coup de tête calculé, elle risque de se faire montrer la porte, mais elle s'en fiche totalement. Sa place est auprès de maman, du moins pour quelques jours. S'ils ne pigent pas l'urgence de la situation, ils ne la méritent pas, elle, la plus grande photographe de New York, voilà ce que nous décrétons haut et fort.

Pendant que je suis retournée au boulot sur le pilote automatique, Rosalie a passé la semaine avec Alice, la traitant aux petits oignons. Incapable de cuisiner, pas même pour se faire cuire un œuf, ma New-Yorkaise préférée commandait les meilleurs plats du plus grand traiteur en ville. Ou encore, elle nous emmenait, maman et moi, dans les restos qui avaient la cote d'amour du public et de la critique. Visiblement dans le déni total, ma frangine avait construit une bulle de verre autour de nous trois, faisant tout pour fuir la réalité ou plutôt y songer le moins possible.

Dans l'ensemble, c'était plutôt réussi, mais nous savions que tout ce cirque ne pourrait durer éternellement. Le traitement royal et les bains parfumés à la lavande avaient beau être apaisants pour l'âme, ils ne permettraient pas à maman de tenir le coup, encore moins de recouvrer la santé.

— *I know, I know,* Gaby, ça pourra pas durer comme ça, mais c'est ma façon de profiter de maman avant de repartir pour New York. *Don't worry*, je vais revenir souvent prendre soin d'elle, mais pas autant que je voudrais. Ma vie est là-bas, tu sais.

— Je comprends… Moi non plus, je peux pas tout laisser tomber. Je vais bien m'occuper de maman, papa aussi, je suis sûre. Mais j'ai besoin de toi, p'tite sœur.

Nous nous sommes enlacées en pleurant à chaudes larmes. En présence de maman, nous faisions tout pour lui démontrer notre force et notre courage. À mon grand dam, Rosalie a été victime de rechutes occasionnelles, ce qui lui a valu de ma part de solides coups de coude ou de pied, selon notre position. Toutefois, dès qu'Alice tournait les talons, le naturel revenait au galop pour elle comme pour moi, laissant toute la place à la peine et la rage.

Si nous étions enragées et toujours sous le choc, papa ne l'a carrément pas supporté. Dès qu'il a appris la nouvelle, il est parti en croisade contre la terre entière, la traitant de tous les noms. Quant aux bondieuseries, il leur a fait honneur en utilisant les termes sacrés à outrance. Au moins, ça nous a changés de son habituel discours sur l'état du marché boursier!

Toute la semaine qui a suivi le barbecue le plus marquant de l'histoire, mes trois fidèles amies m'ont inondée de douces pensées et de petits gestes dignes des grandes amitiés. Chaque matin, elles m'ont fait livrer au bureau un café, version supra corsée, et une poignée de marguerites blanches. Je savourais chaque délicate attention, mais n'étais pas encore prête à les affronter avec ma peine. Je me contentais plutôt de leur envoyer de brefs textos essentiellement composés de « Merci » et de « Vous êtes trop douces », mais pas de « Je vais bien ». Inutile de faire semblant, je n'allais pas bien.

Le regard humide et les batteries à plat du matin au soir, je me réfugiais le plus souvent possible dans mon bureau sous prétexte qu'une vilaine migraine tambourinait contre mon crâne. Sans éviter l'inévitable, je me concentrais sur l'essentiel de ma tâche, ayant besoin de toutes mes réserves de volonté pour passer à travers mes journées. Je savais que l'inquiétude allait bientôt gagner mon équipe. Ce n'était qu'une question de temps avant que l'un de mes employés se risque à me demander ce qui n'allait pas.

Personne, donc, n'est au courant chez Jumpaï. Mon secret me pèse, mais je préfère attendre la rencontre avec l'oncologue de maman pour avoir l'heure juste. Comme s'il y avait un possible revirement de situation. Je ne sais pas, moi, sous l'effet de l'énervement, elle a peut-être mal interprété certaines paroles ou encore n'a pas posé les bonnes questions… Son spécialiste n'est sûrement pas la seule et certainement pas la meilleure personne sur la planète qui puisse l'aider.

Charles s'est mis sur ce coup-là : faire des recherches – pas sur « les Internets », on s'entend ! – pour avoir l'avis d'un autre expert et dénicher un traitement miracle quelque part dans le monde. Il a même un client médecin à qui il a demandé des pistes de solution.

J'ai bien tenté de faire sortir le méchant en courant comme une défoncée, mais sans grand succès. Mes deux sorties de la semaine se sont soldées par une crise de larmes en plein centre-ville. Je pleurais tellement que je ne voyais plus rien devant moi. M'apercevant en train de tituber, une gentille dame m'a même offert de l'aide, ce qui me fait dire qu'il y a encore du bon monde ici-bas.

L'ennui, c'est que, depuis mes débuts, courir me porte à réfléchir de façon exponentielle. Je perds des calories, oui, mais me retrouve maintenant avec un poids plus lourd à porter. Avec l'histoire de maman, les pires scénarios se dessinent dans ma tête au rythme des pas de course. Je vois aussi défiler tout ce que nous ne ferons jamais ensemble. Ces deux pensées sont intolérables.

Je me suis détestée d'abandonner, mais je sentais l'urgence de mettre ma quête en veilleuse. De marquer une pause d'une semaine ou deux pour d'abord encaisser le coup une fois pour toutes, puis accepter l'inacceptable. C'était forcément l'étape à franchir selon moi pour recentrer mes énergies, affronter la tempête la tête froide et le cœur un peu plus léger.

* * *

Ma décision, qualifiée de sage par Philippe, a coïncidé avec le départ de Rosalie. D'abord complètement furax, le grand patron du studio de télé avait ensuite exigé qu'elle rentre à temps pour reprendre le travail le lundi suivant. À contrecœur, ma petite sœur est donc repartie vers la Grosse Pomme en promettant de revenir aussi souvent que possible. Les au revoir à l'aéroport ont été empreints d'une bonne décharge d'émotions. Au plus fort de l'accolade mère-fille, je me suis même éloignée, prétextant un appel urgent de l'agence – tellement crédible un dimanche soir ! – pour me ressaisir à l'abri des regards.

Après avoir déposé maman chez elle, tout en m'assurant qu'elle ne manquait de rien, je rentre à la maison. Je me sens vide et lasse. Les enfants sont déjà en pyjama, mais m'attendent pour que je leur fasse la lecture. Réconfortée par leur présence et leur vie sans souci, je me prête de bonne grâce à cette routine qui se poursuit et que j'adore.

À la conclusion du premier des deux bouquins retenus pour la séance, Juliette se retire dans sa chambre pour lire « un livre de grande ». Zac et moi plongeons alors dans le monde fantastique de son superhéros préféré, collés comme des sardines dans son demi-lit de petit garçon. Alors que je tourne la dernière page, il me regarde avec ses grands yeux de chien battu en m'implorant :

— Maman, est-ce que je peux lire comme un grand, moi aussi ? Dis ouiiiiii…

— Mon chaton, t'as de l'école demain, il faut dormir.

— Juliette le fait, elle !

— Zac, ta sœur est plus grande, ça fait au moins mille fois que je te le répète.

— *Plize, plize, plize…*

Quand il me parle dans son anglais approximatif, ce n'est pas compliqué, je craque. Depuis qu'il a pris des leçons intensives au camp de jour, il se débrouille plutôt bien et nous lance quelques mots à l'occasion. Je le soupçonne d'être parfaitement conscient de l'effet qu'il a sur moi, mais je fais mine de n'y voir que du feu.

— C'est bon. Encore cinq minutes.

— Juste uuuuune minute !

Il me fait le signe avec son mini doigt dodu. Pauvre chaton mignon. Il ne fait pas la différence entre une et cinq minutes ! Dans le fond, il veut simplement lire une petite histoire comme un grand. Je ne peux quand même pas lui refuser cinq minuscules minutes, même s'il n'en demande qu'une. Permission accordée. Maman et chaton comblés.

Je rejoins Philippe au salon pour me blottir dans ses bras sans un mot. J'ai la nette impression qu'en une semaine, la plus longue de ma vie, tout a été dit. J'ai simplement besoin de sa présence, de savoir qu'il est là tout près pour écouter mes silences et essuyer mes larmes.

— Gab, prends donc une couple de journées de congé. Pour toi, là, juste pour toi.

— C'est pas comme si j'y avais pas pensé, Phil. Je peux juste pas me permettre de m'absenter du bureau ces temps-ci. On est tellement dans le jus cet automne !

— Pourquoi tu travaillerais pas de la maison ? Au moins, tu vas pouvoir y aller à ton rythme… En faisant une couple de brassées ! ajoute-t-il pour me dérider un brin.

— Mouais… C'est pas une mauvaise idée. Faudrait que je passe chercher deux ou trois dossiers chauds. J'en profiterai pour mettre quelques membres de l'équipe au parfum. J'avais l'air d'un zombie ambulant la semaine passée, c'est sûr qu'ils se doutent que quelque chose tourne pas rond.

— C'est quand, le rendez-vous d'Alice avec son oncologue ?

— La semaine prochaine, pis inquiète-toi pas, c'est à mon agenda. Tu me connais, j'ai ma liste de mille questions déjà prête ! Le doc me trouvera pas reposante !

Nous sourions tristement à cette idée en montant à l'étage pour la nuit. Avec toutes ces émotions à l'état brut, j'ai du mal à étirer mes soirées comme auparavant. Mais si le sommeil ne tarde jamais à me gagner, mes nuits sont passablement agitées. Je me réveille souvent, paniquée, au beau milieu d'un cauchemar où la maladie de maman tient la vedette. Il n'en faut pas plus pour que l'insomnie s'installe ensuite pendant une heure ou deux.

* * *

Au petit matin, le reflet que m'offre le miroir me convainc définitivement que j'ai besoin de quelques jours de répit. Les cheveux en bataille, les traits tirés et le visage qui tourne au vert, j'ai une mine affreuse. Je crains même de faire peur aux enfants. L'effet lendemain de brosse, exposant dix ! Je me traîne jusqu'à mon iPhone pour envoyer un courriel à Béatrice, à qui j'annonce mon congé forcé. Elle est bien avertie qu'elle ne devra me joindre que pour les urgences nationales d'ici à mon retour jeudi. Si tout va bien. Évidemment, tout n'ira pas bien, mais c'est une façon de parler, disons.

J'ai promis de penser à moi, mais avant, j'ai une tonne de trucs à régler. D'abord, rendre visite à maman minimum une fois par jour, si possible deux. Puis voir où en est papa avec ses recherches dont les moyens, sans Internet, datent ni plus ni moins de l'ère de glace ! J'ai bien hâte de voir les résultats… Notre rendez-vous pèrefille est réservé pour le lunch de mercredi. Il me faut aussi n'écouter que mon courage, et déjeuner avec les copines. Je leur dois bien ça.

Mon texto va comme suit : « Salut, les chipies ! J'ai quelques jours off devant moi, ça vous dit de déjeuner chez Deux laits, un sucre demain matin ? »

J'ai à peine terminé de taper que déjà les filles me répondent, chacune en utilisant une voyelle en surnombre : « Ouiiiii ! », « Teeeeellement ! » et « Trooooop contente d'avoir de tes nouvelles ! » Leurs messages me font sourire, mais surtout chaud au cœur. Je n'ai pas encore eu la force de leur raconter mon grand chagrin de long en large, et je ne suis pas certaine que j'en aurai envie demain. Il le faudra bien pourtant, elles ont le droit de connaître la vérité.

Avec mon air de mère désaffectée, je prépare, dans l'ordre, du café corsé à la tonne puis les enfants pour l'école. Tour à tour, ils me demandent pourquoi je vais travailler en mou aujourd'hui, et moi, j'évoque vaguement le concept de télétravail, qu'ils comprennent plus ou moins, d'ailleurs. Quand j'ajoute, petit billet à l'appui, que c'est le bus qui les ramènera ce soir parce que je serai à la maison pour les accueillir, je fais leur journée !

Les draps encore étampés sur le visage, Philippe en profite pour partir plus tôt qu'en temps normal en prenant soin de vérifier que je tiens le coup. Mon allure à faire peur est loin de le convaincre, mais je lui fais un clin d'œil rassurant. Peu habituée à de véritables journées de congé, c'est-à-dire sans boulot ni marmots, je me sens habitée d'un semblant de souffle nouveau. Du moins pour aujourd'hui.

Dès que ma tribu passe la porte, je m'installe à l'ordi avec ma nouvelle dose de caféine et ma petite idée en tête. J'ai envie de nous offrir, à maman et moi, une journée au spa. Et justement, un nouveau centre au concept génial vient d'ouvrir à deux pas de la montagne. Ils ne sont pas encore au courant, mais leur défi de la journée sera de nous dénicher *in extremis* deux places pour leur forfait le plus complet.

S'il le faut, je suis prête à jouer le tout pour le tout. Autrement dit, faire pitié! C'est la technique Rosalie, et pour l'avoir personnellement vue à l'œuvre plusieurs fois, je sais que ça marche à tous les coups. Je me sens un peu *cheap* d'envisager la mise en scène de la triste histoire de ma mère, mais c'est un cas de force majeure.

Bon, pourvu que maman soit non seulement libre, mais en forme et que le centre puisse être aux petits soins avec nous en réalisant nos moindres caprices. À bien y penser, je me dis que la place ne peut quand même pas être bondée un lundi!

Au pire, nous allons côtoyer de petites bonnes femmes riches et chiantes dont le lot quotidien est de se faire dorloter en dégainant la carte de crédit de leur mari millionnaire. Je fais dans la généralité, dans la méchanceté même, mais c'est la nouvelle Gabrielle, aux prises avec la rage, et elle est à prendre ou à laisser. Pour quelques semaines encore, c'est clair.

Pour une rare fois ces jours-ci, les nouvelles sont bonnes! Alice n'a rien au programme et est enchantée par mon idée de sortie. Le spa, lui, a justement deux places qui se sont libérées comme par magie tôt ce matin. Je me demande si mon discours larmoyant au téléphone a quelque chose à voir avec leur soudaine disponibilité…

Mon teint n'allant pas en s'améliorant, je choisis un traitement facial, une manucure et, naturellement, un massage, ma détente de prédilection de tous les temps. Puisque maman opte pour les mêmes traitements que moi, nous nous baladons ensemble d'un soin à l'autre. Mis à part le détestable épisode des points noirs lors du soin du visage, notre journée est tellement reposante et parfaite que je voudrais arrêter le temps.

Même si je fais tout pour repousser cette idée sombre, je ne peux m'empêcher de me demander combien de fois j'aurai l'occasion de revivre de tels moments avec elle. Je parie ma fortune – si mince soit-elle – qu'il y a communion de pensées entre Alice et moi. Notre escapade se conclut par un interminable câlin qui en dit long sur notre état d'esprit.

Comme prévu, il n'est pas 16 heures quand je mets le pied dans la maison silencieuse. Fidèle à ma promesse, j'arrive juste à temps pour accueillir les enfants à leur sortie de l'autobus, telle une maman aimante, présente, parfaite, quoi! J'aurai même la liberté de faire mijoter un de ces bons petits plats au four qui prennent un temps fou à cuire. Ça sentira bon le rôti dans ma cuisine qui roule rondement pendant que je ferai les devoirs et leçons avec une patience infinie. Pas de trafic monstre ni de course folle contre la montre pour arriver à temps – mais bonne dernière – au service de garde.

Wow, ça relève presque d'un film de science-fiction! Je déchante vite en me rappelant que la situation ne fait que passer et qu'il s'agit d'une pause forcée.

* * *

Incapable de me rendormir après l'incontournable pipi de 5 heures du matin, je trottine jusqu'à la salle de bains pour constater avec bonheur que j'ai meilleure mine. Ma journée de détente a eu l'effet escompté et je me félicite de me l'être accordée avant mon déjeuner de ce matin avec les filles. En me levant à l'heure des poules, je suis certaine d'être pile à l'heure. Les enfants étant confiés aux bons soins de leur papa, je me présente même à l'avance au resto.

Le quotidien numéro un et deux cafés au lait plus tard, les trois filles arrivent d'un bloc, chacune avec un air faussement naturel que je ne leur reconnais pas. Je lis le malaise sur leurs visages tristes et heureux à la fois. Je me lève spontanément pour les rejoindre et les laisser me serrer dans leurs bras. Nos accolades senties font baisser la tension d'un cran, ce qui me rassure. Loin de moi l'idée de créer une barrière insurmontable entre elles et moi, l'isolement étant bien la dernière chose dont j'ai besoin en ce moment.

Le serveur ne tarde pas à venir nous proposer un café. Même si c'est mon troisième, je n'hésite pas à passer une nouvelle commande, un bol cette fois, pour accompagner les copines. J'y verserais volontiers une bonne rasade d'alcool, question de me donner le courage nécessaire pour raconter l'histoire de maman.

Après une grande gorgée et un long soupir, je lève les yeux de mon bol et je croise ceux, humides, de mes amies. Il n'en faut pas plus pour que je leur déballe mon sac d'émotions en n'omettant aucun détail. Dans l'énervement, j'ai l'impression de manquer de vocabulaire en lien avec la maladie, mais mon récit semble somme toute cohérent malgré la tristesse qui m'habite. Les filles sont d'une écoute exemplaire, s'essuyant délicatement le coin de l'œil du revers de la main ou avec une vulgaire serviette de table. Au fait, un tissu doux et soyeux pour se débarbouiller avec grâce au resto, c'est pour quand ?

— Oh, Gab, on est si tristes pour Alice… pour toi et ta famille… Ça fait des jours que je pense juste à ça, à tout ce qu'on a partagé avec elle, soupire lourdement Roxane.

— Si seulement on pouvait faire quelque chose… ajoute Sophie sur le même ton.

— Tu sais qu'on est là, si t'as besoin de quoi que ce soit, tu peux compter sur nous, Gab, renchérit Annabelle en posant une main réconfortante sur la mienne.

Roxane et Sophie imitent son geste avec la même chaleur. Les bras soudés de cette façon, nous avons l'air de conclure un nouveau pacte. Tiens, justement, en parlant de pacte, je me demande bien où il s'en va, celui-là. Je n'ai tellement pas la tête à ça, ces jours-ci ! À vrai dire, je n'ai aucune envie non plus d'en savoir davantage sur la quête de mes amies. La mienne est assez claire en ce moment : survivre au drame et prendre soin de ma mère du mieux que je peux.

Avec notre geste symbolique s'installe un silence chargé de sens. Les filles ont beau me transmettre toute leur compassion et leur amitié, je me sens vide et seule avec mon malheur. Tout à coup, je donnerais n'importe quoi pour que Rosalie habite la maison d'à côté et que papa soit encore en couple avec maman. Le fardeau me semblerait moins lourd à porter.

Cette énergie négative passe sans doute par le même canal de communication improvisé puisque je me retrouve bientôt entourée des trois filles. Nous voilà quatre sur une banquette conçue tout juste pour deux ! Les larmes se mêlent aux rires alors que nous reniflons bruyamment devant nos assiettes à demi pleines. Qu'à cela ne tienne, le charme opère quand même, me faisant remercier le ciel de les avoir mises sur ma route.

Le déjeuner se termine sur cette note. Je quitte le resto pour errer sans but, d'un pas traînant. Si j'étais dans mon ancienne vie, je ferais de la marche rapide jusqu'à ma voiture puis sauterais sur mon iPhone pour m'assurer que la terre n'a pas arrêté de tourner. Mais, depuis le début de mon congé forcé, je n'y ai pas jeté un seul regard. Je ne suis même pas foutue de prendre des nouvelles de mes amies, de leur quête, de leur vie. Décidément, je ne vais vraiment pas bien. Les remords me font un petit signe de la main.

Aux grands maux les grands remèdes, il me faut habiller mes émotions! De toute façon, je n'ai pas le choix, les enfants n'ont plus rien à se mettre sur le dos depuis la rentrée qui, je dois l'admettre, n'a pas reçu toute l'attention qu'elle méritait cette année. Tous leurs jeans sans exception ont l'air de capris tellement il y a de l'eau dans la cave! Quant à ma garde-robe, elle manque de gueule en attendant ma thérapie à New York. D'ailleurs, vivement qu'il arrive, ce périple!

Dans le contexte actuel, j'avoue avoir, le temps d'une micro-minute, envisagé de tout décommander. Puis je me suis ressaisie car, d'abord, c'est mon boulot. Ensuite, parce que changer d'air et partager ma peine avec ma sœur feront du bien à mon moral. D'ici deux semaines, donc, je devrai avoir repris l'entraînement pour pouvoir faire mon jogging matinal dans Central Park. Il faut absolument que je puisse insérer ce détail dans mes conversations! Et qui sait, je croiserai peut-être Madonna!

Perdue dans mes pensées délirantes à la sauce new-yorkaise, je prends le chemin de mon parcours de mode spontané après une petite visite chez Alice. C'est ainsi que je consacre tout le reste de ma journée à faire les boutiques et à dépenser ma dernière paie. Entre une tonne de vêtements pour les enfants et quelques trouvailles hors de prix à moi-même de moi-même, je craque pour un pull en cachemire que je vais offrir à maman.

De retour à la maison, je songe à minimiser l'effet en ne rentrant qu'un sac ou deux à la fois, et ce, pendant quelques jours. Je considère aussi sérieusement la possibilité d'éliminer toute trace d'étiquettes avant de mettre le pied sur le seuil de la porte. Puis je me dis que Philippe n'osera pas me reprocher mes folles dépenses en cette période de crise. Non pas qu'il soit du genre à surveiller mes «investissements», mais comme il n'a pas tout à fait les mêmes notions de base que moi en matière de mode, il est porté à croire que j'exagère parfois. Moi, bien entendu, je ne suis pas de cet avis, et il est hors de question de me débarrasser de mon seul véritable péché mignon.

En fait, il y en a quelques autres, comme le vin, la bouffe, les livres, le tennis, le ski et les voyages. Bon, avec un peu de recul, j'admets que ce n'est pas exactement un argument béton. Dans ce cas, j'opterai plutôt pour des phrases-chocs entendues quelque part : «L'argent, c'est comme le sang, faut que ça circule!» Ou encore, et c'est ma préférée : «Si on est dans le rouge, c'est pas parce qu'on dépense trop, c'est parce qu'on gagne pas assez!» J'adore.

Ce n'est que lorsque je dépose mes nombreux sacs et m'effondre sur le canapé que je réalise à quel point je suis crevée de ma virée shopping. J'en ai reperdu ou quoi? Ma journée m'a changé les idées, mais n'a certainement pas contribué à recharger mes batteries à plat. La réalité me rattrape de plein fouet. J'ai beau m'étourdir dans les magasins, nous acheter les plus belles fringues, maman ne retrouvera pas la santé. J'entends déjà Philippe me répéter que je devrais profiter de cette pause forcée pour me reposer. Pour de vrai. Je prends du repos, pourtant! À ma façon.

Par exemple, rentrer à la maison avant le retour des enfants est en soi de petites vacances. D'ailleurs, mon deuxième *shift*, c'est-à-dire l'heure du repas, des devoirs et des leçons, est sur le point de commencer. Les bains et l'histoire ne tarderont pas à suivre. Je salive déjà à la pensée du *comfort food* que je vais laisser mijoter une heure ou deux dans mon super four à convection.

Quand mes deux moineaux rentrent de l'école, toujours aussi excités de me voir à l'accueil, une surprise de taille les attend : deux biscuits Oréo et un verre de lait. Je ne sais pas ce qui m'a pris, je me sentais d'humeur généreuse.

— C'est vraiment pour nous? demande une Juliette sceptique devant tant d'abondance sucrée.

J'acquiesce fièrement de la tête, ravie de plaire autant avec si peu.

— T'es trop la meilleure maman du monde! claironne Zac en mordant de toutes ses petites dents dans le biscuit au chocolat.

Juliette l'imite en prenant soin de tremper le sien dans son lait.

— Comment s'est passée votre journée?

— Super bien! J'avais de la bibli à la troisième période pis j'ai vu mamie Alice, répond vivement Juliette.

Je l'avais presque oubliée, celle-là! En plus de son boulot de designer à temps plein, maman est bénévole à la bibliothèque de l'école des enfants. «Une demi-journée par semaine, c'est trois fois rien», qu'elle s'empressera de me balancer quand je lui rappellerai gentiment de ralentir la cadence. Si ça se trouve, c'est sans doute l'activité qu'elle pourra se permettre de poursuivre au fil de son temps précieux. Et puis elle raffole de ce moment privilégié, entourée de livres et d'enfants.

Mon amour inconditionnel de la lecture me vient assurément d'Alice. Du plus loin que je me souvienne, ma mère avait toujours un livre ou un magazine sous la main. Laissant des piles ici et là, elle lisait de tout. Les dimanches de grisaille, elle nous emmenait, Rosalie et moi, bouquiner avec elle dans les grandes librairies. Si nous étions sages comme des images, nous avions droit à un chocolat chaud – avec guimauves, s'il vous plaît! – et parfois même à un nouveau livre de notre choix. J'ai suivi ses traces tout naturellement, comprenant plus tard, beaucoup plus tard, toute la richesse d'un tel héritage.

— Ah oui, c'est vrai, c'était sa journée. Comment elle allait, ta mamie?

— Euh, pourquoi tu me demandes ça, maman? Je lui ai pas parlé longtemps, j'étais avec mes amies… Mais elle avait l'air d'aller bien!

En effet, question non pertinente pour une petite fille de huit ans qui ne connaît rien du drame qui se trame. Mon attention se tourne alors vers Zac, toujours affairé à engloutir avec ardeur les miettes éparpillées devant lui. Visiblement, il ne veut rien manquer! La bouche barbouillée de chocolat noir, il disparaît d'un bond.

— Zaaaaaac, va te laver le visage, t'en as jusqu'aux oreilles!

Juliette reprend, le plus naturellement du monde:

— C'est drôle que tu parles de mamie parce que moi, je trouve que c'est toi qui as l'air triste.

Oh boy!

— Moi? Qu'est-ce que tu vas chercher là, Juju? Je suis *top shape*!

Je n'ai pas terminé ma phrase que je lui tourne déjà le dos, alarmée à l'idée de laisser entrevoir le chagrin dans mes yeux, sur mon visage. Je sens son regard qui me brûle le dos. Prise de court et de panique, je brasse mes chaudrons à la recherche d'une parole rassurante ne sonnant pas faux. Cette fois, c'est ma grande fille qui s'approche pour m'enlacer.

— Tant mieux, parce que je veux pas que tu sois triste, moi, maman.

Ouch ! Je me retourne pour lui faire un de ces câlins dont elle a l'habitude, en prenant soin de fermer les paupières pour refouler les larmes qui me montent aux yeux. Heureusement, elle déguerpit aussi vite que son frère pendant que je m'installe devant mes fourneaux. *Focus*, Gab, t'es belle, t'es fine, t'es capable !

* * *

Il se fait tard, je devrais monter me coucher. La récréation est terminée, le boulot m'attend demain. Assise dans la pénombre de la bibliothèque, à siroter le fond d'une tasse de thé vert, je me demande quelle tournure prendra mon grand retour à la réalité.

Après le courriel envoyé à Béatrice lundi, je devais en principe retourner à l'agence prendre quelques dossiers et aviser certains employés de ma situation. Finalement, j'ai préféré en discuter avec mon adjointe au téléphone. Catastrophée et empathique à souhait, Béatrice m'a sommée de prendre le reste de la semaine, ce qui pour elle s'avérait le strict minimum dans les circonstances. C'est tout juste si elle ne me suggérait pas une année sabbatique !

D'abord touchée par son extrême gentillesse, je me suis empressée de mettre un terme au vent de panique qui semblait l'animer. La rassurant sur l'état actuel de ma mère et sur mon moral à moi, je lui ai confié la lourde tâche de préparer mon retour demain en avisant toute l'équipe.

— Que les choses soient claires, Béatrice, je ne veux aucun regard de pitié quand je mettrai le pied à l'agence.

— Promis, Gabrielle. Je comprends très bien et je vais passer le mot à tout le monde.

Déterminée à reprendre ma vie professionnelle en main, j'ai expliqué que je souhaitais renouer avec les membres de l'équipe et leur enthousiasme, leur passion, leur talent. C'était de cette façon qu'ils allaient m'aider à passer à travers cette épreuve.

Sur les bons conseils de Philippe – qui m'a carrément privée de sortie aujourd'hui –, j'ai passé la grande majorité de la journée dans la bibliothèque, mon nouveau refuge, mon yoga à moi.

Tapissée de livres de toutes les tailles et de toutes les couleurs, la pièce au plafond en angle porte naturellement au repos et à la réflexion. Ce n'est pas d'hier que je me blottis dans l'un des grands fauteuils ultra-confortables pour me plonger dans un bon roman à la lueur d'une adorable lampe dénichée par Alice. D'ailleurs, cette chouette trouvaille n'est pas la seule trace du talent de maman dans la bibliothèque, et c'est sans doute ce qui lui donne son grand pouvoir d'attraction.

Tôt ce matin, après avoir mariné dans un bain brûlant, je m'y suis réfugiée afin de laisser planer librement mes pensées. Ne reculant devant rien pour me faire plaisir, j'ai opté pour des vêtements mous, un thermos de café et le dernier numéro de *Runners' World*, histoire de me remettre dans l'esprit de la course.

Philippe m'avait fait promettre de me reposer et de faire un petit somme. *Come on*, Philoup, je n'ai JAMAIS été capable de faire des siestes ! Quand les enfants étaient bébés, j'avais beau ne pas fermer l'œil de la nuit, je n'arrivais pas à roupiller une seule seconde le jour.

Dodo ou pas, mon homme aurait été fier de me voir aller puisque ma journée a été entièrement consacrée à prendre soin de moi. J'ai certes beaucoup lu, autant mon polar que mon magazine, mais je suis aussi allée flâner du côté de la montagne. Avec le vent d'automne qui soufflait, j'ai enfilé une petite laine puis me suis baladée longuement dans les sentiers de feuilles mortes. L'air frais me faisait du bien au corps et à l'esprit, me portant à réfléchir sur la direction que j'ai donnée à ma vie depuis quelques semaines.

À ma demande, papa est finalement venu me rejoindre pour le lunch avec deux portions de mes sushis préférés. Nous nous sommes régalés tout en discutant de maman avec beaucoup d'ardeur. Comme je le soupçonnais, ses recherches datant de 1800-tranquille se sont révélées vaines. Quelle surprise ! Quant à ce client médecin mis dans le coup, il ne s'est pas fait très rassurant.

J'avais, moi aussi, fait mes devoirs en douce. Plus actuelles, disons, mes recherches n'en étaient pas moins désolantes à l'extrême. Le cas d'Alice semblait désespéré, qu'on le veuille ou non.

— J'ai quand même pas mal hâte de jaser avec l'oncologue la semaine prochaine, ai-je tenu à préciser. Il va peut-être faire d'autres examens pis nuancer ce qu'a dit le pneumologue.

— Je voudrais tellement que t'aies raison, Gaby, mais mettons pas trop d'espoir là-dessus. Selon mon client doc, la maladie est déjà à un stade avancé. La chimio semble être notre seul espoir de garder Alice un peu plus longtemps. Encore faut-il qu'elle accepte de suivre les traitements… Sacrée Alice, elle a la tête aussi dure qu'avant !

Il a marqué une pause calculée, prenant le temps de ravaler sa rage, puis a repris non sans mal :

— Heille, on marche sur la Lune, on opère à cœur ouvert, mais on est pas capables de guérir le cancer !

— Mais les miracles, ça existe, non ? On sait jamais…

Ma dernière phrase s'avérait un croisement entre l'espoir et le désespoir. Je me suis concentrée sur mes sushis, la larme à l'œil, ce qui n'a pas échappé à papa. Pas du genre à donner dans le mélodrame, il a simplement caressé ma main tremblante. Son geste allait bien au-delà des mots et ça me suffisait.

Après son départ, je suis retournée dans mon repaire afin de poursuivre ma réflexion sur ce que je voulais faire de ma nouvelle vie. Ma peine était toujours aussi lourde à porter, certes, mais il me fallait coûte que coûte retrouver le chemin du bonheur. À ce rythme-là, j'allais contaminer tout ce qui gravite autour de moi, à commencer par mon mari et mes enfants. La dernière chose que je souhaitais était de les rendre malheureux avec mon attitude merdique.

Il fallait que là, tout de suite, j'accepte le sort de maman et que j'apprenne à vivre avec ma peine. Non seulement ma famille avait besoin de moi, mais Alice aussi. Tous devaient pouvoir compter sur mon énergie, mon courage et ma détermination légendaires.

Et puis j'avais du mal à l'admettre, mais la course me manquait déjà. Après à peine une semaine d'abstinence de toute forme d'activité physique – sexe inclus –, je me sentais engourdie et croulante sous les calories en trop. Il faut dire que m'empiffrer de crème glacée Häagen Dazs Dulce de leche à toute heure du jour n'était pas exactement ce qu'il me fallait pour garder la forme! Dire que j'avais perdu quelques livres depuis le début de mon entraînement à la dure, j'avais tout bousillé avec ma déroute post-traumatique!

C'est plus tôt ce soir, donc, que Philippe a appris le grand retour de Gabrielle L'Italien. Les enfants jouaient dehors pendant que nous nous adonnions à une tâche aussi déplaisante qu'interminable, soit le rangement de la cuisine après le souper.

— Merci, mon loup!

— Merci pour quoi, au juste? Qu'est-ce que t'as mis sur la Visa?

— T'es même pas drôle, Philippe Renaud! Je suis sérieuse, là… T'as bien fait de me confiner à la maison pour que je me retrouve en tête à tête avec moi-même.

— Mais encore?

— J'ai pas mal réfléchi aujourd'hui. J'ai compris ben des affaires pis j'ai décidé de me reprendre en main, même si j'ai de la peine, beaucoup de peine. Faut que je l'apprivoise, cette tristesse-là, que je réapprenne à aimer la vie, à aimer ma vie.

— Si tu savais comme ça me fait du bien de t'entendre dire ça! Mais tu sais, Gab, t'avais le droit d'être triste, enragée, démotivée de tout. Je savais que t'allais nous revenir vite. Pour ton bien, celui de ta mère, de tes enfants pis du reste.

— De toi aussi, tu peux le dire! Je sais que j'ai pas toujours été facile ces dernières semaines. Je le suis déjà pas le reste du temps, je peux imaginer ce que je t'ai fait endurer! Pauvre Philoup, viens.

Nous nous sommes enlacés en souriant, les mains pleines de mousse. On aurait dit deux jeunes mariés insouciants et seuls au monde. Ce n'était pas tout à fait le cas, mais bon, le moment était somme toute charmant, surtout pour un vieux couple comme le nôtre.

Demain, je reprends le chemin du bonheur, lentement, mais sûrement. Si mes attentes sont à hauteur d'homme, je me doute bien que ma route ne sera pas sans obstacle.

En me glissant sous la couette pour me coller contre mon homme endormi et ronflant, je me dis que tous les espoirs sont permis.

9

La conquête de New York

C'a ne fait pas une heure que je suis assise dans l'avion et déjà je ne trouve plus de position confortable. Décidément, le confort vient en option en classe économique. Les genoux dans le front, c'est tout juste si j'arrive à tourner les pages de mon magazine. Je n'ai même pas le loisir d'utiliser l'un de mes deux accoudoirs, mes charmants voisins s'en chargent à ma place ! Le comble : l'un d'eux empeste l'alcool après ses deux verres de rouge bon marché. Arme-toi du peu de patience que tu cultives en toi, Gab, tu n'en as pas pour longtemps.

M'adossant à mon siège d'une droiture tellement exemplaire que je penche presque vers l'avant, je ferme les yeux puis respire un bon coup. Me voilà enfin en direction de New York. Dans moins de trois heures, je descendrai au chic hôtel du séminaire jusqu'à vendredi matin et rejoindrai ensuite ma petite sœur jusqu'à la fin du week-end.

Les deux dernières semaines ont été éprouvantes physiquement et moralement. J'ai tenu promesse en tentant de reprendre ma vie en main sur tous les plans. J'ai bien eu quelques petits écarts de conduite, mais dans l'ensemble, mission accomplie. Tout mon monde à l'agence a été adorable. Moi qui croyais voir se multiplier malaises et silences, j'ai été franchement étonnée de l'accueil aussi respectueux que chaleureux. Il faut dire que Béatrice avait été bien *briefée*. Je n'ai pas oublié de la remercier chaudement pour sa complicité.

J'ai aussi repris l'entraînement avec trois sorties par semaine, plus mon match de tennis le samedi matin seulement. Même si ma pause avait été de courte durée, j'avais la nette et désagréable impression d'avoir perdu ce que j'avais gagné à coups de grosses gouttes de sueur. Et je renouais avec ce moment qui s'impose toujours et sans exception, ce bref instant d'égarement où l'on se demande ce qu'on fout là, à se faire suer de la sorte. Puis ça passe, on se sent bien et on oublie, jusqu'à la prochaine course. Un peu comme pendant un accouchement.

Il a aussi fallu que je mette un terme à ma surconsommation de crème glacée au caramel. Puisque le seul point positif de ma légère prise de poids serait la virée shopping qui s'imposerait si ma fâcheuse habitude persistait, j'ai décrété que ça ne valait pas le coup. J'étais d'autant plus ravie du fait que je n'aurais plus à me goinfrer à l'insu de Juliette et Zac alors que je leur imposais si souvent un «dessert santé».

Tout au long de mon *come-back*, j'ai maintenu tant bien que mal le rythme de mes visites chez maman. Entre deux rencontres de clients ou juste après le boulot, je passais la voir pour veiller à ce qu'elle ne manque de rien, surtout pas d'amour. Avec toute la subtilité dont je suis capable, je venais aux nouvelles quant à sa décision concernant les traitements ou approches alternatives. Elle devenait alors intraitable, ne voulant absolument pas aborder à nouveau ce sujet. Habituée à être bien servie par ma tête dure, j'abdiquais à contrecœur d'une fois à l'autre. Telle mère, telle fille.

Fidèle à la promesse que je m'étais faite, j'ai inventé des moments magiques entre elle et les enfants. Il y a même un soir où j'ai proposé de visiter mamie en pyjama, après l'heure du bain. En ajoutant qu'elle aurait sans doute une petite gâterie pour eux. Et que moi, j'accepterais ce «spécial», en pleine semaine, sans broncher. Une fois de plus, j'ai été couronnée maman de l'année pour mon idée!

Je pouvais communiquer avec Alice une ou deux fois par jour, juste pour voir comment elle allait. Si elle avait le malheur de ne pas répondre du premier coup, j'avais du mal à ne pas ressentir un petit affolement. Quand elle s'en est rendu compte, elle s'est empressée de me remettre à ma place.

— C'est pas aux enfants de s'en faire pour leurs parents! Tu vas m'arrêter ça tout de suite! Je vais bien, Gaby... J'y vais à mon rythme, et quand je sens un peu de fatigue, je te jure que je m'arrête.

Devant mon silence sceptique, elle a poursuivi sur sa lancée:

— Juré sur la tête de mes petits-enfants! Pis je suis pas comme vous autres, moi, je cours pas tout le temps partout comme une poule pas de tête!

Nous avons rigolé un bon coup en m'imaginant dans le rôle-titre de la poule qui fait des trois cent soixante degrés d'un pas affolé. Un peu épeurant comme image, mais à bien y penser, pas si loin de la vérité.

— Tu l'as dit à tes clients ? l'ai-je questionnée en reprenant mon sérieux.

— Non ! Pas question ! Quand ça arrive, je prétexte plutôt une migraine ou un autre engagement.

— Je me doutais bien, aussi. Dans le fond, tu as l'orgueil aussi déplacé que papa et moi !

— En parlant de ton père, tu sais qu'il est presque aussi fatigant que toi à venir aux nouvelles tout le temps ? Il s'est même mis aux textos pour être sûr de me harceler quand il veut, a-t-elle ajouté, pince-sans-rire.

— Papa t'envoie des SMS ? Ben j'ai mon voyage ! Il m'a pas écrit un seul courriel de toute sa vie !

— C'est très drôle parce qu'il m'a raconté sa discussion avec Juliette au barbecue. Je pense que ça l'a un peu secoué dans son orgueil, justement. Il a surtout compris que moi, j'adore ça, les textos, pis que c'est la meilleure façon de me rejoindre en tout temps.

Je n'en ai pas soufflé mot, mais avec du recul, je trouve la situation à la fois surprenante et touchante. Divorcés depuis plusieurs années, mes parents semblent véritablement reprendre contact depuis peu. Depuis l'annonce de la maladie d'Alice, en fait. Qu'importe, je suis attendrie par cette soudaine complicité.

Maman a beau affirmer le contraire, je suis persuadée qu'elle adore toute l'attention que lui accorde le seul véritable amour de sa vie. Mes parents ne se sont jamais vraiment fait la guerre, mais je les ai rarement vus si proches depuis leur séparation. Parions que la nouvelle copine de papa n'aimera pas ça du tout !

— Tant mieux si on est deux à t'avoir à l'œil, alors ! Ça me rassure de te savoir entourée.

Pour toute réponse, Alice a soupiré.

— Quand je vais être chez Rose, tu te gênes pas pour appeler Phil si t'as besoin de quelque chose, promis ? Roxane aussi, tu te rappelles, tu peux lui faire signe jour et nuit. Pas de chum, pas de bébé, elle a juste ça à faire !

Son rire a retenti dans la seule et unique pièce de son grand loft lumineux, et c'était bon de l'entendre.

Je suis brusquement propulsée hors de mes pensées par mon toujours aussi charmant voisin qui me balance un coup de coude dans le flanc droit. *Ouch !* Il me pompe l'air, lui, à la fin !

— Désolé, ma p'tite dame ! On est un peu à l'étroit ici d'dans, hein ? me chante-t-il à quelques pouces du nez.

Ouache ! Dégage, t'es dans ma bulle, mon *pit* ! D'aussi près, il sent plus que jamais le fond de tonne, ce qui me donne un léger haut-le-cœur. Je lui sers mon sourire glacial, celui que je réserve pour les grandes occasions, avant de me replonger dans mon article sur la pub de demain. Que les choses soient claires, je n'ai AUCUNE envie de faire la conversation. Ni avec lui ni avec personne d'autre. Je fais mine de me concentrer sur ma lecture, mais les mots dansent devant mes yeux, me ramenant à mes réflexions.

Si j'ai repris un semblant de contrôle sur ma vie, je me fais beaucoup de souci pour maman. Déjà que j'étais pleine d'inquiétudes, le tant attendu rendez-vous avec l'oncologue n'a strictement rien fait pour me rassurer. Le Dr Champagne m'a répété la même chose que le spécialiste avait dite à maman, en utilisant trop souvent des mots à coucher dehors.

Ma liste de questions n'a pas semblé l'impressionner ni le démonter. Avec son physique de jeune premier et une patience surhumaine, il a répondu à toutes mes interrogations de façon claire, nette et précise. Pour être franche, je l'ai même trouvé sympathique en plus d'être ultra-compétent. Mon métier de publicitaire me paraissait tout à coup futile et superficiel.

Le constat était le même, triste à mourir, c'était le cas de le dire. Alice était toujours atteinte d'un néo du poumon. Compte tenu de l'état avancé de la maladie, la médecine ne pouvait pas grand-chose pour elle, sinon allonger quelque peu son espérance de vie avec de la chimio. Mais c'était déjà ça de gagné, bon sang ! Et le Dr Champagne a tout de même parlé de quelques rares, très rares histoires aux fins heureuses.

Pour moi, tout était encore possible. Pour maman, il en était autrement. Elle ne s'est pas gênée pour nous faire part de sa ferme intention de ne pas suivre les traitements. Toujours aussi patient et posé, à la limite de me tomber sur les nerfs, le spécialiste a sommé Alice de prendre le temps d'y songer sérieusement. Il ne s'agissait pas d'une décision qu'on prend à la légère, sous le coup de la colère, disait-il. Il a précisé que son état demeurait stable pour le moment, mais qu'elle devait se décider bientôt et tâcher de se reposer du mieux qu'elle le pouvait. De là mon insistance et mes inquiétudes prétendument mal placées. Ce n'est pas moi qui l'ai dit, c'est le beau Dr Champagne.

En quittant son bureau, maman et moi avons longé l'interminable corridor en silence. Il n'y avait plus beaucoup d'issues possibles, seul un miracle pourrait la sauver des griffes de son mal incurable. Au fond de moi-même, je savais depuis le jour un qu'elle avait bien saisi l'essentiel du message du premier coup. Que cette rencontre où je me rendais à reculons ne m'apprendrait rien de nouveau. N'empêche, j'avais besoin de l'entendre.

Cette nouvelle épreuve a remis en péril l'équilibre de vie que je comptais retrouver au plus vite. La tâche continuait d'être colossale, mais je m'étais juré de me relever coûte que coûte.

De toutes mes amies, Roxane est la plus secouée par l'histoire d'Alice. Elle a toujours été la préférée de maman, qui en a vite fait sa petite protégée au début de notre amitié. Quand ses parents, citoyens du monde, partaient en voyage pendant une couple de jours ou quelques semaines, Roxane débarquait à la maison, cédant aux demandes pressantes d'Alice. Cette cohabitation nous rendait complètement gagas toutes les deux, au grand dam de ma sœur, avec qui je n'avais pas une aussi bonne relation à l'adolescence.

Outre Philippe, c'est donc avec Roxane que je partage beaucoup de joies, de peines et de souvenirs depuis plusieurs semaines. Elle m'a même accompagnée à deux reprises chez Alice. Chaque fois, elle a apporté des petits plats qu'elle s'est vantée d'avoir cuisinés un peu plus tôt. Il n'y a que moi qui savais pertinemment qu'ils étaient tout droit sortis de chez le traiteur du coin. C'était du cent pour cent Roxane, comme je l'aime! J'ai bien failli lui demander ses recettes, rien que pour voir sa tête!

Dans le but avoué de changer les idées à maman, j'ai fait exprès de prendre des nouvelles des filles et de leurs quêtes pendant l'une de nos visites de fin de journée. Je m'en voulais toujours autant de les avoir laissées tomber. Me prenant à l'écart, Roxane a pourtant été catégorique sur ce point.

— Ben voyons donc! Arrête avec ça, Gab! On s'attendait pas à moins. On savait bien que t'allais rebondir, que c'était juste une question de temps. Ça nous a pas empêchées de continuer à «quêter».

Mimant de façon exagérée le signe des guillemets pour accompagner son jeu de mots, mon amie a réussi à me faire sourire. *Exit* la culpabilité alors, ça me faisait un autre dossier de réglé! Apéro à la main, nous avons rejoint maman au salon.

— Toi, as-tu du nouveau? ai-je questionné Roxane.

— Justement, faut que je vous raconte. L'autre soir, j'ai rencontré un gars au gym. Il s'est approché de moi juste après que j'ai failli MOU-RIR sur le tapis roulant. Je suais à grosses gouttes, je puais de partout pis j'avais le toupet collé sur le front. Le comble, j'étais tellement à bout de souffle que j'arrivais même pas à placer un mot. Non, vraiment, il pouvait pas tomber plus mal pour me *cruiser*!

Maman et moi avons rigolé d'aplomb en l'écoutant nous relater joyeusement son histoire. Fidèle à elle-même, elle était si vive et colorée dans son récit que nous imaginions la scène comme si nous y étions. La connaissant par cœur, je me doutais bien qu'elle exagérait pour plaire à son public pourtant gagné d'avance.

— Je suis certaine que t'étais resplendissante et qu'il est tombé sous le charme, s'est empressée d'ajouter Alice d'un ton rassurant.

— En tout cas, je lui ai plu assez pour qu'il m'invite à prendre un verre après l'entraînement.

— Piiiiis?

— Je t'avertis tout de suite, Gab, diminue tes attentes parce que le punch est pas à la hauteur.

— Bon, c'était quoi, son problème à lui?

— C'est quand il m'a devancée pour se diriger vers la sortie du club que j'ai constaté toute l'ampleur du problème, justement! Vous auriez dû voir sa démarche!

Suspendues à ses lèvres, nous retenions notre souffle en nous demandant où elle voulait en venir. Puis elle s'est enflammée:

— J'avais bien vu qu'il était baraqué, mais pas à ce point-là! C'est pas mêlant, il marchait avec des pamplemousses en dessous des bras comme un gros «Gino *douchebag*». Je CA-PO-TAIS!

— Ben là, c'est juste ça ? Tu l'as déjà classé dans ta tête ? Après un microdétail de même ? Roxy chérie, t'exagères pas un peu, là ? l'ai-je bombardée, découragée par sa réaction démesurée.

Silencieuse, maman écoutait toujours, l'air amusé, mais je la sentais un peu dépassée par la discussion. Nous l'avions de toute évidence perdue avec notre expression d'ados attardées.

— J'appelle pas ça un détail, moi ! Non, non, non, non, non, oublie ça, ce genre de gars-là, j'ai déjà donné pis je suis juste plus capable. De toute façon, il était trop bronzé pis pas si intéressant que ça.

— Rox, demande-toi pas après pourquoi t'es encore toute seule ! Trop difficile et pleine de préjugés en plus, ai-je martelé.

— Je vous avais prévenues que mon histoire tournait plutôt mal. Mais j'ai autre chose pour vous, les filles… Ça, c'est du croustillant.

Pour toute réponse, Alice et moi nous sommes penchées vers l'avant, prêtes à adopter le ton des confidences.

— La dernière fois que je suis allée me faire MOU-RIR au gym, j'ai vu Annabelle, les yeux dans la graisse de *bine*, casser la croûte avec… devinez qui !

— Nooooon !

— Ouiiiii !

Nous avions promis de garder le secret, mais avec Alice, c'était différent. Si j'avais tenu parole en restant muette devant Philippe, je n'avais pu m'empêcher d'en glisser un mot à maman, qui était un modèle de discrétion dans les cas extrêmes.

Roxane nous a raconté qu'elle s'était pointée devant les deux tourtereaux, le torse bombé dans sa camisole ultra-moulante trempée, comme si de rien n'était. Annabelle avait failli s'étouffer avec une feuille de son mélange printanier. Après les présentations d'usage et l'échange de quelques mots banals, un silence gênant s'était installé au cœur du trio.

Et comme il fallait s'y attendre, ma détestable amie avait pris un malin plaisir à entretenir le malaise en prenant des nouvelles de Louis, le chum d'Annabelle, et de sa fille Charlotte. J'aurais payé une petite fortune pour voir le tableau. Elle avait fini par mettre un terme au supplice d'Annabelle en tournant les talons d'un air triomphant pour se diriger vers le vestiaire.

Se sentant repentante, Roxane avait tenté de la joindre à quelques reprises après cet épisode pour le moins tendu. Sans succès. Manifestement, Annabelle la boudait. Ce petit manège avait duré quelques jours, puis le naturel était revenu au galop. Les deux filles étaient redevenues les meilleures amies du monde sans pour autant aller au fond des choses.

Annabelle s'était contentée de parler d'un hasard qui ne voulait strictement rien dire. Elle n'avait rien à se reprocher. Un simple repas sans conséquence entre copains. *Come on!* Non mais, elle nous prend pour qui? Même maman qui, d'ordinaire, se fait l'avocat du diable, a trouvé l'explication assez décousue, merci. Une petite séance de shopping avec ma protégée s'imposait, et ça pressait!

— Et la belle Sophie? Comment ça se passe pour elle? a demandé Alice. Ça fait longtemps que je l'ai pas vue.

Devant mon silence honteux, Roxane a repris le monopole de la parole.

— La belle Sophie va bien. Toujours aussi débordée à bosser ou à se les geler dans trois arénas en même temps pendant que le beau François développe sa *business* outre-mer.

— Mais dans le fond, on est qui pour juger, Rox? Avoue qu'elle est tout sauf malheureuse, notre amie.

— Je sais bien, mais des fois, je trouve qu'elle prend pas assez soin d'elle. Son mari encore moins!

— Elle doit être bien là-dedans si elle se plaint jamais et respire le bonheur chaque fois qu'elle vous voit, a philosophé Alice.

Loin d'être convaincue, Roxane a repris:

— Et là, comme si ça suffisait pas, elle en rajoute... Elle prend sa quête de bénévolat très au sérieux.

J'ai soudain éprouvé un immense bouillon d'amour pour mon amie qui avait plongé la tête la première dans mon projet malgré un agenda déjà chargé au bouchon. Sur ce point, elle me ressemble drôlement, et c'était là que j'en prenais conscience. Résolument en feu, Roxane a poursuivi son monologue sans se faire prier.

— L'autre soir, elle me disait qu'elle planchait sur un projet-pilote avec la fondation, qu'elle attendait juste que tu te refasses un moral avant de nous le présenter.

Oups. Malaise. Alice a baissé la tête, cherchant à cacher le chagrin qui se lisait dans ses yeux. Ma mère n'avait jamais su à quel point je m'étais, disons, égarée après l'annonce de la fameuse nouvelle. Elle avait deviné toute ma tristesse, ma colère, ma détresse, mais en sa présence je m'efforçais de trouver la force de doser mes émotions.

J'ai vite tenté de faire diversion – j'étais ceinture noire là-dedans quand les enfants étaient petits – en demandant un dernier verre avant de partir rejoindre ma marmaille.

Cette fois, c'est mon voisin de gauche qui, avec une maladresse phénoménale, amorce sa sortie vers l'allée centrale. Au passage, il ne manque pas de renverser non seulement mon magazine, mais aussi mon jus de tomate bien plein, bien rouge et bien tachant sur le bas de mon nouveau jeans! Quel crétin! C'est un complot ou quoi?

Pendant qu'il se confond en excuses, je ferme les yeux en entendant le pilote annoncer notre descente sur New York. Comme chaque fois, je sens une fébrilité m'électriser le corps en entier. J'ai beau lui rendre visite à l'occasion, la Grosse Pomme me fait cet effet-là à tous les coups. Mon excitation est à son comble en prévision de la redécouverte des lieux et surtout des retrouvailles avec ma petite sœur.

Mais avant, il y a le séminaire et tout ce que ça implique. Je devrai faire la belle en vantant les bons coups de mon agence, échanger sur les nouvelles pratiques de l'industrie et assister à des conférences tantôt passionnantes, tantôt ronflantes. Il me faudra aussi baragouiner mon meilleur anglais et partager le buffet du jour avec de parfaits inconnus. Je renouerai également avec quelques visages connus de mon coin de pays et d'autres que j'ai appris à connaître – et à détester – au fil des années, dont cette garce mal fringuée, PDG d'une agence de Boston qui se la joue solide.

Comprenons-nous bien, je suis tout de même emballée par ce qui m'attend. C'est mon métier et je l'adore. Malgré tout, vivement vendredi, afin que je retrouve ma Rose chérie pour notre trip de filles décadent. Sur cette pensée, la voix désormais familière du pilote me souhaite la bienvenue à New York.

* * *

— Que c'est bon de te retrouver, *sister*!

— Oh, p'tite sœur, viens là… Tu m'as manqué, tu sais pas comment!

Mes nombreux sacs abandonnés à mes pieds, je saute dans les bras de Rosalie, qui sent bon le dernier parfum en vogue. Je caresse tendrement ses longs cheveux bouclés à la perfection, comme dans les magazines. Elle porte la réplique exacte de la coiffure que j'essaie de reproduire à la maison avec, tour à tour, ma brosse ronde, mon fer plat, mon fer à friser, mes vieux rouleaux même. Rien n'y fait, j'ai l'air d'un chien barbet chaque fois.

Les gens nous font souvent la remarque que nous avons un air de famille, sans plus. Il faut dire que Rosalie est petite et blonde, alors que moi, je suis grande et brune. Nous avons toutes les deux les mêmes yeux bleus encadrés de longs cils. Ma sœur, je l'ai toujours trouvée canon, et elle l'est encore plus depuis qu'elle habite New York. Habillée de vêtements griffés de la tête aux pieds, elle a un look d'enfer en ce beau vendredi matin ensoleillé.

— Pas trop fatiguée de ta semaine? s'informe-t-elle en traînant mes effets jusqu'à ma chambre empruntée pour quelques jours.

— Ça va, ça va. Toujours aussi intéressant et pertinent, ce séminaire, mais j'avais hâte que la semaine finisse. Toi, comment tu vas?

— Bien! Je suis sur un nouveau contrat depuis quelques jours, c'est vidant, mais trippant. Justement, en parlant de job, il y a un petit hic dont il faut que je te parle…

— Arrête, tu me fais peur!

— Mais non, détends-toi, c'est juste que j'avais pris *off* aujourd'hui pour être avec toi, mais on a eu un pépin et finalement il faut que je travaille.

— Pas tout le week-end quand même?

— Non, seulement cet après-midi. D'ailleurs, tu devrais m'accompagner au *shooting*. Tu vas adorer.

Piquée au vif, je lui réponds que ce ne serait pas ma première séance photo. N'empêche, je dois avouer qu'un *shooting* en plein cœur de Manhattan a un petit quelque chose de plus glam et de plus sexy que ceux de Jumpaï.

— Je sais bien que tu connais cet univers-là, mais je me disais que ça serait amusant que tu voies ce qui se fait ici. D'autant plus qu'il s'agit d'un contrat pour le numéro de Noël de *Glam*, le magazine de mode numéro un aux *States*, tu connais sûrement ? C'est avec le mannequin Scott Apple, la nouvelle coqueluche des podiums !

— J'avoue que c'est tentant… OK !

— *Yes !* Tu vas voir, toute la gang du studio est l'*fun*. Bon, j'imagine qu'à cette heure-là je suis mieux de t'offrir un cappucino plutôt qu'un apéro ?

— L'apéro me tente, mais je vais être sage… pour le moment !

— Oui, ménage-toi parce que ta fin de semaine est loin d'être finie, *sister* ! J'ai tout prévu, on va drôlement s'amuser !

— Je demande pas mieux, Rose, pourvu que je sois assez en forme pour mes séances de shopping sur la Cinquième ET mon jogging dans Central Park. J'ai VRAIMENT besoin de me changer les idées après les semaines que j'ai passées.

Le visage soudain triste, Rosalie s'active devant sa machine à expresso et me rejoint sur le canapé de cuir tellement blanc qu'il en est presque fluorescent. Elle me tend mon café fumant d'une main tremblotante.

— Parle-moi de *mom*…

Depuis sa dernière visite dans le 418, nous nous sommes parlé régulièrement en utilisant toutes les technologies imaginables. Avec elle, je ne me suis pas gênée pour raconter toute l'ampleur de mon chagrin et de ma dégringolade. De son côté, c'est pire, elle vit sa peine toute seule. Il y a des jours où elle se trouve très loin de nous tous, mais elle veille tant bien que mal à maintenir le moral et le contact. Elle téléphone à maman presque quotidiennement.

Ainsi, nous passons l'heure qui suit à discuter d'Alice. À revenir sur les différents épisodes des dernières semaines, les quelques hauts comme les innombrables bas. Le rire se mêlant aux larmes, ce moment rare mais précieux nous fait un bien fou.

Avant de prendre la route du studio, Rosalie accomplit des miracles avec nos visages rouges et bouffis en appliquant sur chacun le contenu de plusieurs petits pots magiques. L'effet est saisissant. Je lui fais promettre de me prodiguer les mêmes soins pour nos sorties du week-end. L'air lumineux et pimpant, j'enfile un de mes nombreux chandails noirs et de nouveaux jeans – pour remplacer ceux agrémentés de jus de tomate séché.

Je suis assise dans mon coin pendant que la séance photo bat son plein dans le studio surchauffé. Appareil photo à la main, Rosalie se trémousse autour de son sujet qui en fait autant. Je dois avouer que Scott est beau garçon. Pas mon genre, mais beau garçon. La gueule carrée, le regard ténébreux, le sourire hésitant. Le pauvre, il doit avoir tellement chaud dans toutes ces superpositions de lainage sous les projecteurs. Moi, ça ferait longtemps que mon déo m'aurait lâchée! À chacun son métier.

À voir aller ma petite sœur, j'ai presque envie de me bomber le torse de fierté. Pleine de vivacité et d'assurance, elle multiplie les clichés, semblant obtenir exactement ce qu'elle cherche de son mannequin. Parfois, elle lui roucoule quelques mots à l'oreille, ce qui le rend rouge écarlate, puis ils éclatent de rire tous les deux. C'est palpable, il y a de la chimie entre eux. Mais de quoi parle-t-elle au juste? De sexe. Ça ne peut être que ça.

Autant régler la question tout de suite: de nous deux, c'est assurément Rosalie qui est la plus portée sur la chose. Elle a tout pour plaire avec sa beauté naturelle, son énergie solaire, sa collection de succès *made in NYC* et, le comble, son goût prononcé pour le cul. Pour un homme, c'est le Club Med trois cent soixante-cinq jours par année!

Pourtant, elle n'a pas de copain. Elle n'a pas d'enfant et n'en veut pas non plus. À mon avis, elle passe à côté de l'essentiel, mais bon, c'est la vie qu'elle a choisie. Une vie de rêve dans une ville de rêve. Vu de cette façon, on s'entend qu'il y a pire.

Rosalie avait raison, je m'amuse ferme dans mon recoin, à observer leur petit manège pas subtil pour deux sous. Je suis tout aussi fascinée par l'équipe derrière eux. Une horde d'abeilles qui travaillent dans l'ombre pour mettre en lumière la star de la journée, la saveur du mois.

— *Let's take a break, guys!* lance soudain quelqu'un dans la pénombre.

Je détourne le regard, à la recherche de la provenance de cette voix chaude et inconnue annonçant la pause bien méritée. C'est le beau Scott qui va être content de s'aérer le dessous des bras!

— *Jacob! Come here!* s'écrie Rosalie en sortant des feux de la rampe pour rejoindre celui que je ne vois toujours pas.

Elle n'a aucun accent. Fait chier.

— *Hey, sweetie, how are you?*

— Viens que je te présente ma grande sœur! s'exclame-t-elle, trop énervée pour répondre à la question.

Rosalie s'approche de moi, suivie par un grand brun à la démarche nonchalante et au look résolument new-yorkais. Visiblement, ma frangine l'apprécie beaucoup. Sans doute une autre de ses conquêtes qui profite du tout-inclus.

— Gaby, voici Jacob Martini, le grand patron du magazine *Glam*. Jacob, je te présente Gabrielle, tout juste débarquée de notre patelin.

Vu le sourire ravageur qu'il m'adresse en me serrant la main, je peux comprendre que Rosalie ait pu tomber sous le charme.

— Ravi de te rencontrer, Gabrielle, répond-il avec chaleur et, à ma grande surprise, en français. Ta sœur m'a souvent parlé de toi.

Je me retiens de lui répondre à la blague : « Pas moi! » Je mise plutôt sur une valeur sûre. Un cliché réchauffé, c'est passe-partout.

— En bien, j'espère!

— *Sure!* Rosalie a toujours des bons mots pour sa famille.

Nous papotons quelques minutes en attendant la reprise des activités. J'apprends ainsi que Jacob a un père italien et une mère québécoise, ce qui explique qu'il parle français avec un léger accent. Débarqué dans la Grosse Pomme pour décrocher son bac en journalisme, il n'en est jamais sorti. Il nous offre un café avant de remettre son équipe au boulot.

Je prends à nouveau un malin plaisir à les regarder aller. Leur *shooting* a un je-ne-sais-quoi de plus « wow » qu'ailleurs. L'effet New York, je suppose. Reprenant son rôle, Rosalie virevolte autour de l'objet de son désir sans se fatiguer pendant toute l'heure qui suit. À l'occasion, je jette un coup d'œil furtif à Jacob pour voir s'il montre des signes de jalousie. Quand Rosalie me rejoint enfin, je ne peux m'empêcher de lui poser la question.

— Tu y es pas du tout, Gaby, c'est mon patron, pas mon amant!

— Je te crois pas! Tu me jures que t'as jamais couché avec lui?

— Pour qui tu me prends, Gabrielle L'Italien? Je baise pas avec tout ce qui bouge!

Nous éclatons de rire comme deux gamines. Que c'est bon de retrouver cette complicité que la distance ne semble pas réussir à effriter! À chacune de nos retrouvailles, c'est comme si nous nous étions quittées la veille. Notre rigolade ne tarde pas à attirer l'attention de Jacob. Revenant vers nous, il a toujours son petit air de prince charmant accroché au visage. Et quand il se met à parler avec cet accent craquant, le charme opère encore plus.

— Vous faites quoi ce soir, les filles? Scott et moi, on aurait le goût de vous sortir, de te faire voir le *nightlife* de New York, Gabrielle.

— Super idée, hein, Gaby?

— Euh, je sais pas trop… Vous avez rien de mieux à faire que de jouer les guides touristiques avec moi?

En réalité, je meurs d'envie de sortir m'éclater dans un bar après toutes ces semaines à broyer du noir. Tant mieux si c'est en compagnie de mecs que je connais à peine, ça va me changer de mes repères habituels. Et puis, après tout, ce n'est pas tous les jours que je suis invitée à me balader aux côtés du tombeur de ces dames et du grand patron d'un magazine à la renommée planétaire. Je me vois déjà raconter ça aux chipies, elles vont en baver!

À cette idée, un sourire se dessine sur mon visage. Il n'en faut pas plus à mon nouvel ami pour nous exposer ce qu'il nous réserve comme tour de ville nocturne. Rien qu'à l'écouter, j'ai le tournis. Décidément, on est à des années-lumière de mes cinq à sept au Citron Lime!

Je me demande soudain si ces New-Yorkais ultra-branchés ne me trouveront pas ennuyeuse comme la pluie avec ma petite vie ordinaire. Rosalie se fait rassurante alors que nous prenons le chemin de son condo.

— T'inquiète, ils vont être adorables. Jacob, j'avoue qu'il a l'air un peu au-dessus de ses affaires, mais au fond, c'est un *sweet*. Pis Scott, c'est clair qu'il abuse de son vedettariat, mais qui le ferait pas? Je serais pire! Je le connais pas vraiment, mais compte sur moi pour régler ça ce soir!

— Ben là, tu vas pas lui tourner autour toute la soirée en me laissant poireauter dans mon coin? je demande en souriant malgré moi.

— Jacob va s'occuper de toi pendant ce temps-là, voyons!

Du plus loin que je me souvienne, Rosalie a toujours eu cette attitude légère et libertine.

— Arrête de niaiser, Rose… Promets-moi que tu vas pas me laisser tomber. Ton Jacob, là, je le connais même pas. Sans compter qu'il va sûrement rencontrer plein de ses amis.

— Arrête d'angoisser, tu sais bien que je vais prendre soin de toi. T'as besoin de te changer les idées avec tout ce qui est arrivé. Tu vas voir, on va bien s'amuser, conclut-elle avant de me suggérer une boutique très chouette où dénicher un nouveau *top* pour ce soir.

Là, elle me prend carrément par les sentiments. Notre véritable virée shopping est prévue pour demain, mais une sortie du genre constitue le prétexte parfait pour un achat spontané. Tout le monde sait ça, même Philippe.

Justement, je me demande comment il s'en sort avec les enfants. Même s'il n'en dira rien, je me doute que sa semaine n'est pas de tout repos avec la tonne de tâches connexes que nous avons l'habitude de partager. Mais si je me fie à mes brefs coups de téléphone quotidiens, ma tribu semble bien se tirer d'affaire sans moi. Je suis presque déçue.

Ma Juliette file le parfait bonheur avec son tendre papa, qu'elle doit amadouer au maximum pour obtenir ce qu'elle veut. Brillante chouette fillette. Quant à Zac, je sens parfois une petite boule dans sa gorge quand il me raconte sa journée. Aux dires de Philippe, il commence à trouver le temps long sans sa maman. Pauvre chaton mignon.

Ils me manquent tous à moi aussi. J'ai beau être bien ici, loin de ma routine, j'ai hâte de les retrouver. La vie d'une maman est ainsi faite. On a hâte de partir, mais on a encore plus hâte de revenir.

En attendant, Rosalie a raison: autant profiter du moment qui passe. Et là, maintenant, ça signifie investir judicieusement sur un petit haut sexy dans les tons de bronze, une couleur omniprésente dans la boutique, mais inexistante dans ma penderie. Une teinte qui ira aussi parfaitement bien avec le maquillage de star que ma décapante de sœur a en tête de me faire.

10

Plaisirs coupables

Plusieurs bouteilles trônent déjà au centre de la table bistro pour quatre, plantée au beau milieu d'un resto-*lounge* hyper chic. En leur jetant un regard vitreux, j'ai du mal à croire que nous sommes les grands responsables de cette surconsommation assumée alors qu'il n'est pas minuit. Depuis quelques heures, l'ambiance est résolument à la fête et les conversations coulent au rythme des verres qui se remplissent… et se vident. Et moi, j'en suis au stade où je maîtrise fulgureusement bien la langue de Shakespeare ! Mon babillage passe du français à l'anglais avec une facilité déconcertante, rendant hilares mes trois compagnons new-yorkais.

J'ai bien remarqué que les gens, en particulier des filles à la recherche d'attention, se retournent sur notre passage ou font exprès de se trémousser devant notre table. Mais Jacob et Scott n'en ont que pour Rosalie et moi. En parfaits gentlemen, ils agissent comme si nous étions les seules et plus belles femmes du monde. Je ne suis pas nunuche au point de ne pas reconnaître le jeu sans fautes du grand séducteur. Mais je ne m'en cache pas, je trouve ça plutôt agréable. Tant que les limites du raisonnable ne sont pas franchies, je ne vois pas où est le problème.

— Très jolies, tes boucles, Gabrielle, me complimente Jacob en me regardant droit dans les yeux.

Son regard est si intense que j'ai l'impression qu'il me transperce.

— Merci, dis-je simplement, sentant le rouge me monter aux joues comme chez une fillette prise en flagrant délit.

— Toi et ta sœur, vous êtes resplendissantes ce soir, ajoute-t-il avec la même intensité.

— C'est grâce à Rosalie tout ça, la coiffure, le maquillage… Elle a des doigts de fée. Moi, j'ai pas son talent. J'ai surtout pas souvent le temps de m'arranger de même.

— Pourquoi donc ?

— Bah, avec la job, les enfants, la routine, c'est là que je coupe.

— T'as des enfants ?

Oh boy ! Il n'est pas au courant ? Rosalie ne l'a pas renseigné sur moi ? Je parie qu'elle l'a fait exprès, la vilaine. Elle veut vraiment me mettre dans le trouble ou quoi ? Je la fusille du regard pendant qu'elle se laisse mordiller l'oreille. Un peu de retenue, quand même !

Je suis convaincue que mon histoire de famille va le faire mourir d'ennui, lui le célibataire le plus endurci du Tout-New York, mais son air franchement intéressé me pousse à poursuivre.

— Eh oui, une fille et un garçon. Juliette, huit ans, et Zac, cinq ans. Je les aime tellement, si tu savais, je ne peux m'empêcher d'ajouter.

— C'est beau de te voir et de t'entendre parler d'eux comme ça, laisse-t-il tomber, songeur, toujours avec le même intérêt.

J'imagine que c'est le moment de lui dire qu'en plus de mes deux enfants j'ai un mari.

— J'ai beaucoup de chance, c'est des bons enfants.

Je prends une pause puis j'ajoute du bout des lèvres :

— Et je suis mariée aussi…

— Je m'en doutais…

Un silence gênant s'installe entre nous. Je prétexte une soudaine envie d'aller aux toilettes, histoire de m'extirper de cette situation pour le moins déroutante. Lorsque j'en ressors, tous les trois font le pied de grue devant les toilettes. Jacob et Scott nous entraînent vers la sortie pendant que je gronde gentiment Rosalie, la fautrice de troubles. Pour toute réponse, elle m'envoie promener avant de courir rejoindre son prince charmant à elle, me laissant en plan avec ma supposée *date* à moi.

La boîte où ils m'emmènent ne ressemble en rien à ce que j'ai pu voir dans ma vie. Dès notre arrivée, on voit tout de suite que c'est THE *place to be*. À l'entrée, deux colosses gèrent de façon plus ou moins équitable une file d'attente interminable, constituée, pour la plupart, de jeunes poulettes à demi habillées. Malgré tout le vin qui m'est monté à la tête, j'ai encore suffisamment d'esprit pour dire tout haut que ma Juliette a intérêt à ne JAMAIS s'accoutrer de cette façon.

À mon grand étonnement, Jacob m'approuve. L'image de papa poule n'est pas exactement la première à ressortir chez lui, mais à l'entendre, c'est l'effet que ça me fait. Curieux, quand même.

Avec une démarche douteuse, alcool et talons vertigineux aidant, Rosalie et moi suivons Jacob et Scott à la trace. Nos deux compagnons se dirigent tout droit vers le tapis rouge, l'entrée VIP tant convoitée. J'aurais dû y penser : au bras de ces personnalités connues, nous avons droit au traitement de star.

Une fois à l'intérieur, on sent tout de suite la *vibe* électrisante des lieux. Les lumières colorées laissent entrevoir la faune nocturne qui se masse et se démène sans pudeur au son endiablé d'une musique techno étourdissante. L'espace semble infini avec une multiplication de bars et de podiums où s'offrent en spectacle des danseuses en bikini au déhanchement discutable.

À les regarder se faire aller le popotin de la sorte, je me demande si elles ne vont pas nous faire un numéro de poteau. Ce n'est pas un peu déplacé, tout ça ? Les hommes qui bavent à leurs pieds ne semblent pas du même avis que moi. Voyant ma mine perplexe, Jacob me regarde d'un air amusé.

— *Welcome to New York!*

Partout autour de cet immense plancher de danse trônent de petits *lounges* circulaires d'un chic fou. Les banquettes sont d'un rouge pétant et ultra-moelleuses, invitant à s'y asseoir pour consommer plus, encore plus d'alcool. Marketing 101.

Comme j'ai la plante des pieds en feu – mauvaise idée que ces escarpins neufs pour arpenter New York –, j'aimerais beaucoup m'y installer un petit moment. L'ennui, c'est que chacune d'elles est surpeuplée, alors je fonde peu d'espoir sur ce repos que je qualifierais de bien mérité.

Là encore, c'est mal connaître mon statut VIP-NYC-SVP. Un des *lounges*, le plus grand et le plus luxueux, nous attend tout au fond, près du bar à vin, à l'abri des regards. Ça tombe bien, je commence à en avoir marre de sentir tous ces coups d'œil envieux de *wannabe* starlettes parfaites se poser sur moi. Est-ce qu'on pourrait avoir la paix, la sainte paix ? J'en fais part à Jacob dès qu'il prend place à côté de moi avec un verre de mon rouge préféré à la main.

— T'exagères un peu, Gabrielle, c'est pas si pire que ça. Pas en ce qui me concerne, en tout cas. Pour Scott, c'est différent, son *fan-club* est assez reluisant.

— Et Rosalie qui tombe dans le panneau! Je sais pas trop si c'est une bonne chose ou pas.

— *She's a big girl, let her go.*

— Ouais, t'as sûrement raison, ma sœur est pas du genre à s'en faire avec ça. Elle et moi, on pense pas toujours pareil, je sens le besoin de préciser.

— Je m'en doutais aussi…

— Mais toi, tu dois avoir plein de groupies qui te tournent autour. T'as tout ce qu'il faut pour plaire aux femmes.

Mentalement, je complète mon idée : bel homme, charme fou, look d'enfer, boulot glam, plein de fric. D'ailleurs, avec tous ces attributs gagnants, je me demande ce qui lui prend de rester avec moi. Entendons-nous, je ne suis pas un pichou, avec ma taille qu'on dit athlétique, mon visage ponctué d'un large sourire et de grands yeux bleus, sans oublier ma crinière brune naturelle, mais indomptable par temps de pluie. Sans vouloir me vanter, donc, je m'en sors plutôt bien dans l'ensemble de l'œuvre, surtout quand je porte des bottes hautes qui me donnent une confiance béton. Seulement voilà, même si je porte des escarpins magiques ce soir, j'ai le sentiment de ne pas faire le poids avec toutes ces filles ravissantes à la taille de guêpe, au teint de pêche et aux jambes interminables de la grosseur de mes avant-bras.

Et puis, à bien y penser, Rosalie lui a sans doute fait promettre de me prendre en charge pendant qu'elle se faisait chanter la pomme par son mannequin-vedette. Je ne peux m'empêcher d'éprouver un bref sentiment de déception à cette idée.

— Tu veux la vérité? Oui, j'ai connu beaucoup de femmes dans ma vie. Je sais pas si je les attire pour les bonnes raisons ni pourquoi j'ai toujours pas trouvé la bonne. Contrairement à ta sœur, j'aimerais me caser un jour, avoir une blonde, des enfants, rétorque Jacob avec une certaine lassitude dans la voix.

Sans me laisser le temps de placer un mot, comme s'il ne voulait pas se révéler davantage, il m'entraîne habilement sur la piste, au grand désespoir de mes pieds martyrisés. Rosalie et Scott ne tardent pas à nous rejoindre avec quatre *shooters* de je ne sais quoi. Promis, juré, ce mini verre sans conséquence est mon dernier. Celui-là et ma coupe de *vino*, bien sûr.

— Comment tu as su que c'est le vin que je préfère ? je glisse à l'oreille de Jacob, aussi touchée que surprise par sa délicate attention.

Il n'est quand même pas en train de me droguer au GHB ? Jacob me ramène sur terre, chassant vite de ma tête cette pensée ridicule.

— Tu sais pas grand-chose de moi, Gabrielle, mais moi, je te connais peut-être plus que tu penses.

Clin d'œil et demi-sourire à l'appui, il en reste là et amorce le compte à rebours de notre cul sec. Ouache ! Complètement infect ! Il n'en fallait pas plus pour que je déclare forfait. L'alcool, c'est terminé pour moi ce soir. Déjà que j'ai du mal à marcher, je ne vais pas en rajouter ! Bon, je prends deux ou trois dernières gorgées de mon nectar chouchou pour ne pas vexer Jacob. Et pour éviter le gaspillage. Roxane serait fière de moi.

Nous passons le temps qu'il reste avant la fermeture du bar à faire la navette entre notre espace privé et le plancher de danse, qui ne montre aucun signe de fatigue. Mon orgueil m'empêche de me plaindre, mais je prendrais bien, dans l'ordre, mes pantoufles en tricot, une douche chaude et un lit *king*. Ça doit bien faire, quoi, au moins dix ans que je n'ai pas fermé un bar, je suis furieusement rouillée ! Difficile de croire qu'à une certaine époque de ma vie je pouvais faire la rumba trois ou quatre soirs d'affilée sans broncher.

Au moment de nous séparer, Jacob m'entraîne loin du brouhaha de la sortie, dans la pénombre de la nuit tiède. Il me regarde longuement, s'approche avec douceur pour m'enlacer avec tendresse. Avec une lenteur infinie, il m'embrasse sur les deux joues en marquant une pause calculée devant mes lèvres tremblantes. J'ai le souffle coupé, le cœur qui bat la chamade. Puis il s'éloigne en murmurant :

— *Good night, sweetie Gaby, see you soon.*

* * *

Le condo endormi est baigné de lumière et sent déjà bon le café frais moulu hors de prix. Alors que Rosalie roupille encore, j'ai pris la liberté de dégourdir mon cerveau dans le *jello* avec une bonne dose de caféine ET des cachets pour faire passer un mal de tête persistant. J'ai l'impression de faire un bond de vingt ans en arrière.

Sur le radar depuis mon réveil brutal, je fais maintenant les cent pas à travers la grande pièce, constatant du même coup mon manque flagrant de sommeil. Mes ampoules aux pieds me rappellent aussi assez vite à l'ordre et me relèguent au canapé. Une peau de zèbre – c'est tout ce que j'ai trouvé – sur les épaules pour m'empêcher de frissonner, je sirote mon expresso tranquillement, bercée par les souvenirs de la veille.

Oui, j'y suis allée un peu fort – le mot est faible – sur le vin et les *shooters* que je maudis sans ménagement ce matin. Oui, j'ai l'impression qu'un dix-roues m'est passé sur le corps. Mais ce qu'on s'est amusés ! Malgré les vapeurs de l'alcool, je peux encore sentir l'odeur douteuse des ruelles, la triste cohabitation des riches et des pauvres, la frénésie de la faune bigarrée et l'ambiance survoltée de la ville pleine d'artifices.

Je peux surtout voir encore et encore le visage imparfait mais séduisant de Jacob. Je me rappelle par cœur son sourire aussi franc qu'irrésistible, les petites rides au coin de ses yeux rieurs. Pire, j'ai le sentiment d'avoir son léger parfum imprégné dans la peau. Les souvenirs de la soirée se disputent la première place dans ma tête, c'est presque insupportable. Bien malgré moi, Jacob me hante. Ses dernières paroles aussi. Il faut que je sorte cet homme de mes pensées. Il faut que je sorte d'ici.

Une dernière gorgée de café et un yogourt plus tard, je me dirige d'un pas mal assuré vers Central Park, à quelques coins de rue, où je m'étais promis de courir avec ma sœur. Je me doutais bien qu'elle allait me laisser tomber avec sa cuite de la veille. Rosalie n'est pas exactement ce qu'on appelle une sportive, son seul exercice consistant à courir d'une boutique à l'autre une semaine sur deux.

J'en suis à ma troisième course dans le célèbre parc, et toujours aucune trace de Madonna ! Les deux autres sorties, c'était tôt le matin, avant le coup d'envoi de mes journées-conférences. Cette fois-ci encore, les sentiers sillonnant les collines verdoyantes grouillent d'un nombre impressionnant de joggeurs matinaux. Des petits, des grands, des maigres, des grassouillets, des jeunes et des vieux. Ils ont tous une bonne raison pour courir. C'est beau de les voir.

Avec cette image pour le moins inspirante, difficile de se défiler en s'inventant une défaite. J'aurais pourtant toutes les raisons du monde de m'éviter une souffrance inutile aujourd'hui. D'autant plus que je dois me garder de l'énergie pour le shopping extrême de cet après-midi. Pourvu que ma tonne de pansements de fortune aux pieds tienne le coup !

Gonflée à bloc par cette invasion humaine et, je dois l'avouer, par ma nouvelle camisole Lululemon achetée en ligne avant mon départ, j'effectue mes cinq premiers kilomètres dans une harmonie totale entre mon corps et mon esprit. J'arrive presque à chasser Jacob de mes pensées. Au terme du sixième, je commence à m'essouffler sérieusement, et au huitième avancé, je suis carrément à bout de souffle. Sans parler de mes pieds qui crachent du feu !

Mon objectif étant de faire au moins une sortie de dix kilomètres dans Central Park, il est hors de question que j'abandonne en raison de mon comportement déraisonnable de la veille. Malgré mon entêtement, je m'accorde une pause, une toute petite pause de rien du tout en marchant. Arrivée au bout de mes dix kilomètres de peine et de misère, je prends un taxi pour rentrer au condo.

J'y trouve Rosalie en petite tenue, fraîche comme une rose, alors que moi, on dirait que je couve une méningite, une tuberculose ou encore la H1N1, tiens.

— D'où tu sors comme ça ? me questionne-t-elle aussitôt.

— Euh, de mon dix kilos dans Central Park ! Tu sais, celui que tu devais faire avec moi ?

— Oublie ça, *sister*, je suis pas assez en forme pour ça ce matin. Pis de toute façon, c'est pas vraiment mon truc, courir sans but.

Je me passe de commentaires. Autant nous nous entendons à merveille, autant nous sommes aux antipodes, Rosalie et moi. Il est vrai qu'elle n'a jamais eu à se faire suer des heures durant au gym ou ailleurs pour avoir cette taille. À vrai dire, moi non plus, c'est génétique. Mais le sport a toujours fait partie de ma vie, pas de la sienne.

N'empêche, elle pourrait s'y mettre. Pour la forme, mais surtout pour sa santé. Son âge va finir par la rattraper un jour ou l'autre. Elle ne peut pas me faire le même coup que Roxane et prétexter un manque de temps, je l'étripe de mes mains! Je finis par céder à la réplique qui me brûle la langue :

— Tu sauras que c'est très *in* de s'entraîner. C'est encore plus vrai pour la course, qui est de plus en plus populaire. Toi qui es tellement tendance, c'est le genre d'argument qu'il te faut, non ?

— Bah, trop forçant! J'aime mieux me concentrer sur ce qui me plaît et me faire vomir au besoin.

La panique s'empare de moi, mon sang se glace.

— Tu me niaises, là ?

— Ben oui, franchement! s'esclaffe ma sœur, fière de son gag.

Je ne ris toujours pas. Vu son extrême minceur et le milieu dans lequel elle évolue, c'est plus que plausible.

— Tu me le jures sur la tête de maman ?

— Croix de bois, croix de fer, si je mens, je vais en enfer.

Soulagée, je rigole avec elle en entendant cette phrase tout droit sortie de notre enfance. Puis elle s'arrête net et me traîne jusqu'au salon avec un regard de défi.

— Allez, raconte, je veux TOUT savoir…

— De quoi tu parles? je lui réponds, trop vite à mon goût.

— Oh, arrête, fais pas l'innocente! Jacob a passé la soirée à flirter avec toi. Il est *sooooo hot*, t'as résisté ou pas ?

— N'importe quoi! Tu délires? Je te rappelle que je suis mariée, mère de famille et heureuse de l'être.

— *Come on*, Gaby! Avoue que ça t'a fait un petit velours de te faire *cruiser* de même. T'as pas vu comment il te regardait ?

— Franchement, t'exagères, là. On s'est bien amusés, c'est tout. Parle-moi plutôt de toi pis du beau Scott…

Surexcitée – dans tous les sens du terme – comme une adolescente de seize ans, Rosalie me débite tous les détails de sa soirée d'un trait. Sans aucune gêne, elle me rapporte mot pour mot, image par image, leur scène de pelotage en règle sous la table du bar. Inutile de signaler que Jacob et moi étions juste à côté. Assez culottée, la sœur! Moi qui me trouvais «olé olé» avec ma baise prétendument torride sur le lavabo de notre salle de bains familiale en plein *party*, j'ai des croûtes à manger!

Elle se vante que, de toutes les filles qui lui tournaient autour, c'est elle qui aurait pu le ramener à la maison. J'avais remarqué!

Pourtant, elle n'en a rien fait, n'ayant pas envie de l'avoir dans les pattes le lendemain matin. Elle voulait plutôt profiter de sa journée avec moi, sa sœur chérie. Son assurance et son insouciance continuent de m'impressionner.

Notre déficit de sommeil entraîne vite une surdose de caféine alors que nous revenons sur les faits saillants de la soirée à partir de la terrasse ombragée. Dieu merci, la peau de zèbre a cédé la place aux couvertures pour réchauffer nos corps frissonnants ! Je prends soin de parler avec détachement, me gardant bien de confier mes états d'âme à ma sœur, qui tirerait vite ses propres conclusions, inévitablement discutables pour la plupart.

Avant que je saute sous la douche – j'ai eu le temps de sécher depuis ma course, mais j'empeste sûrement – et que nous partions à la conquête de la Cinquième Avenue, nous trouvons le moment bien choisi pour appeler maman. Je lui ai parlé tous les jours cette semaine sauf hier. Je me sens coupable. D'avoir sauté une journée, mais aussi et surtout de m'être follement amusée alors qu'elle est malade et lutte pour sa vie sans lendemain. Ça aussi, je le garde pour moi, Rosalie ne comprendrait pas.

* * *

Je pourrais presque me targuer d'avoir couru le marathon de New York tellement nous avons trottiné ! Heureusement que j'avais troqué mes chaussures *girly* contre un modèle tout-terrain, plus approprié dans les circonstances. Rosalie m'a trimballée d'une boutique chic à une autre, moins luxueuse, en passant par des grands magasins qui feraient perdre la raison à toute femme qui se respecte.

C'est si agréable de vivre l'expérience ultime de la parfaite *fashionista* avec ses semblables ! Car si Alice et mes amies n'arrivent jamais à me suivre, Philippe encore moins, ma sœur me livre une chaude lutte. Nous avons pris un malin plaisir à vagabonder d'un trottoir à l'autre, les bras chargés de paquets. Le mot d'ordre était de sortir de notre zone de confort ET de n'acheter aucun article de couleur noire. Défi de taille.

Histoire de maximiser les chances que mes dépenses soient socialement acceptées, je me suis donné la peine d'acheter un superbe pull à Philippe, parfait pour les *casual Fridays*. J'ai aussi déniché une robe de Noël, version cocktail, à Juliette, et une chemise hyper *cool* destinée à Zac. Au milieu de ma débandade semi-contrôlée, j'ai craqué pour trois cadeaux qui finiront sous le sapin plus vite qu'on le pense. Le quatrième, c'est à moi-même de moi-même. Rien d'extravagant, juste une nouvelle paire de chaussures dont le modèle ne ressemble en rien à ce que j'ai dans ma garde-robe. Je ne prends plus de risques d'être déçue par ce bon vieux père Noël.

Non seulement j'ai fait des achats pratico-pratiques, mais je me félicite d'avoir une nette longueur d'avance sur l'an dernier. Le 15 décembre, moins de dix jours avant le réveillon, j'accusais un retard lamentable, n'ayant aucun cadeau ni ensemble des fêtes à biffer sur ma liste d'emplettes. Le 23, j'avais emballé mes cadeaux jusqu'à 2 heures du matin ! Cette année, il me faut un plan de match d'une redoutable efficacité. C'est bien parti. En plus, c'est cent pour cent new-yorkais.

Sur le coup de 18 heures, alors que je commence à peine à me sortir Jacob de la tête, Rosalie m'annonce le plus candidement du monde que nos deux moineaux nous invitent à souper. Ils passeront nous prendre à 20 heures précises. Mon cœur s'emballe. Il y a fort à parier qu'elle mijote son plan depuis un moment déjà, à voir ce pianotage sur son iPhone 6.

— Rose, t'as rien à voir là-dedans, je suppose ? je demande avec une pointe d'ironie.

— Absolument pas ! C'est juste que je viens d'apprendre que Scott quitte la ville demain pour quelques semaines et qu'il veut me voir avant. Je savais qu'il pourrait pas se passer de moi bien longtemps ! Et en passant, Jacob a insisté pour l'accompagner...

Quoi ? Je souris malgré la panique qui s'empare de moi. Autant je suis troublée d'avoir à affronter Jacob encore une fois, autant j'en meurs d'envie. Je me répète intérieurement que c'est pour m'amuser. Que je ne fais rien de mal.

— Je suis pas sûre que ce soit une bonne idée... j'ajoute sans grande conviction.

— Gaby, c'est une TRÈS bonne idée ! *Remember*, tu t'amuses, c'est tout. Allez, viens, on n'a pas une minute à perdre !

Pour le moment, j'ai la situation bien en main. Même si je tente de garder mes distances, Jacob n'est jamais loin de moi. Encore ce soir, il m'observe avec ses yeux ravageurs. Dès qu'il me touche, un courant électrique me traverse le corps tout entier. Je dois me l'avouer, j'aime sa façon de me regarder, de me faire sentir belle et intéressante.

Jacob a eu la bonne idée de nous faire découvrir le nouveau resto du chef qui signe les chroniques culinaires de son magazine. L'endroit est sympathique et moins tape-à-l'œil que les lieux visités hier. Lui et moi nous entendons sur ce point, ça fait du bien de retrouver un peu de calme après le grand chaos de la veille.

Encore étourdis par les vapeurs de cette soirée, nous nous sommes tous les deux promis d'être plus sages. Mais le vin est si savoureux qu'il est difficile de ne pas verser dans l'excès, surtout avec Rosalie et Scott qui n'y voient vraiment aucun problème. Amusés, nous sommes témoins de la tension sexuelle animant le nouveau petit couple en face de nous. D'après moi, ma sœur et moi allons avoir un invité pour le déjeuner demain !

Pendant qu'ils se regardent dans le blanc des yeux, Jacob et moi bavardons tranquillement. Il me pose mille et une questions sur ma vie, mon métier, ma famille. Je me surprends même à lui parler de maman, de la tourmente qui a suivi la nouvelle. Je lui raconte aussi ma quête et celles de mes copines. Il m'écoute avec tellement d'attention que c'en est déstabilisant. Ma tirade prend fin sur un petit silence confortable.

— Tu me fascines, Gabrielle L'Italien, me dit-il doucement.

Nouveau silence, un tantinet plus inconfortable cette fois. Il en rajoute, avec ce même accent charmant.

— J'aime ta *drive*, ton énergie, ta fougue. Cette façon que t'as de vouloir tout faire, ne rien manquer, être à la hauteur encore et toujours… Ta sœur avait raison. Tu es faite pour le succès et le bonheur, ça se sent et c'est mérité.

Si moi je l'impressionne avec mon parcours, lui, il m'étonne avec les mots qu'il choisit pour me décrire. Son discours ne sonne pas faux, au contraire, il semble d'une sincérité déconcertante. Sous cette avalanche de mots gentils, je ne trouve rien de mieux à dire que « merci ». Pathétique.

— Et puis t'es belle quand tu parles de tes enfants. Le coup de téléphone tantôt, *that was cute.*

J'ai peine à croire que je l'ai fait craquer avec l'épisode de tout à l'heure. Explications. Sur le chemin du resto, j'ai eu fiston au bout du fil. Inconsolable, il me réclamait cette berceuse qu'il aime tant avant d'aller dormir. AU SE-COURS ! Je n'allais quand même pas me donner en spectacle dans la voiture, entourée de mes nouveaux amis qui sont à des années-lumière de ce genre de numéro !

J'ai eu beau réconforter mon Zac de toutes les façons imaginables pour m'éviter l'humiliation en chanson, rien n'y faisait. Même Philippe était arrivé au bout de ses ressources et, du même coup, au bout du rouleau. J'ai plongé, quitte à me faire montrer la porte ! Chuchotée d'une voix mal assurée, ma comptine pour enfants a finalement eu pour effet de déclencher l'hilarité générale alors que j'aurais voulu me trouver six pieds sous terre !

Entre deux échanges avec Rosalie et Scott, Jacob me raconte un peu de sa vie à lui. Petit à petit, je découvre qu'il est tout sauf ce que je croyais au départ : un coureur de jupons sans scrupules, qui ne pense qu'à collectionner les baises d'un soir. Ce personnage, qu'il a été dans le passé, ne l'intéresse plus.

— J'aurais aimé te rencontrer dans une autre vie… Ton mari a beaucoup de chance, Gabrielle.

Je suis à nouveau sans mots. Je n'ose pas m'avouer à moi, et encore moins à lui, qu'il est exactement le genre d'homme que j'aurais pu aimer profondément dans une autre vie.

Avec sa voix haut perchée qui apparaît comme par magie avec l'alcool, Rosalie rompt le charme en nous annonçant que la soirée se termine chez elle. NON ! Elle le fait exprès ? Comme nous l'avons si bien dit à Annabelle il n'y a pas longtemps, il faut éviter toute forme de tentation dans ce genre de situation. Je suis mal partie ce soir.

Il est passé minuit lorsque nous mettons le pied dans le condo de ma sœur. Je m'empresse de me jeter sur le sofa UNE place pendant que Rosalie nous concocte un martini telle une pro. Tiens donc, un martini, comme dans Jacob Martini. Même son nom est sexy !

Je prendrais bien la poignée d'olives plutôt que le *drink* lui-même. À mon âge, deux soirées généreusement arrosées d'affilée me semblent au-delà de ce que je peux supporter. Heureusement que je n'ai pas de course prévue demain, je serais bien obligée de m'y rendre, tête de mule que je suis.

La nuit s'effrite au son d'une musique planante qui commence à mettre des idées tordues dans la tête de Rosalie. Elle me glisse ses intentions à l'oreille et je lui donne ma bénédiction. Deux minutes plus tard, elle disparaît avec sa conquête derrière la porte close de sa chambre. Pourvu qu'on ne les entende pas se lamenter !

Toujours aussi gentleman, Jacob propose de partir pour me laisser dormir, et je SAIS que je devrais répondre oui. Pourtant, je n'en fais rien. Je vais plutôt le rejoindre sur le canapé. Sans un mot, je pose ma tête sur son épaule et nous restons là, enlacés, à contempler le silence.

Le temps est suspendu, les mots, superflus. Nous sommes simplement bien dans les bras l'un de l'autre, sachant que c'est tout ce qu'il est permis de faire. Et encore. Je me demande où est la véritable limite. Peut-être l'ai-je déjà dépassée ?

11

La vie après New York

Zac, concentre-toi et enlève les vers de tes fesses! je m'impatiente pour la énième fois.

Comme retour à la réalité, on ne peut demander mieux! À peine rentrée de New York, j'apprenais que Philippe partait pour un *road trip* de quelques jours, à la conquête de hauts dirigeants d'entreprises. Il avait bien essayé de déplacer ce voyage d'affaires qui tombait plutôt mal, sans succès. Comme bien d'autres fois, une course à relais s'imposait, avec à peine une demi-journée pour se «débriefer».

En plus de me laisser mono à moins de douze heures de préavis, mon tendre époux me léguait le premier exposé oral à vie de Zac. Une présentation devant toute la classe de maternelle avec, si possible, accessoires ET support informatique. On aura tout vu! Bien entendu, je prends cette responsabilité à cœur, mais il en va autrement de Zac qui, chaque cinq secondes, jette un regard piteux par la fenêtre vers la rue où s'amusent quelques amis du quartier.

— Zac, si tu veux aller jouer dehors un peu, tu ferais mieux de te concentrer sur ta présentation.

Pendant que je lui désigne son affiche aide-mémoire d'une main, je tripote un brocoli de l'autre en prévision du souper.

— Maman, je suis fatigué, j'ai eu une grosse journée! C'est vraiment pas le *fun*, faire des devoirs! Pis en plus c'est toi-même qui dis que c'est important d'aller jouer dehors!

Oh boy! On n'est pas sortis du bois avec le petit dernier! Pour Juliette, qui révise sagement ses mots de vocabulaire, la période des devoirs et leçons a toujours été un charme. Première de classe, elle aime l'école d'amour et en redemande. Avec Zac, je constate avec une pointe de déception que rien n'est gagné. Pour le moment, c'est lui qui l'emporte puisque son argument tient la route. Mettre le nez dehors, c'est important.

— Allez, ouste ! File avant que je change d'idée ! On est seulement lundi, ça nous laisse encore quelques jours pour réviser.

— J'ai fini, maman, j'y vais moi aussi ! lance vivement Juliette.

— OK, mais éloignez-vous pas trop, on soupe dans une demi-heure. On fera ta révision après, Juju.

C'est fou comme les semaines peuvent parfois se suivre sans se ressembler ! À me regarder malmener mes légumes pour un repas vite fait bien fait, je réalise à quel point je n'ai visiblement pas le même cinq à sept que durant mon dernier week-end à New York.

À mon retour en fin d'après-midi hier, le cœur et la tête un peu à l'envers, j'ai été accueillie comme un héros de guerre par Juliette et Zac. Peu habitués à mon absence prolongée, les enfants me suivaient à la trace, réclamant mon attention pour un rien. Le récit sans fin de leurs aventures – des boulettes-qui-goûtent-drôle aux « spéciaux » vraiment *cool* de papa – avait un je-ne-sais-quoi de terriblement réconfortant.

Fidèle à lui-même, Philippe a d'abord laissé toute la place aux enfants, s'amusant à compléter leurs histoires décousues et surtout interminables. Avec un peu de chance et en jouant du coude, nous arrivions lui et moi à échanger quelques mots sur notre semaine. Force était d'admettre que mon trio d'enfer s'en était drôlement bien tiré sans l'assistance d'Alice ou de Roxane, qui avaient gentiment pris la peine d'offrir leurs services à domicile. Mon super-héros avait même décliné l'aide de ses propres parents.

L'heure du souper dominical n'a pas tardé à sonner, nous rappelant à l'ordre. Je me suis vite retrouvée à mes fourneaux alors que Philippe montait à l'étage pour boucler ses valises. Je n'avais jamais été aussi ravie de cuisiner en solo. J'étais à nouveau seule avec mes pensées, pleines de contradictions. Soulagement. Confusion. Culpabilité. Souvenirs.

Jamais je n'oublierai mon dernier New York. Il a été tellement grisant, imprévisible, intense. J'ai beaucoup de mal à le sortir de ma tête. Pourtant, il le faudra bien. Ma vraie vie, celle qui m'a manqué, est ici. Avec mon homme et mes enfants, que j'aime profondément. En mettant le pied chez moi, j'en ai eu la certitude. Et pourtant…

Pourtant, il y a eu ce premier soir puis le fameux deuxième, celui où j'ai flirté librement dans les limites du raisonnable. Un moment d'égarement – ou d'excitation, c'est selon – qui a bien failli m'entraîner dans un monde parallèle où Jacob tenait ma main, ma tête et mon cœur. Le temps passé au creux de ses bras m'a fait un bien immense. Avec une délicatesse infinie, il a osé caresser quelques parcelles de ma peau savamment tartinée de crème parfumée. Il soupirait. Doucement. Je frissonnais. Doucement.

Nous avons dû nous endormir dans ce doux silence, cette ivresse empreinte de non-dits et de gestes inachevés. La nuit a emporté ce qu'il restait de nos rêves et désirs.

Au petit matin, une note de mon prince charmant m'attendait sagement tout près. Avec sa plume d'artiste, il avait écrit : « On se donne rendez-vous dans une autre vie ? »

C'est ainsi que se sont conclues ma rencontre avec Jacob Martini et mon escapade new-yorkaise. Mon cœur se serre encore rien que d'y penser. Non, je n'ai ni embrassé ses lèvres ni couché avec lui. Non, je n'ai pas trompé mon mari. Je n'ai rien fait de mal avec mon corps. Avec ma tête, oui, dans un sens. Peut-être est-ce pire ? Je ne crois pas. Je ne sais pas. Je ne sais plus.

Ce que je sais, c'est que je garde mes reproches pour moi, pour mon jardin secret. Philippe n'en saura rien, maman non plus. Et si j'ai aussi pris la décision de ne pas tout révéler à Rosalie – elle en connaît déjà assez –, j'ignore encore si j'irai au bout de mon histoire avec les copines. Avec elles, ce n'est pas pareil. Ma vie, elles la connaissent à l'endroit comme à l'envers.

Puis la vérité me frappe de plein fouet. Je me rappelle soudain avec clarté le texto euphorique envoyé en sortant de la super boîte sélecte vendredi dernier. Mot pour mot, ça donnait : « *Breaking news !* Rose et moi, on vient de s'éclater solide dans le bar le plus *in* de la planète avec nuls autres que Jacob Martini et Scott Apple ! »

Évidemment, les chipies étaient allées « googler » les deux noms célèbres à l'aube, si ce n'est au beau milieu de la nuit. Leurs réponses m'avaient fait mourir de rire et étaient catégoriques : elles voulaient connaître la suite et fin. C'est clair, je n'ai aucune issue possible et je mettrais ma main au feu qu'un rassemblement d'urgence est déjà au programme.

Ce soir-là, ralentie par mes pensées troubles, j'ai convoqué ma tribu à table sur le coup de 19 heures, largement plus tard que d'ordinaire pour un dimanche soir. Notre premier souper familial en sept jours s'est déroulé dans la joie et la bonne humeur. Malgré mon état d'esprit tourmenté, je retrouvais avec bonheur les plaisirs simples de la vie. Même ceux qui, une fois la nuit tombée, se multiplient souvent sous la couette conjugale alors que les enfants dorment à poings fermés.

Là, par contre, j'avoue que j'aurais volontiers passé mon tour. Je n'avais pas la tête à faire des « mamours », mais aucune excuse valable ne m'était venue, pas même un vulgaire mal de tête. C'était certes bon de renouer avec le corps d'athlète de Philippe, fort doué pour la chose, mais j'avais une peur bleue d'être hantée par le visage de Jacob pendant le moment de grâce.

Ce qui devait arriver arriva et je me suis détestée pour ça. Moi qui avais besoin d'un sommeil réparateur pour survivre à la prochaine semaine, je n'ai pratiquement pas fermé l'œil de la nuit, pourchassée par mes démons. On dit que le temps arrange les choses. Juste pour me faire une idée, c'est long comment, ça ?

La porte d'entrée s'ouvre d'un coup pour laisser apparaître un Zac mécontent. Brutalement ramenée au participe présent, à mon petit lundi bien ordi, je lève les yeux du contenu surcuit de ma casserole.

— Mamaaaaan ! Juliette pis son amie veulent pas jouer avec moi !

Bon, c'est le retour peu attendu de la chicane dans ma cabane. Après toutes les gestions de crises de la journée à l'agence, dois-je vraiment endurer celle-là ?

— Est-ce que t'as fait quelque chose pour mériter ça, mon chaton ?

Et moi, qu'est-ce que j'ai fait pour mériter ça ce soir ?

— Non ! Elles jouent à l'école pis elles veulent que je sois leur élève. Moi, ça me tente pas de jouer à ce jeu-là, répond-il avec une moue boudeuse mais irrésistible pour une maman.

Cette version d'histoire, je l'ai entendue une bonne centaine de fois au moins. Ce soir, je n'ai pas la force de la revivre avec fracas.

— De toute façon, c'est l'heure de se mettre à table, dis à ta sœur de rentrer.

« Dépêchez-vous de venir vous régaler de mon poulet calciné et de mes légumes ratatinés ! » ai-je envie d'ajouter pour me faire rire au lieu de pleurer.

Heureusement pour moi et ma mèche qui est particulièrement courte ce soir, la paix revient au bercail juste à temps pour le souper. Suivent, dans l'ordre, le bain, l'histoire et le dodo. Je ne tarde pas à rejoindre moi aussi les bras de Morphée après avoir épluché en surface le *Runners' World*, dont le dernier numéro est arrivé aujourd'hui.

« T'es arrivée quand ? T'as pas des trucs à raconter, toi ? » me questionne mon iPhone en se dandinant sur mon bureau. C'est Roxane au bout du texto. Entre deux réunions, je lui dresse rapido le bilan de ma semaine. Mes prédictions étaient bonnes, elle m'informe de la tenue d'un « apéro chez So » ce samedi alors que nos trois hommes seront en « période libre ».

Bonnes joueuses, nous avons, semble-t-il, accepté de prendre les enfants sous notre gouverne. Sauf qu'il nous faut absolument, je la préviens, le dernier film de Disney ou l'équivalent, sans quoi nos chances d'entretenir une conversation dépourvue d'interférences sont furieusement compromises. Les filles ont déjà tout prévu, je suis presque renversée par leurs soudaines aptitudes en organisation.

Chez Jumpaï, c'est le branle-bas de combat depuis hier. Mon premier venti n'était pas entamé que j'apprenais la possibilité qu'un de nos clients quitte le navire après trois ans avec nous. Ça tombe bien, j'étais justement en quête de mauvaises nouvelles ! D'autant plus que je suis en plein SPM, c'est-à-dire d'une humeur massacrante. Avec l'après-New York et mon statut de mère de famille monoparentale pour la semaine, tous les ingrédients sont réunis pour mettre mon équilibre physique et mental à rude épreuve.

Non, mais sérieusement, pour moi, c'est la catastrophe ! Je ne m'habituerai donc jamais ? Dans le monde de la pub, c'est monnaie courante, pour toutes sortes de raisons. Mais dans mon livre à moi, ce scénario est à éviter comme la peste. Depuis mes débuts à l'agence, j'ai un mal fou à accepter la perte d'un compte. Je le prends personnel, point à la ligne.

M. Thomas, mon mentor bien-aimé, m'avait pourtant prévenue : on nous élève à la dure dans cette industrie. Il faut avoir la couenne solide et des nerfs d'acier. Même si je crois répondre à ces critères, je regrette, je ne m'y fais toujours pas après quelques années de pratique. Quand la situation se présente, je déploie l'énergie du désespoir afin de renverser la vapeur coûte que coûte.

Il n'est pas rare que la grande séduction, la reconquête du client souvent chèrement gagné, s'avère concluante ; je sabre alors le champagne pour célébrer ça avec l'équipe. Le sentiment du devoir accompli est enivrant.

Dans ce cas-ci, je vais jouer le tout pour le tout avec le *big boss*, un vieux grincheux fini et malcommode qui ne fait que radoter sur « le bon vieux temps », celui où le télécopieur était la plus belle invention du siècle – sur ce point, il s'entendrait à merveille avec mon père ! De toute évidence, notre agence et les nouvelles technologies l'étourdissent et lui tombent sur les rognons. Youhou, on est en 2015, bon sang ! Réveillez-vous avant que la concurrence vous endorme pour de bon !

Heureusement que son fils unique, malgré sa réputation peu enviable de pantin, veille au grain du mieux qu'il peut afin d'assurer un semblant d'évolution dans cet empire familial. Espérons que le Schtroumpf Grognon aura la présence d'esprit d'inviter fiston à la table des négos de notre quartier général plus tard cette semaine. Espérons aussi que je trouverai le temps nécessaire pour me préparer à ce rendez-vous.

Ma liste de tâches pour la semaine, tous secteurs confondus, est interminable. Vivement qu'elle finisse afin que Philippe en partage une partie avec moi. En attendant, je prendrais bien un verre de vin pour me détendre, mais je vais me contenter d'un venti – un autre – pour « ventiler ». Béatrice, mon adjointe et sauveuse, est déjà sur le coup.

C'est bien beau, le ressourcement planétaire issu des congrès de l'industrie, mais ça te désorganise un agenda dans le temps de le dire ! Avant comme après. Dieu merci, j'ai pu garder un certain rythme pendant ma semaine de conférences – bravo à la techno –, sans quoi je me serais carrément arraché les cheveux au retour. Les vacances annuelles, c'est du pareil au même, sauf que, règle générale, elles tombent pile avec celles des autres, alors l'effet est moins destructeur.

Je dois me faire à l'idée et ravaler mes soucis et mon orgueil en demandant un peu d'aide à maman. Je sais qu'elle sera enchantée de me donner un coup de pouce, mais mon dernier souhait est de la fatiguer avec mes horaires de fou.

J'ai d'abord songé à Roxane puis à ma belle-mère, mais je me suis ravisée. Mon amie planche sur une série d'articles commandés *in extremis* par son éditeur, mon plan ne tient pas la route. Mamie Cookie, elle, habite à « Saint-Faustin-du-Lac-Machin », c'est trop loin et trop compliqué.

Résignée, je pianote sur mon iPhone pour trouver le numéro d'Alice sans avoir à le composer. Quelle paresse quand on y pense sérieusement ! Max, mon directeur de création aux cheveux électrisants, passe la tête dans l'entrebâillement de la porte.

— Gabrielle, tu viens ? Tout le monde est prêt.

— J'arrive ! Donnez-moi deux minutes et occupez les clients en m'attendant.

Cette rencontre va s'éterniser, je le sais. Allez, maman, sois gentille, réponds. Mes vœux sont exaucés, elle décroche à la troisième sonnerie. Dans sa voix, je sens qu'elle est en forme.

— Bon retour, ma fille ! Comment vas-tu ? C'était comment, New York ? Rose m'a dit que…

— Désolée, maman, je suis un peu pressée là…

— Gaby, tu es TOUJOURS pressée !

— Je sais, je sais, maman… Écoute, j'ai-un-immense-service-à-te-demander-et-sens-toi-bien-à-l'aise-si-t'es-trop-fatiguée-ou…

— T'inquiète, je vais m'occuper des enfants ce soir, me coupe-t-elle d'un ton calme et rassurant.

— T'es sûre que ça te dérange pas ? C'est-un-peu-dernière-minute-mon-affaire-mais-je-viens-de-réaliser-que-mon-*pitch*-va-s'éterniser-pis-avec-Philippe-qui-est-pas-là-et…

Juste à déballer d'un trait mon explication, je suis à bout de souffle. Prometteur pour le reste de la semaine et pour la reprise de mon entraînement en terrain local ! Sur quelques derniers mots réconfortants d'Alice, je raccroche en vitesse et cours rejoindre mes coéquipiers afin de reprendre officiellement mon rôle de femme d'affaires aguerrie.

Et ainsi file ma fameuse semaine de fou. Chaque matin, j'enfile mon costume de Super-Gaby pour jouer à peu près tous les rôles qui me sont assignés sauf, à mon grand dam, celui de coureuse émérite. Ne pouvant faire autrement, j'ai retenu à nouveau les services de maman, le jeudi soir, afin de pouvoir assister à une séance de remue-méninges impromptue à l'agence.

La culpabilité dans le tapis, j'ai eu la brillante idée d'étirer la sauce à mon retour en allant courir cinq kilomètres, toujours grâce à la complicité d'Alice. Ce court jogging à la belle étoile, ça frisait la poésie, mais c'était la première et la dernière fois ! Le vent de nordet en pleine face, les muscles plus engourdis par le froid que par l'effort, la morve au nez, la grande noirceur, la petite fatigue, très peu pour moi ! J'ai beau jouer les superhéros, je n'ai pas leurs superpouvoirs ! Mais bon, mon supplice tire à sa fin, Philippe rentre demain.

Même si elle apporte son lot de défis quotidiens, cette pause conjugale tombe pile. Elle me permet de faire le point sur mes sentiments malgré ma tête débordante de dossiers chauds. J'ai déjà décrété que ma place est ici, auprès des miens. Ma tribu, je l'aime d'un amour vrai et inconditionnel. Ça nous fait ça de réglé. Il n'en demeure pas moins que Jacob continue d'accompagner mes moments de solitude.

Sans nouvelles de lui depuis son départ de chez Rosalie dans la nuit du samedi, je me doute bien qu'il est probablement déjà passé à autre chose. Qu'il n'a pas tardé à tomber dans les bras d'une fille splendide, maigrichonne, libre comme l'air. Tout le contraire de moi, finalement.

Il fallait s'y attendre, quand même, le conte de fées ne serait pas éternel. Et j'ai tout fait pour qu'il en soit ainsi. Pourtant, pendant ce temps, la belle dinde que je suis trouve le moyen d'être hantée par le souvenir de son visage, de son odeur, de ses yeux qui me regardent comme personne ne m'a regardée. Décidément, je suis ridicule.

Le vendredi après-midi, alors que je suis sur le point de filer à la maison en quête d'un peu de répit, je reçois ce à quoi je m'attendais le moins. Les épaules déjà plus légères, je viens de faire un dernier tour de piste chez Jumpaï quand, en mettant le pied dans mon bureau, je tombe nez à nez avec un immense bouquet de marguerites blanches – mes fleurs favorites.

Jacob. Ça ne peut être que lui. Mais comment a-t-il su, encore une fois, que ce sont celles que je préfère ? Le cœur battant et la main tremblotante, je malmène l'enveloppe pour découvrir une carte du meilleur fleuriste de la ville, signée par Jacob. Le texte est assez court, mais rempli de mots justes et beaux, qui vont résonner longtemps dans ma tête.

« J'essaie de faire comme si tu n'étais jamais passée dans ma vie. Je n'y arrive pas. Ce n'est pas raisonnable, je sais. Je n'y peux rien, je t'ai dans la peau, Gabrielle L'Italien. Mais je dois tourner la page. Et j'ai enfin ma quête à moi : trouver le bonheur que toi, tu as déjà. *Take care. Love*, Jacob. »

* * *

Plus bouleversée que je ne le laisse paraître, je tends le bout de papier aux filles, qui forment un cercle parfait autour de moi dans la cuisine surdimensionnée de Sophie. Comme prévu, l'heure de « l'apéro chez So » a sonné et sera bientôt suivie de la livraison de pizzas dégoulinantes de gras. Inutile de préciser que ce sont les enfants qui ont eu le dernier mot sur le menu, et qu'Annabelle ne se remet pas encore de cette décision unanime.

Les hommes ont eu tôt fait de déserter les lieux pour vivre leur sortie de gars à fond à la brasserie du quartier, devant un match de la LNH. Quant aux enfants, ils sont sagement cordés en rang d'oignons au sous-sol, rivés à l'écran géant afin de ne rien manquer des dernières aventures de Disney. Cette projection marque également le coup d'envoi des célébrations d'Halloween bien avant l'heure en raison des dizaines de friandises qui jonchent le sol déjà surpeuplé de jouets.

Nous n'avons lésiné sur aucun détail pour avoir la paix le plus longtemps possible. Un peu plus et ils se voyaient remettre chacun une boîte à lunch en guise de souper !

Les mots tendres de Jacob font le tour de la table en un rien de temps, laissant planer le silence le plus complet. Cette pièce à conviction constitue en fait la conclusion du récit de mes aventures new-yorkaises.

Je n'ai pas trop eu à réfléchir avant de me convaincre de tout raconter aux copines dans les moindres détails. J'en avais envie, point, au risque de me faire crucifier sur la place publique. À leur voir l'allure, c'est comme si elles y avaient été avec moi. Le public idéal, quoi! Aucune trace des remontrances redoutées, l'excitation est à son comble. Ce doit être New York qui fait toute la différence.

— J'ai des frissons, confie Annabelle, songeuse.

— C'est siiiii romantique! Pas de danger que ça m'arrive à moi! rétorque une Roxane aussi emballée pour moi qu'exaspérée par tant d'injustice.

— Ouin, il est vraiment accro, le beau Jacob! résume Sophie, le regard amusé et un brin jalouse.

Pincez-moi, je rêve! Plutôt que d'avoir droit à des reproches en règle – et mérités –, je fais l'envie de mes amies. C'est vrai que mon histoire a quelque chose de terriblement exaltant, sans tomber dans la démesure et l'infidélité telle qu'on la connaît. Celle d'Annabelle ne soulève pas autant les passions, allez savoir pourquoi.

Comme si elle m'avait entendue penser, Annabelle reprend la parole:

— Honnêtement, je sais pas comment t'as fait pour résister, Gab. Il a tellement l'air parfait et amoureux de toi.

— Ouais, t'es *hot* d'avoir tenu le coup. Philippe, on l'adore, mais Jacob, on peut pas s'empêcher de l'aimer, non? ajoute Roxane sur un ton coupable.

— Faut que je vous avoue que j'ai été tentée quelques fois, mais j'avais une petite voix qui me rappelait à l'ordre. Je pensais à Phil et aux enfants.

Un silence s'installe où chacune rêvasse de son côté, s'imaginant sans doute dans une situation semblable. Je rapplique avec conviction:

— J'ai beau aimer Philippe, avoir un couple solide, ça me faisait du bien de me faire dire que j'étais belle, désirable, inspirante… Il avait cette façon de me regarder, les filles… Je pense pas qu'on m'ait observée comme ça avant. Même pas Phil. Je vous jure, c'était très particulier. Pis on avait un tas de choses à se dire, à partager. Vraiment, j'aurais pu tomber amoureuse de cet homme-là.

— C'est drôle, tu parles au conditionnel, Gab. Mais pensez-vous que ça se peut, aimer deux personnes en même temps ? soulève Sophie.

Son regard est circulaire, mais la première réponse à cette question pourrait facilement venir d'Annabelle, qui se l'est certainement posée plus souvent qu'à son tour ces derniers mois. Nous lui laissons le soin de prendre la parole, elle qui en a sûrement long à dire sur le sujet.

— Je pense que c'est possible, pour différentes raisons. Mais la vraie question, en ce qui me concerne, c'est: est-ce que j'aime encore Louis? D'une certaine manière, oui, mais faut pas juste que je sois en amour avec la famille, avec notre fille, avec le confort du quotidien. Faut que j'aime toujours l'homme qu'il est. Et ça, je sais plus.

Je tapote la main de mon amie avec compassion. Pauvre petit chou, elle est encore mêlée comme un jeu de cartes.

— T'as raison, Anna Bella. Moi, par contre, je le sais au plus profond de moi que j'aime mon Philoup, et que je suis en amour avec la famille qu'on forme tous les quatre. Si j'avais flanché là-bas, je sais pas comment j'aurais géré ça ici.

— Faque? questionne Roxane.

— Faque quoi? je rétorque aussitôt.

— Faque tu vas faire quoi?

— Rien!

— Comment ça, rien? Tu vas quand même pas faire comme si t'avais jamais reçu les fleurs! s'égosille Roxane, incrédule.

— Ben, je peux certainement pas continuer d'entretenir ça en sachant très bien que ça fait juste empirer les choses!

— Gab a raison, à partir du moment où elle sait que ça mènera nulle part, que ça va juste faire du mal autour, elle est mieux d'en rester là, philosophe Sophie.

Je me garde bien de leur confier que j'ai prévu malgré tout lui envoyer un courriel ou un message sur Facebook. J'ai encore droit à un minuscule jardin secret, non?

Boudeuse, Roxane grommelle que la vie est injuste. Que c'est elle qui aurait dû tomber sur un Jacob, et nous ne pouvons que lui donner raison. Ma célibataire endurcie poursuit sa déroute amoureuse à mesure que les semaines avancent.

— Gabrielle, est-ce que je peux avoir une « patate d'ours » ?

Je me retourne vivement pour découvrir le petit Émile, le visage barbouillé de chocolat et les mains scotchées sur mes nouveaux jeans qui m'ont coûté la peau des fesses sur la Cinquième. Le sort s'acharne sur mes denims, ma foi ! Et puis, d'où il sort, celui-là ? Complètement habitée par nos histoires captivantes, je ne l'ai pas vu venir, le petit malin.

En enlevant de façon subtile ses menottes gluantes et sentant bon la sucette aux fraises de sur moi, je ne peux m'empêcher d'éprouver un bouillon d'amour pour lui. De tous les bambins de mes amies, le petit dernier de Sophie a toujours été mon chouchou. Si cette pratique est bannie du comportement exemplaire de toute maman concernant ses propres enfants, nous avons décrété qu'elle est socialement acceptable lorsqu'il est question de ceux des autres.

Haut comme trois pommes, mon grand favori a juste ce qu'il faut d'espièglerie et de coquinerie pour nous embobiner. Et là, ce soir, il est mignon comme tout avec son expression qui nous fait tellement craquer qu'aucune de nous n'ose le reprendre.

En tendant deux boîtes de pattes d'ours encore intactes à son fils, Sophie donne ses instructions tout en s'assurant du coin de l'œil qu'elle ne perd pas un traître mot de la conversation courante.

— Milou, tu donnes une « patate d'ours » à chaque ami, OK ? Juste une parce que vous vous êtes déjà rempli le bedon de bonbons et que la pizza s'en vient bientôt.

— OK, maman, mais j'suis sûr qu'Elliot va en manger deux. Il fait toujours ça !

Elliot-la-Bougeotte de son surnom, c'est celui qui occupe le deuxième rang dans l'équipe de hockey de Sophie. Il a cinq ans à peine et déplace de l'air comme pas un. Les mauvais coups, il connaît ! Je ne sais pas où mon amie prend sa patience d'ange pour le gérer seule presque à temps complet.

Sophie fait mine de ne rien entendre, beaucoup trop occupée à reprendre la discussion là où nous l'avons laissée.

— Ben moi, je pense pas que ça se peut, aimer deux personnes en même temps. Pas pour vrai, en tout cas.

Devant notre silence, elle sent le besoin de préciser sa pensée et enchaîne en pesant bien ses mots :

— Avoir, comme toi, Gab, une attirance ou des fantasmes, peut-être, mais pas plus et surtout pas trop longtemps. À partir du moment où tu flanches, où tu tombes en amour, y a quelque chose qui cloche sérieusement. Si François me faisait ça, je lui pardonnerais jamais.

Sa voix est tranchante et sans pitié. Roxane ose poser exactement la même question que celle qui me vient en tête :

— As-tu déjà eu des doutes, So ?

— Jamais ! Je suis peut-être naïve, mais non, je pense pas.

La confiance et l'étincelle que je vois dans les yeux couleur noisette de Sophie me touchent. Mais entendons-nous, avec tous ses déplacements et ses relations d'affaires, François ne doit pas manquer d'occasions d'être infidèle. Même si sa cote d'amour est déficiente parmi nous, ses « amies par alliance », nous devons reconnaître qu'il n'est pas piqué des vers avec son look *corporate* veston-cravate et, surtout, qu'il semble attaché à sa femme ainsi qu'à ses trois fistons.

— Vous aurez beau penser ce que vous voudrez de François, les filles, c'est quelqu'un de bien, ajoute-t-elle comme pour se justifier.

— Pas de souci, So, on en doute pas une seconde, la rassure Annabelle qui, tout comme moi, doit se sentir un brin coupable de toutes ces fois où nous avons mis la « *switch* à *bitch* » dans son dos.

Avec son petit air emprunté de compréhension, Roxane tapote maladroitement la main de Sophie sans dire un mot. À demi rassurée, notre amie n'y voit que du feu, mais moi, j'ai juste envie de pouffer de rire tellement le geste me semble artificiel.

Sophie en profite pour nous raconter à quel point son mari chéri peut être romantique à ses heures. Cette fois, je m'étouffe carrément dans mon *drink* en voyant l'air faussement convaincu de Roxane. Même moi, j'ai du mal à visualiser un François qui joue les doux pour impressionner sa dulcinée.

C'est alors que nous sommes envahies par une marée humaine d'enfants bruyants à la recherche de succulentes pizzas. Oups, on les a comme oubliées, celles-là ! Les voilà contentés avec une nouvelle tournée de «patates d'ours» pour tenir le coup jusqu'à l'arrivée de la commande, que je décide d'ailleurs de prendre en charge.

Notre bavardage se poursuit dans la bonne humeur malgré les divergences d'opinions. Pour Roxane, il est clair qu'aimer – et coucher avec – un seul homme pour le reste de sa vie relève de la fiction. Venant d'une fille qui cherche désespérément l'amour véritable, cette révélation-choc a de quoi surprendre. Questionnée à ce sujet, elle ne cache pas ce qu'elle croit être le fondement même de sa quête.

— Trouver l'homme idéal pour moi, oui, pour faire un bout de chemin avec lui. Pas tant pour le marier et lui faire plein de bébés! explique-t-elle avec vivacité. Pas mal certaine que je me tannerais d'être toujours baisée de la même façon *anyway*.

Bon, la cassette est repartie! Un peu étourdie par l'alcool, Roxane en perd ses illusions. Elle nous dégaine ses mécanismes de défense habituels, prétextant qu'elle n'y croit plus. Qu'au fond, elle n'a besoin de personne.

— Cette histoire de quête, j'y arriverai pas, c'est écrit dans le ciel, soupire-t-elle.

— Oh, arrête, t'as encore huit bons mois devant toi pour trouver ton Jacob, je la taquine gentiment.

Annabelle et Sophie m'approuvent avec la même vigueur que leurs coupes qui s'entrechoquent.

C'est le moment que choisit Sophie pour nous demander de «faire silence». Rien que cette expression toute nouvelle chez elle cause l'hilarité générale. La pauvre est bien mal partie! Cette situation n'est pas sans me rappeler le fameux souper de l'été dernier, celui où j'avais demandé toute leur attention pour lancer mon grand projet de quête. La prenant en pitié, je somme les deux autres de se taire sur-le-champ. On se croirait en pleine séance de *brainstorming* chaotique chez Jumpaï!

— So, t'as toute notre attention, mais fais ça vite parce que, par expérience, je sais que tu l'auras pas longtemps! je lui conseille avec un demi-sourire.

— Bon. À la fondation, on planche sur un projet-pilote de jumelage entre des familles-bénévoles et d'autres issues de milieux plus défavorisés. L'objectif, c'est de partager avec elles de belles activités pour encourager la découverte, la création de liens, les échanges…

— Quelle fichue de belle idée! je ne peux m'empêcher de m'écrier. C'est teeeeellement le genre de projet qui me parle!

Je ne sais pas encore quand ni comment exactement cette nouvelle tâche cadrera dans mon horaire de moins en moins flexible, mais j'y songerai plus tard. De toute façon, difficile de reculer après mon débordement d'enthousiasme. J'en ai peut-être mis un peu trop, finalement. Pas aussi démonstratives, Roxane et Annabelle semblent toutefois admirer l'initiative.

— Je gagnerai pas la baise du siècle avec ça, mais je vais au moins me gagner un bout de ciel! ricane Roxane en sirotant le fond de sa canette.

À l'arrivée des pizzas extra larges, extra pepperoni, extra gras, nous avons troqué le vin contre des sodas. Une simple pause pour mieux rebondir par la suite. Opération Nez rouge, est-ce que ça existe en plein mois d'octobre?

Nous n'avons pas confirmé notre participation que Sophie nous déballe déjà la fiche des familles qu'elle a choisies pour chacune de nous. Je la trouve franchement adorable. Elle a mis tout son cœur et toutes ses tripes afin de dégoter le *fit* parfait.

Quant à la première activité, elle l'a depuis belle lurette dans sa tête… mais pas dans nos calendriers! Pour elle, ce n'est qu'un microdétail qui a juste besoin de toute notre collaboration. *Oh boy!* Quand elle s'y met, Sophie peut avoir un petit côté légèrement «contrôlant».

Toujours est-il que je trouve géniale son idée de cueillette de citrouilles à la ferme une semaine ou deux avant l'Halloween. Une activité en plein air tout ce qu'il y a de plus simple chez nous, mais qui s'avère une sortie pas ordinaire pour ces gens que la vie n'a pas gâtés. Mon amie a un cœur immense de penser à eux de la sorte, et moi, si je peux faire une différence, si petite soit-elle, j'embarque.

Nous sommes tirées de notre discours philanthropique par le retour de nos moineaux. Pas les petits, les grands. Notre bande de lurons a l'air tellement joyeux que c'est à se demander qui était le chauffeur désigné. Je parie que le plus sage, c'est Philippe. Il devait bien se douter que son statut lui servirait deux fois plutôt qu'une et qu'il aurait à raccompagner sa tendre moitié après la soirée qu'elle s'est amusée à arroser sans trop se priver. Ma semaine de mono est terminée, il y a de quoi fêter !

À contrecœur, nous mettons un terme à notre « cinq-à-tard » plein de rebondissements. Sentant dégringoler l'ivresse qui m'habite, je prends conscience que j'ai à peine entrevu mes enfants ce soir. Qui sait, Juliette a peut-être embrassé Victor sur la bouche dans la garde-robe de cèdre – Sophie a toujours ce truc démodé chez elle – et Zac doit déjà roupiller quelque part. Quant à moi, je me la joue encore facile avec une course prévue en matinée demain.

Pas le choix, et tout mon monde est bien averti, l'essentiel de notre dimanche sera strictement consacré à Alice. Jusqu'à maintenant, je tiens promesse et multiplie les délicieux moments en famille en compagnie de maman. Malgré moi, j'ai encore des rechutes occasionnelles et, parfois, il me prend des envies de me blottir dans un coin, en petite boule, pour pleurer à ma guise. Tour à tour, Philippe, Rosalie, papa et les copines, bien sûr, me servent de *punching bag*. Mais la vie continue et je dois me concentrer sur ses hauts, pas ses bas.

Comme maman. Car oui, de son côté, Alice se porte admirablement bien compte tenu des circonstances. Je sens qu'elle se fatigue plus vite, mais elle tient le coup et a le moral au beau fixe. Elle a toute mon admiration. J'aimerais avoir la moitié de son courage.

* * *

La maison dort paisiblement depuis peu. L'unique lueur qui persiste est celle de l'écran de mon MacBook que je fixe bêtement. Prétextant une insomnie, je n'ai pas suivi la famille dans les bras de Morphée, me réfugiant plutôt à la bibliothèque, mon fidèle lieu de pèlerinage. L'endroit idéal pour boucler la boucle, dans le secret des dieux.

Avec du recul, je ne regrette pas d'avoir à peu près tout raconté aux copines, qui ont eu une réaction, ma foi, surprenante. Loin de m'attendre au jugement dernier, je les soupçonnais toutefois d'avoir un parti pris pour Philippe-le-doux, Philippe-le-tendre, Philippe-le-ci, Philippe-le-ça.

J'étais plus-que-persuadée que ce serait moi, la méchante de l'histoire. Que j'aurais droit au même traitement à la dure qu'Annabelle, qui a tout de même, faut-il le rappeler, et contrairement à moi, entretenu la flamme et goûté au fruit défendu. Dans son cas, le geste audacieux a accompagné la pensée trouble.

À ce sujet, le clan s'est clairement divisé après que l'euphorie a été à son comble pendant un bout. Les avis étaient alors partagés et souvent nuancés. Je suis toujours fascinée de voir à quel point quatre amies aussi soudées peuvent avoir des idées, des goûts et des opinions diamétralement opposés.

N'empêche que j'ai la nette impression de les avoir envoûtées avec mon histoire à l'eau de rose. Dans leurs yeux, je pouvais voir le rêve, l'envie, le retour dans le temps. Elles se remémoraient sans doute leur Jacob à elles. Qui sait, leur jardin secret est peut-être mieux entretenu que le mien ! Avec tout ce qui arrive à maman, j'ai compris que, dans la vie, il n'y a rien d'impossible.

Et maintenant, il est possible pour moi de choisir délibérément que ce bout d'histoire m'appartienne. C'est mon jardin secret à moi.

Sans même que j'aie à réfléchir, les mots, les bons, coulent comme par magie. « Merci, merci infiniment pour les fleurs. Je ne les oublierai jamais. Les fleurs. Les moments. Les silences. Sois heureux, Jacob. X »

Après m'être relue une seule fois, je respire un grand coup puis j'appuie sur « Envoyer ». Malgré le léger pincement au cœur accompagnant mon geste, j'ai la certitude du devoir accompli, le sentiment de conclure une belle histoire qui, somme toute, finit bien.

L'obscurité totale et silencieuse envahit soudain la pièce. Seule la lune, timide mais pleine, envoie un mince filet de lumière sur les livres qui tapissent les murs. On dirait qu'ils m'observent et veillent sur moi, sur ma paix intérieure. Je me sens à la fois vide et libre. Une larme coule sur ma joue.

12

La belle et la bête

Sur le pas de la porte, prête pour le coup d'envoi de ma journée, je suis en parfait déséquilibre grâce à mes quatre poids lourds : un portable, une boîte à lunch, un sac d'entraînement, sans oublier le fourre-tout de la grosseur d'une poche de hockey, comme dirait Philippe. Ce n'est quand même pas ma faute si la mode est aux formats maxi !

— Les enfants, allez m'attendre dans l'auto, j'arrive ! Oh, attendez ! Montrez-moi vos coins d'yeux et de bouche…

Bon, me voilà rassurée, leurs visages ne portent plus les traces disgracieuses de la nuit et du déjeuner. Le pied dansant, je tente tant bien que mal de déposer un bisou sur la joue de mon homme avant de le quitter. La bouche, c'est trop risqué à cette heure alors qu'il a déjà avalé deux ou trois cafés corsés et ne s'est pas encore brossé les dents.

— Passe une belle journée, Émilie Bordeleau !

— Toi aussi, petit clown ! je réponds en riant.

Philippe m'a toujours beaucoup fait rire avec son humour vif et ses expressions colorées. Ce matin, ce sont mes bottillons noirs qui me valent ce commentaire pour le moins rigolo. Hier, quand je suis sortie faire des courses, il m'a lancé un : « À tout de suite, Pocahontas ! » On aura deviné que je portais fièrement mes mocassins de suède à franges qui, je me tue à le lui répéter, ont la cote cette saison.

— Penses-tu rentrer tard ce soir ? me questionne-t-il.

— Pas spécialement, mais je te fais signe en fin de journée. Ah oui, j'ai fait dégeler du poulet pour le souper. Pis j'ai parti une brassée de foncé qu'il faudrait que tu mettes dans la sécheuse, j'ajoute d'un trait.

— Compte sur moi, *beautiful* !

Cette fois, je le fusille du regard. Je déteste ce surnom et il le sait trop bien. Ignorant mon langage non verbal pourtant évident, il en rajoute.

— En autant que tu me laisses pas la *batch* de délicat qui prend une demi-heure à mettre sur des cintres plutôt que cinq secondes à garrocher dans la machine, *BEAUTIFUL*!

Je ne peux m'empêcher de rire à nouveau. Puis Philippe disparaît dans son bureau alors que je m'apprête à mettre le nez dehors pour découvrir qu'un orage vient d'éclater. Merde! Et moi qui ai tenté de me boucler les cheveux en suivant mentalement les bons conseils de Rosalie! Déjà que mes frisettes sont approximatives et surtout fragiles, je ne vais pas tout gâcher sous la pluie!

Où est mon foutu parapluie, bon sang? Il me semble l'avoir vu traîner quelque part dernièrement, et là, au moment précis où j'en ai besoin, il disparaît dans la brume. Phénomène étrange mais observé à répétition dans ma demeure. 1-800-Plan-B. Devant un retard imminent sur mon horaire, je ne fais ni une ni deux et j'agrippe le mini parapluie de pirate de Zac qui fera l'affaire pour aujourd'hui. Pourvu que je ne croise personne!

— Maman, qu'est-ce que tu fais avec ça? C'est à moi pis c'est un peu bébé pour toi, me lance Zac avec candeur.

Je sais que j'ai l'air ridicule, mais mon sens de l'humour m'a laissée tomber maintenant que je suis officiellement en retard.

— Juliette, ça te tentait pas d'attacher ton frère? je m'impatiente, sentant déjà la sueur me perler sur le front.

— C'est difficile, pis c'est toujours toi qui le fais d'habitude.

Je me prends une note mentale d'enseigner dans un avenir très rapproché à Zac comment boucler sa ceinture tout seul comme un grand. Le matin, chaque minute compte! Si je peux en gagner quelques-unes à cette étape, je ne m'en porterai que mieux. Mon brushing aussi. Car inutile de préciser que si, règle générale, je m'illustre particulièrement dans le multitâche, en cet instant précis, je n'arrive pas à attacher mon fils ET à tenir mon parapluie à peine plus large que ma tête. Mes boucles sont foutues, c'est clair!

La mèche désormais rebelle, je finis par prendre la route de l'école, destination service de garde, car les enfants ont – encore – une pédago. C'est ce qui explique qu'exceptionnellement j'assure le transport scolaire ce matin, et par conséquent, que je subis la circulation des petites artères de banlieue.

Allez, on se magne, les copains! À les voir se balader dans les rues, on comprend tout de suite qu'ils n'ont pas le même agenda que moi aujourd'hui! Laisser s'écouler trois secondes à un arrêt, il y a encore des gens qui font ça?

Trente minutes plus tard, nous mettons le pied dans le gymnase grouillant d'enfants qui s'égosillent et gigotent dans tous les sens. Après avoir embrassé mes enfants, je ne suis pas peu soulagée de reprendre la route pour retrouver le calme et le silence. Quoique, à bien y penser, c'est plutôt relatif, étant donné que je me dirige vers une agence de publicité, où calme et silence ne sont pas exactement caractéristiques du climat et des gens y travaillant.

* * *

À l'heure du lunch, je sors de ma jungle animée et me dirige vers le déjeuner-causerie de la Chambre de commerce. Je ne sais pas trop pourquoi, mais aujourd'hui, je n'ai aucune envie d'arborer mon plus beau sourire pour me faire sécher les dents. Je serais beaucoup plus utile devant mon ordi à attacher les ficelles d'un dossier classé prioritaire.

Il se trouve qu'un mégacentre de type *lifestyle*, incluant boutiques, restos, hôtel, spa, cinéma et patinoire extérieure, est en plein chantier et que je me suis mis en tête de faire de Jumpaï son agence officielle. Faire la promo de mode et de shopping, c'est un mandat qui me convient tout naturellement!

L'ouverture tant attendue est prévue au printemps prochain, mais j'ai déjà amorcé quelques bonnes discussions avec les dirigeants qui ont démontré un vif intérêt à travailler avec nous. En ce moment, la balle est dans notre camp alors que nous nous apprêtons à leur présenter nos recommandations finales.

Dans de telles circonstances, l'intensité de mon leadership monte d'un cran. En vérité, je suis loin d'être reposante! L'équipe entière est mise à contribution afin d'aller chercher le meilleur de chacun. Cette fois-ci encore, tous les services ont travaillé d'arrache-pied pour livrer la marchandise sans pour autant oublier les mandats quotidiens.

Je suis particulièrement fière de la création qui, à mon avis, est l'une des plus percutantes que nous ayons réalisées depuis mon arrivée à la barre de l'agence. À la fois simple et efficace, elle possède une bonne dose d'audace. Nous sommes loin d'en être là, mais c'est exactement le genre de campagne qui a l'étoffe d'un gagnant de concours publicitaire. Un jour à la fois. Chaque chose en son temps. On verra bien.

Dehors, c'est la flotte. Vraiment charmant. J'empoigne avec un soupir mon nouveau parapluie de pirate qui m'apparaît soudain d'une robustesse douteuse. Si le vent prend là-dedans, je suis foutue. Je ne sais pas ce qui me retient de rebrousser chemin.

N'écoutant que mon courage, je mets le cap sur ma destination avec à peine quinze minutes de retard. Dans ma course, je regarde plus ou moins où je pose les pieds et j'entre en collision avec un type en chaussures de luxe – c'est tout ce que je vois. Je lève les yeux en même temps que mon super parapluie super bébé, à deux doigts de crever l'œil de ce brave homme. Non, non et non ! Le brave type, c'est le maire en personne !

— Monsieur le maire ! Quelle surprise ! Désolée, je vous avais pas vu.

Bien entendu, il plisse les yeux et ne me reconnaît pas du premier coup. Allez, un petit effort, monsieur le maire, nous avons travaillé ensemble dans un comité, sans compter toutes ces soirées mondaines où nous nous sommes croisés… Je suis un tantinet piquée dans mon orgueil. Puis le déclic se fait. Il était temps !

— Ah, bonjour, Gabrielle, comment vas-tu ?

— Bien, et vous ? Notre belle ville vous tient toujours aussi occupé ?

— Toujours ! Mais tu sais à quel point j'aime ça. Et toi, l'agence ?

— Ça roule rondement, on a le vent dans les voiles.

— Comment va ce bon vieux M. Thomas ?

J'ai été présentée au maire par M. Thomas il y a quelques années. Les deux hommes ont collaboré à plusieurs reprises pendant leurs parcours d'exception.

— Il va bien. Disons qu'il prend davantage le temps de vivre depuis qu'il est à la retraite.

Nous sommes interrompus par un cercle d'hommes en complet-cravate qui ont l'air de se prendre au sérieux pas à peu près. Ils saluent vivement mon interlocuteur sans me jeter un seul regard. C'est quoi, cette attitude à la con ?

C'est donc ainsi que se termine notre conversation, mais pour être franche, je dois admettre que mes attentes n'étaient pas très élevées. Je me compte déjà privilégiée d'avoir pu échanger plus de deux phrases avec celui qu'on voit partout. Il est tellement partout que je me demande s'il n'a pas un clone ! Qu'importe, cloné ou pas, il est tout pardonné, mais il a intérêt à me reconnaître la prochaine fois !

Sur cette note, je relève le menton et pénètre dans l'hôtel. Je me dirige avec assurance vers ma place assignée. Je salue quelques visages connus au passage, en prenant soin d'arborer mon sourire rehaussé de *gloss* fraîchement appliqué. Quelle n'est pas ma surprise de voir nulle autre que Pénélope, mon amie coureuse, assise à ma table.

— Pénélope ? Tu parles d'une belle coïncidence !

Décidément, c'est la journée des rencontres-surprises.

— Gabrielle ? Wow, si je m'attendais à ça !

— C'est drôle parce que je me disais justement y a pas longtemps qu'il faudrait qu'on se revoie bientôt. Faut pas reprendre nos mauvaises habitudes, dis-je en lui faisant la bise.

— Comment ça va, toi ? Et l'entraînement ?

— Oh, c'est une longue histoire… Je vais te raconter ça tantôt, je lui réponds pendant qu'on se fait rappeler à l'ordre par l'animateur du déjeuner-conférence.

Il n'en fallait pas plus pour que le conférencier invité de la journée perde de son lustre au profit des nouvelles retrouvailles avec ma copine. Je n'ai qu'une envie, reprendre la conversation avec elle afin de savoir où elle en est avec sa course. Vivement qu'il finisse son allocution, qui manque d'ailleurs de mordant. Il a le nez dans ses notes depuis le début, c'en est presque gênant. Les présentations orales, ce n'est pas dans sa palette, c'est clair.

À lui voir l'air faussement intéressé, Pénélope semble aussi découragée que moi par la prestation de notre supposée «personnalité inspirante». Je ne sais pas pour le reste de la salle, mais elle et moi, nous ne sommes pas inspirées du tout.

Je me mets à penser que je me tirerais bien mieux d'affaire si j'étais à la place du petit monsieur endormi et endormant. Les

« com », je connais. Resterait à trouver un bon sujet. Un détail. Bon, me voilà avec un autre projet en tête. Je m'empresse de le reléguer aux oubliettes. Pour le moment.

Le lunch se poursuit sur une note plus dynamique. Toujours aussi vive et pétillante, Pénélope me raconte qu'elle s'est remise à l'entraînement il y a quelques semaines à peine.

— C'est loin d'être gagné, mon affaire ! Je ressens encore de la douleur, mais j'y vais en douceur, selon les bons conseils de mon physio.

— Les nouvelles sont bonnes, Penny ! Au moins, t'as pu recommencer. Tu connais l'adage : lentement, mais sûrement.

Mais qu'est-ce qui me prend d'utiliser cette phrase surfaite à laquelle je ne crois même pas moi-même ? Depuis quand j'avance à petits pas, à grandes enjambées de patience ? Mon amie n'y voit que du feu, alors je fais mine de rien. Je la laisse me raconter la suite de ses déboires et la pente qu'elle continue de remonter avec courage et détermination.

— Assez parlé de moi, dis-moi comment ça va, la course, toi ? s'enquiert-elle avec beaucoup d'intérêt.

Décidément, mon entourage prend mon projet de quête très à cœur. Ça me touche.

— Moi aussi, les nouvelles sont bonnes, je tiens le coup ! J'ai eu un petit bout plus *tough*, mais là, ça va mieux. J'ai beau être assez en forme, je trouve pas ça si facile physiquement.

— Ouais, c'est un sport très exigeant, qui demande pas mal d'endurance. Si c'est pas trop indiscret, tu fais combien ?

La question qui tue. Tout coureur qui se respecte doit pouvoir répondre à cette interrogation sans aucune hésitation. Je m'y suis faite. Mon temps, je le calcule à la microseconde près avec ma montre GPS et le récite par cœur à qui mieux mieux en guise d'automotivation. Rosalie et Roxane font semblant de comprendre, mais je vois bien que c'est du chinois pour elles.

— Je fais des sorties allant de trente à soixante minutes à un *pace* d'environ cinq minutes quarante-cinq à cinq minutes cinquante-cinq. À ce stade-ci, je me demande encore comment je vais faire pour courir une autre heure au demi !

— Tu t'en fais pour rien, Gab. Faut que tu continues. La performance, ça viendra avec la pratique.

Pitié, faites qu'elle ne me balance pas un «lentement, mais sûrement». Je ne lui laisse pas le temps de discourir davantage.

— Le plus difficile pour moi, c'est d'inclure l'entraînement dans mon horaire déjà réglé au quart de tour. J'ai vraiment l'impression de courir *non-stop*, donc finalement, l'objectif est atteint!

Cette réflexion nous fait rigoler ferme. Vu son statut peu enviable de mère de famille monoparentale, de jumelles de surcroît, Pénélope abonde dans le même sens. Je me fais rassurante:

— Dans le fond, on est à peu près toutes dans la même galère. Chacune à sa façon, pour différentes raisons, mais grosso modo, le topo reste le même.

— T'as raison, mais on dirait que, chez certaines personnes, c'est pire que pour d'autres. Une sorte de prédisposition à mettre son nez partout pour ne rien louper. Je dis ça de même, là, conclut-elle en m'adressant un clin d'œil amical.

Mais qu'est-ce qu'ils ont tous à me psychanalyser? Le diagnostic de ma vieille copine est assez fidèle à la réalité, elle a de quoi être fière de son coup. Le sourire que je lui rends confirme ses propos.

— T'as tellement raison, Penny, mais j'ai beau être souvent à bout de souffle, je dois bien aimer ça, non?

— C'est sûr, ça, ma chérie. Faut juste pas que tu t'oublies là-dedans, c'est tout.

— T'inquiète! J'arrive à garder un certain équilibre. Ma famille et mes amies ont la plus grande place dans ma vie…

Sur ces mots, ma voix se brise et mon visage s'assombrit, ce qui n'échappe pas à Pénélope. C'est le moment que choisit ma deuxième voisine de droite, un petit bout de femme aussi large que haut, pour me demander de lui passer la baguette et le beurre.

J'en profite pour essuyer du revers de la main les larmes qui perlent au coin de mes yeux. Je ne suis pas sûre d'avoir envie de parler de maman. Surtout ici, parmi toute cette classe affaires. Ce n'est sans doute pas la place, d'autant plus que je devrais être en mode *PR* et pas en train de pleurnicher en cachette.

Pour chasser cette vilaine culpabilité, je me ressaisis du mieux que je peux et j'échange quelques mots avec les distingués invités de la table. Pénélope n'a d'autre choix que de m'emboîter le pas et de prendre son mal en patience. Elle ne perd rien pour attendre et aura même des nouvelles fraîches.

* * *

Il y a de ces signes qui ne trompent pas. Des rencontres qui surviennent pile au bon moment, comme tombées du ciel. C'est exactement ce qui est arrivé avec Pénélope l'autre jour, quand nous nous sommes retrouvées au hasard d'une configuration de tables.

Dès que nous avons senti l'odeur si familière et délectable de la caféine en conclusion du copieux repas, nous avons déserté les lieux en douce pour passer au petit salon et y prendre le thé. Vert, bien entendu, c'est plus *in*. Branchée, guindée ou « matante », la fille ? Entre les trois, mon cœur balance encore. À vrai dire, le thé, c'est pour donner un semblant de zénitude à ma vie en montagnes russes.

Le café continue d'être ma drogue douce, mais il me rend trop intense parfois. En revanche, le thé a le pouvoir magique de me détendre. Depuis qu'il a compris ça, Philippe en achète à la tonne et il se trouve particulièrement drôle. Les saveurs offertes sur le marché n'ont plus de secret pour lui comme pour moi. Personnellement, je renoncerais à quelques mélanges douteux si j'étais marchande de ces herbes aromatiques. Bientôt, on nous servira une version à la gomme balloune pour enfants !

Bien entendu, dès que je suis devenue une fan finie, il était hors de question que je boive du thé dans des tasses à café. Je voue un minimum de respect aux traditions, quand même ! Je me suis alors mise à la recherche d'un service à thé digne de ce nom. J'ai vite craqué pour deux modèles dans une petite boutique du coin, une véritable caverne d'Ali Baba. D'ailleurs, je me suis fait la promesse d'y mettre les pieds plus souvent, c'est fou ce qu'on peut y trouver.

Bref, pour en finir avec mon histoire de thé, je n'arrivais pas à faire un choix, alors je n'ai pas pris de risque, j'ai acheté les deux ! Avoir des doublons, ce n'est jamais perdu dans une cuisine où le lave-vaisselle fonctionne à plein régime. Ils sont hyper chouettes mais impossibles à ranger dans mes placards où règne un réel chaos. Désolant. Et où vais-je trouver le temps de mettre de l'ordre là-dedans ? Déprimant.

Le récit de mes péripéties a tôt fait de redonner à la conversation un ton plus léger, mais Pénélope n'a pas tardé à recentrer les priorités. Elle voulait à tout prix savoir ce qui n'allait pas. Avec une étonnante retenue, je lui ai présenté la version courte pour différentes raisons, la première étant d'éviter de verser dans le mélodrame avant de retourner au boulot. Je n'avais pas le cœur assez solide pour le ramasser en morceaux aujourd'hui encore.

L'autre dimanche, notre journée sous le signe du bon temps en famille avait obtenu la note parfaite. Maman était en forme et de bonne humeur. Entourée de ses petits-enfants, elle irradiait de bonheur et de sérénité, et moi, je la trouvais belle et épatante. Mes deux frimousses ne savent toujours rien, mais je passais mon temps à leur dire de ne pas trop fatiguer mamie. Ils finiront bien par se douter de quelque chose, d'autant plus que les traitements laisseront des traces.

Si ce dimanche-là avait été sans faute, la semaine qui avait suivi s'était avérée particulièrement éprouvante alors que j'avais accompagné maman à son premier traitement de chimiothérapie. Il y avait à peine deux semaines, elle s'était enfin décidée à faire le saut. Tout son *fan-club* avait crié victoire, croyant encore avec ardeur aux miracles de la vie. Pour Alice, c'était plutôt le début d'une série de luttes entre la belle et la bête. Un combat ultime qui ne pardonnerait peut-être pas.

J'étais terrorisée par cette idée, mais immensément soulagée de savoir qu'elle s'accrochait à l'espoir, qu'elle croyait que la médecine pouvait changer le cours des choses. Pour moi, malgré tout ce que cette décision impliquait, l'abandon n'était pas une option. J'aurais eu un mal fou à accepter qu'elle baisse les bras, qu'elle se laisse mourir à petit feu.

Bien entendu, c'était à moi que revenait la lourde tâche d'accompagnatrice et je l'avais acceptée sans savoir comment je réagirais, à quel point je serais secouée devant tant d'inconnu et de souffrances.

Rosalie devait débarquer d'une journée à l'autre, jusqu'ici retenue en Europe pour un gros contrat. Ne voulant pas me laisser toute seule avec maman et ma peine, papa avait gentiment offert de m'accompagner. Je lui avais plutôt demandé de prendre le relais et de veiller sur Alice une fois qu'elle serait revenue à la maison.

L'oncologue, le toujours aussi impeccable Dr Champagne, m'avait prévenue que les jours suivant le traitement seraient difficiles. Qu'elle aurait besoin de soutien moral et physique en raison des effets secondaires très peu commodes comme les étourdissements, les vomissements et l'extrême fatigue.

Les mots étaient faibles. Je le sais maintenant. Et j'ai eu de la peine à exprimer à Pénélope tout ce que Charles et moi avons vécu pendant ces quelques jours. J'avais eu beau m'outiller le plus possible avant le fameux rendez-vous avec le diable en personne, je n'étais pas préparée à voir souffrir ma mère. D'ordinaire solide comme le roc, Alice avait craqué. De rage. De peur. De souffrance. C'était intolérable. Ça lui avait pris des jours à se remettre de ce traitement. À nous aussi.

Je ne suis pas allée aussi loin dans l'histoire devant Pénélope, mais les images de la dernière semaine me sont revenues en boucle. J'avais le visage baigné de larmes et la gorge nouée par l'émotion. Mon amie me tenait la main et me laissait tout le temps qu'il me fallait. Elle me parlait doucement, des sanglots dans la voix. Le temps filait, mais je m'en fichais. Ça faisait des jours que je feignais d'aller bien.

Fidèle à ma promesse, je fonce à contre-courant en puisant à petites doses dans toute la force et tout le courage qu'il me reste. Je m'accroche à mon quotidien, à ma famille, à mes enfants. Je me dis que si moi, je n'aurai plus jamais la même maman, leur maman à eux doit être celle qu'ils ont toujours connue. Sauf qu'à ce moment précis, je n'avais pas envie de faire semblant ni de ricaner avec mes histoires de thé ou de surconsommation avouée.

— Tu sais ce qui te ferait du bien, Gab ? Courir pour la cause du cancer.

Elle a marqué une pause, comme pour voir ma réaction, puis a enchaîné, de l'éclat plein les yeux :

— En faisant quelques recherches, tu verrais que plusieurs courses sont organisées chaque année dans le but d'amasser des fonds pour différentes causes.

J'avais encore du mal à parler, mais mon visage s'était illuminé.

— Penny... T'es géniale et ton idée aussi ! Comment ça se fait que j'y ai pas pensé ?

— Je me doutais que ça allait te plaire, t'es parfaite pour ce genre de défi. Tu vas voir, l'entraînement prend un tout autre sens dans ce temps-là.

— L'as-tu déjà fait, toi ?

— Moi, non, mais je connais un tas de gens qui l'ont fait. Chacun court pour une raison, pour quelqu'un…

Toutes les deux, nous avons dégluti bruyamment avant de poursuivre notre échange enflammé. J'étais soudainement habitée d'une énergie nouvelle. Déformation professionnelle oblige, les idées se bousculaient déjà dans ma tête à la vitesse grand V.

— Je te connais, Gab, à quoi tu penses, là ?

— Plein d'affaires ! Je veux pas en parler tout de suite, mais tu le sauras bien assez tôt si je suis assez folle pour mettre mon plan à exécution.

— Peu importe ce que c'est, tu peux compter sur moi, c'est promis, a conclu une Pénélope aussi pimpante que moi.

Un long câlin a mis un terme à cet après-midi riche en surprises et en émotions. Il se faisait tard et je devais retourner à l'agence. Les yeux rougis mais vifs, je n'avais plus aucune trace de mascara ni de poudre matifiante, ce qui ne m'avantagerait pas particulièrement sous les grossiers néons du bureau.

J'avais une sale tête, certes, sauf qu'à l'intérieur germait quelque chose de prometteur. Ma rencontre avec Pénélope avait été à la fois une grande source de réconfort et d'inspiration. Sans le savoir, mon amie m'avait amenée sur une piste inexplorée et emballante. Un projet – un autre – qui m'allumait franchement. Restait à savoir à quel point cette idée était réalisable.

Malgré tout ce qu'on en pense parfois, la vie, souvent, est drôlement bien faite.

* * *

Besogne de ma soirée, dénicher *in extremis* un costume d'Halloween à mes deux petits monstres qui, si ça continue, devront se contenter de célébrer la fête en *rock star* et en superhéros faits main. Et comme j'ai beaucoup d'imagination mais aucun talent en couture, le scénario est catastrophique pour mes enfants, Juliette surtout, mon ado prématurée, qui est sur le point d'appuyer sur le bouton panique. On n'a pas tous les mêmes préoccupations.

Prenant une fois de plus ce bon vieux courage à deux mains, je trimballe ma marmaille dans un magasin spécialement aménagé pour l'occasion. Misère! Tout est sens dessus dessous là-dedans, et trouver la bonne taille relève du miracle! Nez à nez avec une colonie de gros rats d'égout, je sursaute malgré moi tout en maudissant intérieurement mon grand sens du «dernière minute».

— Maman, c'est pas des vrais, voyons! se moque Zac, une des bestioles dans sa menotte dodue.

Beurk! Je recule d'un pas, incapable de les approcher, lui et ses nouveaux petits «namis». Je hais ces rongeurs et tous les autres dans la catégorie «pas propres». Les tripotant sans problème, fiston est visiblement loin d'être aussi incommodé que moi. Il ne tarde pas à tourner les talons pour entreprendre la quête d'une nouvelle trouvaille. Cette fois, il se retourne subito, coiffé d'un masque tout droit sorti de je ne sais plus quel film d'horreur.

— Zac, ça suffit! Tu me fais peur avec tous ces «gréements»!

Nous finissons par pouffer de rire tout en arpentant les allées encombrées, à la recherche de Juliette.

— Maman, j'ai trouvé! lance ma fille à notre approche.

Excitée comme une puce, elle me désigne un costume de *rock star* noir et blanc, parsemé de têtes de mort ici et là. Bon, un peu lugubre, mais je suis bien placée pour savoir que c'est à la mode. En regardant de plus près, je constate qu'il s'agit d'un costume d'adulte supra sexy, supra décolleté, supra court. Supra *too much*, finalement. Et puis qu'est-ce qu'elle fait là, parmi les ensembles d'infirmière et de maîtresse d'école classés trois X?

— Euh, je pense pas, non! C'est pas fait pour des petites filles de huit ans!

— Ohhhhh! Pourquoiiiii?

Bon, nous voilà devant un autre bel exemple d'entêtement et de ténacité.

— Parce que.

— Parce que quoi?

— Parce que c'est comme ça.

— Tu dis toujours non!

C'est la meilleure ! Je fais la sourde oreille, inutile d'en rajouter, en public de surcroît : je pourrais me transformer en mère indigne dans le temps de le dire !

— Juju, c'est des costumes pour les grandes personnes, c'est tout. Tiens, la preuve, regarde les grandeurs.

— Tu pourrais l'acheter, toi, d'abord ?

— Euh, ça non plus, je pense pas ! je m'empresse d'ajouter en entraînant ma fille loin du vice, près des princesses et des fées.

Sachant fort bien que ma diversion ne fera pas mouche, je ne peux m'empêcher de m'imaginer sous les couvertures nuptiales dans mon petit costume de *nurse* sexy. Nul doute que Philippe me rirait en pleine figure, lui qui n'est pas du genre à s'exciter le poil des jambes ni le reste avec des jeux de rôle !

J'ai déjà vaguement envisagé la possibilité de suivre des cours de danse de poteau, une idée farfelue qui avait fait surface pendant un de mes soupers de chipies. J'ai vite compris que, si je mettais mon plan à exécution, ce ne serait pas pour lui ! J'ai finalement abandonné le projet, les filles aussi. Un peu dommage, quand même. Petite, je n'étais pas vilaine en danse.

Plusieurs négociations et dollars plus tard, nous prenons le chemin de la sortie – un nuage de fumée – avec deux costumes tout à fait acceptables, compte tenu des circonstances. Juliette a troqué sa *rock star* contre une « cheerleaber », comme dirait Zac. Quant à mon fils, justement, il s'est déniché un pirate nouvelle génération.

Je ne suis pas peu fière de nos choix, mais je ne peux pas en dire autant du budget alloué ! Je me trouve un brin déraisonnable, expliquant néanmoins ce débordement par le manque flagrant de tailles disponibles. Non, mais quel exemple de mauvaise gestion des stocks ! C'est ainsi que la belle idée de rentabiliser les costumes m'est venue. Les enfants m'ont alors voué une adoration sans bornes.

— Tu veux dire qu'on peut inviter nos amis pour une fête d'Halloween samedi ? jubile Juliette, déjà en train de faire le décompte mental des amies qu'elle souhaite inviter.

— J'en ai pas encore parlé à votre père, mais il va être d'accord, je lui réponds avec un clin d'œil qui se veut rassurant.

En fait, rien n'est moins sûr, d'autant plus que je lui ai aussi organisé son dimanche puisque c'est le fameux rassemblement, avec toute la bande, du jumelage de familles, piloté par Sophie.

— Trop *cool*! Merci, maman! s'exclame Zac en me sautant spontanément dans les bras. Je vais inviter Elliot, Matis, William, Raphaël, Jacob…

Jacob. Mon cœur fait un bond, mais je me ressaisis juste à temps pour freiner les ardeurs de mon fils, qui est en train de nommer sa classe de maternelle au grand complet!

— Woh! Stop! Je voudrais surtout pas casser votre *party*, mais vous avez droit à deux amis chacun.

— Pas plus que deux? se désole mon aînée.

— Juliette!

— OK, OK, c'est correct, c'est correct, ça va juste être difficile de choisir.

Une fois de plus, je me tais. Il faut savoir choisir ses batailles, m'enseigne Philippe. Je veux bien, mais qu'est-ce qu'elle peut être détestable parfois! De qui elle tient cette fâcheuse habitude de s'entêter de la sorte? Mon mec n'en démord pas, elle est mon portrait tout craché. Je ne suis pas d'accord, ça va de soi.

* * *

La Jeep roule vers le soleil de midi. Mes pensées, elles, se perdent à l'infini. Je songe à mon secret encore bien gardé. Le projet dont l'idée me vient de Pénélope. Personne n'est au courant pour l'instant. J'ignore pourquoi, il me faut d'abord l'avis de M. Thomas. Ses bons conseils m'ont toujours bien servie dans le passé, je ne vois pas pourquoi ça changerait maintenant. D'autant plus que la cause du cancer le touche profondément en raison de sa femme qui en est décédée. Oui, c'est assurément l'homme de la situation, sauf qu'il est à l'extérieur du pays en ce moment. Vivement son retour, que je lui raconte mon idée, qui me semble de moins en moins folle. J'ai aussi hâte de savoir ce qu'en dira Philippe, mon fidèle compagnon et témoin de tous mes autres projets.

La musique pop est dans le tapis et les enfants chantonnent des paroles dans un anglais plus qu'approximatif. Ils sont tordants.

Surtout quand ils rabrouent gentiment Philippe, qui tente subtilement de changer pour une chaîne au son plus rock alternatif.

— Ah non, pas ça, papa!

— C'est *full* plate!

— J'avoue, Phil…

Trois contre un, il est foutu, le pauvre.

— Ah oui, vous voulez celle-là? Exactement la même toune «tchikaboum» qu'on vient d'écouter à l'autre poste pis qu'avec un peu de chance on va réentendre ici dans moins d'une heure?

— C'est ça! répondons-nous tous les trois en chœur.

Pour le taquiner, je lui sers un sourire triomphant avant de tourner mon regard vers les champs dorés qui dansent au vent. On dirait presque qu'ils suivent la cadence de notre trame sonore. Des maisons, des petites et des grandes, avec ou sans couleurs, des fermettes aussi, se suivent sans se ressembler.

Longeant la route de campagne que nous suivons, la rivière tranquille nous accompagne vers notre destination, vers la rencontre de la famille parfaite pour nous, choisie avec doigté par Sophie, notre fée marraine. C'est certain, une autre belle journée sous le signe du gros *fun* noir nous attend.

Le *party* d'Halloween d'hier a été une réussite sur toute la ligne. Malgré les protestations de Philippe, j'ai pu mettre mon plan à exécution. Fidèle à mon habitude, j'y suis allée un peu fort sur l'organisation dans son ensemble. Pour une fille qui voulait rentabiliser deux costumes, on repassera! Sans avoir le décompte final sous la main, je peux déjà affirmer hors de tout doute que les «cossins» achetés pour agrémenter la fête m'ont coûté le double!

On aura compris que je ne fais pas dans la demi-mesure, alors, bien entendu, j'ai planché sur une programmation complète d'activités amusantes ET éducatives. Même Philippe a cessé de grogner pour y mettre du sien et donner quelques idées étonnantes de créativité.

Notre ribambelle de gamins surexcités a donc eu droit, d'entrée de jeu, à un atelier de confection de citrouilles dirigé par nul autre que mon époux, aussi tendre que ronchonneur. Toute la brigade d'amis, âges et sexes confondus, a aussi participé activement à une chasse aux friandises et à la création de napperons aux couleurs de l'Halloween. S'est ensuivie une dégustation de délicieux *smoothies* à base d'araignées, de couleuvres et de queues de rats.

Pour la dernière demi-heure de la fête, j'ai laissé les petits invités costumés s'amuser dans une salle de jeux spécialement *spic and span* pour les recevoir. À entendre le bruit qu'ils faisaient, je savais trop bien que tout serait à recommencer après le passage de l'ouragan nommé «enfants».

Complètement vidée après m'être démenée comme une parfaite G.O., je me suis ouvert une bouteille de vin toute seule – Philippe s'étant exilé dans son garage excavé – en m'amusant à mon tour à texter Roxane près du feu.

«Bon samedi! Ici la G.O. spécial Halloween. La marmaille fout le bordel en bas. La fille en haut est brûlée ben raide.»

Le iPhone scotché aux doigts en tout temps, mon amie m'a répondu rapidement.

«T'es déguisée en quoi? Ne me dis pas que t'as finalement décidé d'investir dans ton fameux costume d'infirmière sexy?»

«NON! Buveuse en série, ça me va mieux.»

«Courage, ma poule. Plus que quelques jours et ce sera le temps de penser à Noël!»

«NOËL! AU SECOURS! J'ai envie de partir en courant.»

Nos conversations virtuelles arrivent toujours à me dérider. Roxane a un humour décapant dont je raffole et ne peux plus me passer. Surtout ces temps-ci, avec maman qui se remet tranquillement de son premier traitement. Elle et Rosalie devaient d'ailleurs se joindre à nous aujourd'hui, mais elles se sont décommandées tôt ce matin. Alice se sent un peu fatiguée après une nuit d'insomnie.

J'ai le cœur gros, mais je la sais en sécurité et entourée d'amour avec ma sœur tout près. Rosalie devant retourner au bercail dans deux jours, elles ne se quittent pas une seconde. Pour ma part, j'essaie par tous les moyens de passer du temps avec elles, me fendant en quatre pour répondre à l'offre et la demande qui fusent de toutes parts.

Avec Rosalie dans les parages, j'ai du mal à tenir promesse et à ne pas prendre des nouvelles de Jacob. Et c'est étrange, elle ne m'en parle pas. Il faut dire qu'en quittant New York je lui ai clairement fait savoir que je voulais laisser cette histoire derrière moi.

Manifestement, elle m'a prise au mot, et je suis presque déçue. C'est bien moi, ça.

Si Rosalie ne fait aucune mention de Jacob ni de notre week-end mémorable, elle ne manque pas de nous étourdir avec le récit de son idylle qui se poursuit avec le beau et riche Scott Apple. En dépit de leurs agendas surchargés et de leurs déplacements outre-mer, ils continuent de vivre d'amour et d'eau fraîche. Croyant plus ou moins à une relation sérieuse et durable, je me demande tout de même si je vais recevoir un top-modèle international pour le réveillon cette année. Les filles vont crever de curiosité et de jalousie !

— Gab ? Gabrielle ?

— …

— GA-BRI-ELLE, t'es où là ?

— À mon réveillon de Noël.

— Tu me niaises ? T'as pas ramassé tes foutues citrouilles que t'es déjà rendue aux fêtes ? Tu m'étourdis !

— Relaxe ! Le paysage m'enchante et m'inspire, je lui réponds, à moitié sérieuse.

Levant les yeux au ciel en signe de découragement, Philippe nous désigne la ferme qu'on aperçoit au détour de la courbe. Même de loin, ça se voit tout de suite que nous ne sommes pas les seuls à avoir eu cette idée. Le site est noir de monde et les champs de citrouilles sont à perte de vue. L'excitation des enfants est palpable et me rend fébrile tout à coup. Philippe, lui, garde ses émotions en dedans.

Le point de rencontre se situe dans l'aire de pique-nique, et comme nous avons un peu de retard, nous ne sommes pas surpris d'arriver bons derniers. Bien entendu, de nombreux visages nous sont inconnus. Sophie est déjà occupée à distribuer les sourires et les victuailles aux petits comme aux grands. Tenant mordicus à offrir une expérience clés en main, notre fée marraine a fait préparer un véritable festin par notre traiteur favori.

— Vous voilà enfin ! s'exclame-t-elle avec un soupir.

Bon, elle ne va pas commencer. Ça fait très exactement trente-sept ans que je suis en retard, je ne vais pas changer cette année ! Elle s'approche avec un large sourire. Voilà qui est mieux.

— Allez, viens que je te fasse la bise. C'est juste qu'on vous attendait pour débuter officiellement.

— Détends-toi, mon p'tit chou. Tout va bien se passer. *You rock!*

Nous embrassons tout notre monde avant de nous faire une place près d'une jeune maman qui semble un peu déroutée et de ses deux enfants. Sophie met vite un terme à la cacophonie générale pour livrer son mot de bienvenue. Son discours sans faille me tire presque une larme. Philippe m'aperçoit du coin de l'œil et, plutôt que de se moquer, il m'adresse un sourire bienveillant. Je le connais, mon loup, il fait son *tough*, mais la scène lui remue les entrailles autant que moi.

En conclusion, Sophie nous communique le résultat de son jumelage final. Et le hasard fait bien les choses, puisque nous sommes assis côte à côte. Notre famille-jumelle compte justement la jeune maman que j'ai repérée tout à l'heure. Nous échangeons un sourire. Le nôtre est empreint de chaleur, le sien est sincère mais gêné.

L'heure qui suit se passe dans la bonne humeur et la fébrilité qu'entraînent invariablement les nouvelles rencontres. Nous savourons les délices de notre pique-nique tout en faisant connaissance avec nos nouveaux amis. Chloé, c'est la maman d'Emma, huit ans, et de Théo, cinq ans. Le voilà, le lien, nos enfants ont exactement le même âge! Où est le papa? L'histoire ne le dit pas.

Notre marmaille ne tarde pas à nous entraîner vers le parc non loin, là où se côtoient des jeux et des glissades de toutes sortes, mais aussi des structures gonflables. Chez les miens, ces drôles de bidules à air ont toujours la cote. Visiblement, il en va de même pour toute notre petite bande qui s'en donne à cœur joie à sauter partout.

Je suis même témoin de Juliette tenant par la main un Théo émerveillé afin de lui permettre de suivre la cadence du reste du clan. Un geste attendrissant que je m'empresse de partager avec Philippe. Les enfants ont un don naturel pour tisser des liens en dépit de tout ce qui les sépare: j'en ai encore la preuve aujourd'hui.

L'heure de la cueillette des citrouilles a sonné. Un train nous trimballe jusqu'aux champs plus haut, joliment teintés d'orangé. Faisant le plein d'air frais, nous sillonnons joyeusement la terre labourée avec amour, à la recherche de ce qui fera bientôt office de décorations devant nos maisons. Notre chasse est fructueuse à souhait, nous revenons les bras chargés de plusieurs citrouilles, des mini comme des dodues.

J'apprends que Chloé est âgée d'à peine trente ans et travaille au restaurant du coin de sa rue. Elle est mère de famille mono-parentale et je lis entre les lignes qu'elle ne l'a pas eue facile. Sans entrer dans les détails, elle confie du bout des lèvres qu'après une période très chaotique le père de ses enfants a finalement foutu le camp et que c'est très bien ainsi. Puis elle se referme comme une huître et change de sujet.

La bonne humeur des petits est contagieuse et nous entraîne dans leurs fous rires et leur folie passagère. Pour ça aussi, ils sont doués, les enfants. Je me dis que nous devrions prendre davantage exemple sur eux.

Le visage de Chloé est heureux, comme celui de ses bambins. Tout le monde respire le bonheur grâce à mon amie Sophie. Grâce à ces petites joies qui deviennent grandes quand on s'y attarde pour vrai. Lorsque mon regard croise celui de mes fidèles amies, je perçois la même satisfaction, le même sentiment grisant de faire quelque chose de bien. Ma journée prend tout son sens. Notre quête visant à devenir de meilleures personnes également. Un vrai *feel good day*.

* * *

Après ma bonne action de la journée, une douche rapide et un macaroni au fromage vite fait – le repas favori de mes petits, allez savoir pourquoi! –, je reprends la route pour rejoindre Alice et Rosalie chez Citron Lime. Nous y avons réservé la place de choix, celle qui donne sur l'imposant foyer de briques blanches, qui fonctionne à plein régime.

Frissonnante, j'arrive au pas de course – évidemment! –, les embrasse vigoureusement avant de m'installer avec soulagement dans l'un des immenses fauteuils couleur neige, aussi design que confortables. Ça doit bien faire, quoi, dix rénos d'affilée que le pro-prio nous sert? Il doit en vendre à la tonne, de ses plats pas piqués des vers pour s'offrir une cure de rajeunissement tous les ans!

— Ça va, vous deux? je m'informe en les regardant tour à tour. Je peux?

Je désigne la bouteille de vin qui m'interpelle.

— Bien sûr, ma puce! Nous, ça va bien. On s'est concocté une petite journée *cocooning*, hein, Rose? Ça m'a permis de faire la sieste cet après-midi pour reprendre mon sommeil perdu de la nuit passée. Je suis comme une neuve ce soir !

Sacrée Alice, toujours aussi positive. Elle ne se plaint jamais. C'est épatant, presque déroutant.

— Journée *cool* et parfaite. Pendant le dodo de maman, j'en ai profité pour mettre de l'ordre dans mes courriels. Non, mais c'est *non-stop*, ces petites bibittes-là ! Vous faisiez quoi dans votre temps, *mom* ? fait Rosalie d'un ton réellement consterné.

Maman rit de bon cœur, la flamme dansant dans ses yeux noisette. La lueur du feu se reflète aussi sur le doux visage de ma petite sœur, la rendant encore plus jolie et lumineuse.

— Je sais que c'est à peine croyable, mais on y arrivait quand même. Pas aussi vite, moins efficacement, mais on s'en sortait. La vie allait pas au même rythme qu'aujourd'hui. Et puis vous savez, les filles, règle générale, ce qu'on connaît pas ne nous manque pas.

— Je suis obligée de te donner raison là-dessus, je renchéris aussitôt. J'ai pas toujours eu un iPhone sous la main, mais aujourd'hui, j'imagine pas ma vie sans lui. Et vous devriez voir aller les enfants avec les nouvelles technologies. Encore hier, Zac, cinq ans, refilait un truc à Phil, trente-huit ans, sur le iPad !

— Quand on pense que même Charles s'y est mis, faut VRAIMENT que ça soit rendu un prérequis pour tout !

— Dis donc, vous vous parlez vraiment souvent ! je reprends avec un air taquin qui en dit long sur ce que je pense de leur complicité nouvelle.

— Je confirme ! Depuis que je suis en ville, papa a dû lui envoyer dix textos, sans parler de ses coups de fil, roucoule Rosalie, fière de sa révélation.

— Franchement, c'est n'importe quoi ! Vous y êtes pas du tout, mes puces d'amour. Votre père veut simplement être gentil.

— Si tu le dis… N'empêche, on dirait qu'il a jamais été aussi présent que maintenant dans ta vie. *He really cares.* Tant mieux, dans le fond, non ? reprend Rosalie, philosophe.

— Oui. Malgré notre passé, sa présence me fait du bien.

J'acquiesce sans grande conviction. Je me demande même en silence si Charles n'est pas en train de retomber amoureux d'Alice. Il aurait pu y penser avant, non ? On s'entend que le moment est plutôt mal choisi pour recoller les pots cassés ! D'ailleurs, maman a la mémoire courte pour le réintégrer ainsi dans sa vie. Il lui en a fait baver à une certaine époque avec ses absences à répétition et ses infidélités soupçonnées. Ça ne s'oublie pas si facilement, ce genre de truc.

— Sais-tu comment sa copine prend ça, elle ? demande Rosalie avec une pointe d'ironie dans la voix.

— Oh que ta réponse m'intéresse ! Alors ? Elle crève de jalousie, c'est clair, non ? je bombarde Alice du bout de mon siège, prête à bondir d'excitation.

— Moi, c'est drôle, ça m'intéresse pas. J'ai pas d'énergie à gaspiller, ni sur ma rancœur envers votre père ni sur sa collection de pouffiasses !

— *Come on, mom*, t'exagères un peu ! Papa a eu quelques petites amies, mais pas autant que t'imagines.

D'un geste théâtral, maman nous fait signe de nous taire et de changer de sujet avant qu'elle ne s'énerve sérieusement. Elle en profite pour filer au petit coin avec sa démarche de femme fatale. Même malade, la nouvelle Alice, celle qui croque les hommes, n'est jamais bien loin. Du moins en surface.

Je la regarde s'éloigner en sirotant mon succulent rouge, corsé à souhait. Une question me brûle les lèvres et je me demande bien ce qui me retient de la poser maintenant que j'ai Rosalie pour moi toute seule. Advienne que pourra, je me lance, en croisant les bras avec aplomb :

— Alors, c'est ça, on n'en parle pas ?

— De quoi exactement ?

Je la fusille du regard. Ma sœur sait TRÈS bien de quoi il s'agit. Elle se paie ma tête pour le plaisir de me voir me tortiller et avouer l'inavouable. Je flanche :

— De Jacob…

— Ah bon ? Je croyais qu'on pouvait plus aborder ce sujet.

— Rose… Tu comprends ce que je veux dire… C'est juste que… Enfin, tu sais… je bégaie, confuse et cramoisie.

— Non, je sais pas.

Aussi désespérée qu'agacée, je roule les yeux au ciel. Il faut qu'elle se dépêche, maman va revenir d'une minute à l'autre.

— ROSALIE ! Arrête ton cirque, c'est pas drôle !

— C'est TRÈS drôle! Mais c'est bon, j'arrête.

De la malice plein le regard, Rosalie me sert son sourire Crest en renversant par-derrière sa crinière toujours aussi bien domptée. Elle s'est fait blanchir les dents, la coquette! Assurément, la quête de ma sœur, c'est celle de la perfection. *Focus*, Gab, *FO-CUS*.

— Faque?

Pendant ce que je crois être un bref moment d'égarement, Rosalie, d'ordinaire si vive et spontanée, se fait hésitante puis déclare:

— Veux-tu bien me dire ce que tu lui as fait?

— …

— Jacob, je le connais depuis longtemps. On est comme frère et sœur, tu vois? Et, crois-moi, je l'ai jamais vu comme ça! Pendant qu'il était avec toi, mais aussi après ton départ. Tu l'as carrément ensorcelé, *sister*.

Sans mots, je rosis de plaisir, bien malgré moi. Alors c'est vrai, il est véritablement tombé sous le charme. Rosalie continue en me confiant que, pendant quelques semaines, il n'était plus le même dans les studios et les couloirs des bureaux du magazine. Le chagrin se lisait sur son visage, et le cœur n'y était pas. Selon la rumeur, il était tombé amoureux, une histoire impossible. Jacob restait muet comme une tombe, sauf avec Rosalie.

Ces confidences me font l'effet d'un baume sur le cœur, même si je sais que cette histoire peu banale est derrière moi. C'est ce que je tente d'expliquer tant bien que mal à ma sœur, grâce à ce vin qui me monte vite à la tête et me délie soudain la langue. Et, ô miracle, Alice vient d'interrompre son parcours de retour et jacasse avec une connaissance. Ce qui me laisse un peu de temps pour lui avouer que j'ai été réellement troublée par ma rencontre avec Jacob. Pestant contre moi-même de retomber dans le piège des sentiments coupables, je m'empourpre et trébuche sur les mots. Quelle gamine je fais!

Rosalie boit chacune de mes paroles et ne fait plus cette tête amusée. On dirait qu'elle mesure pleinement le charme exquis, mais aussi la complexité de notre flirt sans lendemain possible. Reprenant lentement le contrôle de mon bouquet d'émotions, je me fais soudain du souci pour Jacob.

— Est-ce qu'il va bien, maintenant ?

— Oui, il va mieux, beaucoup mieux. Il a fait la paix avec lui-même. Tu sais, Gaby, le plus beau dans l'histoire, c'est que cette rencontre vous a permis de faire une prise de conscience chacun de votre côté.

Rosalie fait une pause calculée. C'est son sens du spectacle qui surgit à l'occasion, et ça fonctionne. Je m'approche d'elle, intéressée par sa lecture de la situation, en prenant soin de surveiller le retour de maman du coin de l'œil.

— Toi, t'aimes profondément ta famille et c'est elle que tu choisis envers et contre tout. Jacob, lui, sait exactement ce qu'il veut maintenant. Le même *package* que toi. Une carrière, oui. Mais une famille, des enfants, un petit monde à aimer. C'est ce qui manque à son bonheur.

Deux bouillons immenses me gonflent la poitrine. Le premier va à ma sœur pour son résumé si fidèle à la réalité. Le second est destiné à Jacob. Je me rappelle son petit mot doux, où il me parle de sa quête. C'est donc vrai, ça aussi, il envie mon don pour le bonheur et la vie que je mène. Pauvre petit chou, j'aurais juste envie de le serrer contre moi. En vérité, lui serrer la main serait plus sûr et à propos dans les circonstances ! Je souris à cette idée, qui ne risque toutefois pas de se concrétiser puisque je ne reverrai plus jamais Jacob.

C'est le moment que choisit maman pour nous rejoindre, me laissant tout juste le temps de retrouver mes esprits. Rosalie m'adresse un clin d'œil rassurant pendant que je lève mon verre « à notre santé ». Non, non et re-non ! J'ai vraiment dit ça haut et fort ? L'espace d'une fraction de seconde, le malaise côtoie le silence. Puis toutes les trois éclatons de rire tellement fort que nous alertons l'étage tout entier. Du revers de la main, nous essuyons deux larmes, une de joie, l'autre de chagrin, tout en poursuivant courageusement notre bavardage sans conséquence.

Le combat entre la belle et la bête vient à peine de commencer, mais ce soir, nous avons décidé que la victoire revenait à la première.

13

Rouge écarlate, rouge Noël

L e jeudi serait un jour plus glorieux si je n'avais pas à sillonner, en soirée, la maison entière pour effacer les traces de ma marmaille désordonnée. Non, je ne donne pas dans le grand ménage du printemps. Au fait, ça existe encore, ce truc débile qui consiste à frotter *ad nauseam* les murs, les armoires, les parquets et je ne sais plus quoi encore, pour les faire briller comme des sous neufs juste à temps pour la belle saison, en attendant le prochain tsunami ?

En fait, je prépare simplement ma chaumière au passage de la femme de ménage demain. Pas de discussion, je suis parfaitement lucide. Malgré les protestations et l'absence totale de collaboration de Philippe, ce rituel dure depuis les balbutiements de Juliette.

Bon, soyons clairs, la maison n'est pas si en désordre. Disons qu'elle est agrémentée de petits tas gisant par-ci par-là, et moi, ça m'angoisse, surtout la veille de la venue de celle qui nous connaît à l'endroit comme à l'envers. Que la poussière s'accumule dans les coins, je m'en fiche, rien n'y paraît. En revanche, les piles de vêtements, les objets au mauvais endroit et les escaliers débordant de menus articles me donnent des boutons. Je suis une maniaque de l'ordre, pas de la propreté, voilà !

Malgré toute ma rigueur et ma bonne volonté en cours de semaine, je finis par perdre le contrôle. Du désordre, mais aussi de moi-même, j'en conviens. Quelqu'un peut m'expliquer pourquoi ni Juliette, ni Zac, ni même Philippe n'a compris le concept assez simple selon lequel tout objet placé dans les marches d'escalier n'y attend qu'une âme charitable pour le trimballer jusqu'en haut ? Et quand je prends la peine de prévoir le coup en leur rappelant gentiment cette consigne – sans succès –, quelle portion du message ne comprennent-ils pas ?

Je ne compte plus les fois où je suis montée à l'étage les bras chargés de « cossins » allant de la lessive prête-à-ranger aux barrettes et aux élastiques multicolores. D'ailleurs, j'ai une autre question ! Comment se fait-il que, chaque fois qu'on cherche ces bidules à cheveux, un matin d'école par exemple, on n'en trouve jamais, alors qu'ils se reproduisent partout ailleurs dans la maison ? Et je ne parle même pas du téléphone sans fil, trois fois sur quatre introuvable, ni des stylos-billes qu'on achète maintenant à coups de boîtes !

— Allez, les chatons, c'est l'heure du dodo, j'annonce en grande pompe, le visage à peine visible à travers deux piles de serviettes à rayures, toutes pliées en parallèle – une technique non maîtrisée par Philippe, même après plus de dix ans de mariage.

— Ben là, maman, il est même pas 8 heures et j'suis pas fatiguée ! rétorque Juliette, toujours prête comme un scout à rouspéter.

— Ben MOI, je suis fatiguée, alors hop, au lit !

— Oh, maman ! Est-ce que je peux lire un peu au moins ? Je voudrais finir mon tome trois.

Existe-t-il une seule maman dans toute l'histoire de l'humanité qui refuserait ce genre de passe-droit à sa fille ? Elle demande la permission de lire, comment pourrais-je rejeter sa noble requête de bonne grâce ? C'est comme quand Zac me supplie de lui accorder une « vraie dernière émission ». En anglais. Pour s'exercer. Le petit malin me fait craquer à tous les coups même si chaque fois, après la diffusion, je lui demande, pleine d'espoir :

— C'était une bonne idée de regarder la télé en anglais, Zac, je te félicite. T'as reconnu des mots que t'as appris au camp et à l'école ?

— Non.

— Mais tu réussis quand même, avec les images, à comprendre un peu ?

— Non. J'comprends rien !

Respire, Gab, c'est juste un grand moment de n'importe quoi. Bien sûr qu'il saisit des bribes et se fait l'oreille. Il se donne la peine d'écouter même s'il ne pige pas grand-chose, ça nous fait déjà ça de gagné. Pour reprendre des termes surutilisés dans mon entourage immédiat, il s'agit d'un investissement à long terme.

Une profonde inspiration plus tard, mon cerveau en décalage revient subitement à Juliette et à sa demande spéciale.

— Je te donne un sursis de vingt minutes pour terminer ton livre, ma grande. Je te fais confiance ?

— *Yes*, merci, maman !

Bon, la voilà qui est satisfaite du premier coup, tout un exploit ! Zac, lui, est déjà sous la couette, exténué par sa journée à la maternelle. Je les borde tour à tour avant de redescendre finir à la hâte ma tournée de remise en ordre.

Notre télésérie favorite, aux chipies et moi, débute dans quelques minutes, et il est hors de question que je la manque. J'offre un thé à Philippe, occupé à naviguer sur Internet à la recherche de je ne sais quoi. Qui sait, il est peut-être en train de nous dénicher un endroit de rêve pour les prochaines vacances de ski ? Le cas échéant, il peut bien passer la nuit là-dessus si ça lui chante !

Après les cris, les larmes et les querelles occasionnelles d'une journée type de maman, une heure intensive de bonne télé n'a d'égal qu'un orgasme bien placé. Et encore. J'ai très peu de temps à consacrer au petit écran, mais mes rares rendez-vous télévisuels volés ici et là sont franchement jouissifs.

Répandant une odeur réconfortante de bois, le feu crépite joyeusement alors que je m'emmitoufle dans une couverture avec ma tasse fumante dans une main et mon iPhone dans l'autre. Chaque épisode de notre série-culte devient le témoin de savoureux échanges de textos où nous partageons nos humeurs d'auditrices gagnées d'avance. Philippe ne rate pas une occasion de nous tourner en ridicule, ne comprenant pas tout ce temps passé à pianoter frénétiquement sur nos téléphones intelligents. « Écoutez-le ensemble tant qu'à y être ! » Je lui ricane au nez, très à l'aise avec mon concept de télé-clavardage.

L'heure est sans soucis et passe à la vitesse de la lumière. Les textos fusent pendant les pauses – belle ironie pour une publicitaire comme moi ! –, me faisant glousser chaque fois. Dès que le générique défile, Annabelle et Roxane mettent un terme à notre délire littéraire alors que je m'éternise avec Sophie. J'en profite pour m'informer de son prochain week-end avec ses *boys*.

« Hockey vendredi soir avec Victor, patin samedi matin avec Émile et hockey dimanche pour Elliot ET Victor à nouveau. (Est-ce que je me répète ?) Et toi ? »

«Un doublé de course. Pas le choix, j'ai loupé un entraînement cette semaine, trop dans le jus au boulot. Samedi AM, tennis, et en soirée, souper chez les parents de Phil. »

« Alors bon week-end, mon amie ! »

« Bon courage à toi, avec ton horaire 100 % hockey ! »

« T'inquiète, François est à la maison toute la fin de semaine, il y aura partage des tâches ! :) »

« Bisous, bonne fée marraine. »

« Je t'embrasse aussi, triathlète chouchou. »

Si moi, je l'appelle affectueusement notre fée marraine depuis la mémorable sortie aux citrouilles, Sophie, elle, m'a surnommée sa triathlète chouchou dès l'annonce de ma quête l'été dernier. Triathlète pour supermaman, superamie et supercoureuse. Je suis surévaluée, mais j'adore ça !

Amorçant ma tournée de bisous avant de me mettre au lit, je me sens habitée d'une soudaine fébrilité. C'est demain que nous saurons si l'agence obtient ou pas le compte du fameux complexe commercial ultra-moderne qui verra le jour le printemps prochain. Cette journée préweek-end marquera également le retour tant attendu de M. Thomas, qui revient de son interminable voyage. Je vais enfin pouvoir prendre rendez-vous avec lui pour lui présenter mon projet. Avec Noël qui arrive dans un mois pile, le temps file et je n'ai plus une minute à perdre.

Justement, en parlant des fêtes imminentes, je me suis fait la promesse d'éviter mon lamentable sprint de dernière minute de l'an dernier, et ce, malgré la surcharge de travail chez Jumpaï, l'entraînement plus intense et les tâches de maman tout court.

Au terme de deux traitements éprouvants, Alice se porte somme toute plutôt bien. Les jours qui suivent chaque séance sont misérables, mais comme par miracle, elle reprend peu à peu la forme et le cours de ses activités. Il faut dire qu'elle a volontairement mis un frein à ses contrats, se contentant de terminer les projets en cours et d'accepter quelques mandats coup de cœur.

Et, comme il fallait s'y attendre, maman poursuit son engagement comme bénévole à la bibliothèque de l'école des enfants. À la voir s'animer au contact des élèves et des étagères remplies de livres, on peut difficilement croire qu'elle cumule les traitements de chimio pour vaincre un impardonnable cancer du poumon. Le prochain supplice est dans moins d'une semaine et Roxane m'accompagnera, cette fois. Elle y tient mordicus et ça me touche profondément.

En entrant dans la chambre à coucher, je suis accueillie par un bruyant concerto de ronflements. Misère! Je n'arriverai jamais à fermer l'œil dans cette cacophonie résonnante! Soupirant lourdement, je me laisse tomber en heurtant Philippe de façon subtile mais délibérée. L'idée, c'est qu'il se réveille sans avoir l'impression d'avoir été tiré de son sommeil. Mon plan échoue lamentablement. Il ne me donne pas le choix, je joue du coude sans ménagement.

— Hein, quoi? marmonne-t-il, endormi.

— Tourne-toi sur le ventre, tu ronfles!

— J'dors même pas!

Évidemment, et comme toujours, il ne dort pas, c'est moi qui invente de toutes pièces ces sons pour m'amuser avant d'aller dormir! Je ne sais même plus quoi répondre tellement c'est ridicule. Quelque chose me dit que je vais passer une autre belle nuit agitée, des bouchons dans les oreilles. C'est la joie.

* * *

Qu'est-ce qu'on se les gèle ce matin! Mes tout nouveaux, tout beaux survêtements spécialement conçus pour la course extérieure ne font pas le poids. Le soleil brille de mille feux sur le lac glacé, mais le souffle du vent est mordant et me transperce le corps. Les traces de la première neige sont encore visibles, laissant un mince voile blanc sur la ville endormie.

À ma grande surprise, je croise quelques coureurs aussi déséquilibrés que moi pour courir aux aurores un dimanche matin alors que la plupart des gens n'ont pas encore avalé leur premier café ni épluché leur journal. Nous nous faisons un petit signe de tête sympathisant.

Même si nous sommes rentrés tard de notre souper «vintage» – un succulent ragoût – chez les parents de Philippe hier, il faut croire que je n'étais pas destinée à une grasse matinée aujourd'hui. Je me suis réveillée très tôt, beaucoup trop tôt pour un jour de congé. Mais, plutôt que de tenir tête à mon insomnie matinale, j'ai choisi de commencer ma journée du bon pied en avançant mon entraînement de quelques heures, bousculant du même coup mes habitudes.

J'ai beau porter des vêtements «performants», je suis frigorifiée et sans doute rouge écarlate de partout. Ce qui me porte à croire que mes courses extérieures tirent à leur fin et seront bientôt remplacées par l'ennuyeux tapis roulant du club sportif. Je me vois déjà me démener sur la machine sans âme en fixant le mur blafard. L'expérience sera nettement inférieure à celle que procure le grand air et je devrai miser sur un mental d'enfer. L'exercice en salle n'a jamais été ma tasse de thé, je serais étonnée d'un revirement de situation.

Je subis encore une fois ce que j'appelle le mystérieux cycle de l'entraînement. À mi-chemin de mon parcours, je traverse à l'instant même la deuxième phase, celle où je me questionne sérieusement sur la pertinence de mon effort physique. Non, mais c'est vrai, au fond, c'est quoi l'idée de se faire autant souffrir ?

Au premier tiers, j'étais au sommet de ma forme, j'avais la motivation dans le tapis. Puis, quand j'aurai terminé mes dix kilomètres dans une quinzaine de minutes, je serai fière de moi et bien dans ma peau. Ce sera encore plus vrai lorsque je sortirai de la douche. Il s'agit là de la troisième et dernière phase, celle du sentiment d'accomplissement et de dépassement de soi. Celle aussi où l'on a envie de recommencer dès le lendemain. Un autre beau mystère de la vie.

Si mon corps tout entier est engourdi par le froid polaire alors que ma bouche fait un show de boucane au rythme de ma musique entraînante, mon esprit, lui, surchauffe. Je flotte sur mon petit nuage rose depuis que Jumpaï a été officiellement retenue comme agence pour réaliser l'ensemble des communications de l'immense projet immobilier sur lequel nous planchions depuis un moment.

Pour être franche, je ne suis pas étonnée du choix des propriétaires. Nous avions mis toute la gomme pour les surprendre et les impressionner. Ils sont tombés sous le charme de nos idées, car hormis quelques changements mineurs, nous allons de l'avant selon toutes nos recommandations. Je sens que je vais travailler fort, mais surtout m'amuser ferme avec ce dossier. Naturellement, je me porte volontaire pour tester le produit n'importe quand !

Au milieu de cette journée exaltante pour toute l'équipe, j'ai réussi à passer un coup de téléphone à M. Thomas, que j'ai attrapé au vol, c'est le cas de le dire. Il descendait à peine de l'avion, en plein décalage horaire, quand je l'ai eu au bout du fil. Nous avons convenu de nous voir pour le déjeuner mercredi prochain. Fébrile à l'idée de lui déballer mon sac, j'ai l'impression d'avoir attendu une éternité avant son retour d'un périple de plusieurs semaines en Asie.

Haletante et toujours aussi bourgogne, je passe ma ligne d'arrivée imaginaire avant 8 heures. La maisonnée roupille encore, c'est presque inquiétant. Les ronflements de Philippe me parviennent même en stéréo de l'étage, c'est d'un chic fou. Une grippe d'homme combinée à une consommation élevée d'alcool, voilà ce que ça donne. En douce, je file sous une douche brûlante, parfaite pour calmer mes membres malmenés par les morsures du froid et mon plan de course plus exigeant avec les mois qui avancent.

Avec un peu de chance, je vais me sauver du blitz de devoirs et leçons en passant la porte avant le réveil de ma marmaille. Mon horaire d'aujourd'hui comporte quelques heures non négociables pour démarrer mes emplettes de Noël en compagnie de maman. Je m'étais juré de prendre de l'avance, je tiens promesse.

* * *

— Maman ?

Le silence me répond.

— Maman ? T'es où ?

— En haut, ma puce… Je… je descends dans une minute.

— T'es pas à poil, toujours ? Je peux monter ?

Sans lui laisser le temps de répondre, j'escalade les marches deux à deux, gonflée à bloc par mon entraînement et comme habitée d'un souffle nouveau. Même le débit de mes paroles est à la course.

— J'suis-un-peu-en-avance-mais-j'me-suis-dit-que-tu-pourrais-pas-refuser-un-Starbucks-avant-notre-shopping-je-me-trompe ?

D'abord accélérés par mon effort soudain, les battements de mon cœur s'arrêtent net quand je mets le pied sur le pas de la porte de la salle de bains. Alice se tient là, les épaules basses, le regard fixe et vide sur son reflet. Des larmes sillonnent ses joues creuses. Je ne comprends pas et je m'affole.

— Maman, qu'est-ce qui se passe ?

Je m'avance vivement vers elle et c'est à ce moment que je les vois. Quelques poignées de cheveux gisent à ses pieds nus, offrant un triste spectacle. Je reste interdite, les yeux vissés au plancher. Sans nous prévenir, cette saloperie de cancer a choisi aujourd'hui pour arracher les cheveux et le cœur de ma mère !

Tenant toujours sa brosse dans sa main droite, Alice continue de se regarder fixement. Les sanglots ont cessé et le silence est encore plus pesant et suffocant. Je dois le briser coûte que coûte.

— Oh, maman, maman, maman...

Je m'approche et l'enlace par-derrière. Doucement et tendrement. Je la berce sans dire un mot. Elle se laisse faire, comme un bébé. Les rôles sont inversés et ça me bouleverse. Sans l'espérer, nous nous doutions que ce jour viendrait. Qu'il marquerait au fer rouge le passage dévastateur de la maladie sur le corps de maman. Qu'à partir de ce moment, elle porterait sur elle l'empreinte de son mal, qui ne trompera personne désormais, avec ou sans foulard.

Intacts, nos cafés sont froids lorsque nous quittons la scène d'horreur afin d'entreprendre notre journée de magasinage du mieux que nous pouvons. Oui, je suis en route – et en avance – pour les fêtes, mais non, je n'ai pas le cœur à la fête.

* * *

— C'est un pays à voir, Gabrielle. À la fois fascinant, dépaysant et apaisant. Je me verrais bien habiter là-bas, résume M. Thomas, songeur, en conclusion de son récit détaillé et ponctué de nombreuses photos sur son iPad.

Euh, pas moi ! Votre place est ici et j'ai besoin de vous ! Bien entendu, je garde cette réflexion pour moi en souriant artificiellement. Entre nous, j'ai si hâte de sortir enfin mon projet de ma tête que j'ai perdu les cinq dernières minutes de ses aventures. Pendant le bout du paysan pas de dents – c'est son expression, pas la mienne ! – qui lui a enseigné quelques rudiments de son métier, j'avoue avoir décroché solide. Quoi ? Ce n'est pas comme si j'y étais, quand même! Et puis M. Thomas, je l'adore, mais il a le don de toujours opter pour la version longue! Ça peut devenir ronflant à la fin, même si je ne dis jamais non à un cours en accéléré de culture 101.

— Assez parlé de moi, conclut-il en me tapotant la main avec tendresse. Dis-moi, comment va ta mère?

Le pénible épisode de la salle de bains envahit ma mémoire, laissant passer, l'espace d'une fraction de seconde, une ombre grise sur mon visage. Je choisis de ne pas aller dans cette direction.

— Plutôt bien. Elle a reçu deux traitements jusqu'à maintenant. Je vous cacherai pas que les quelques jours qui suivent sont difficiles, mais elle remonte vite la pente. Elle a un moral d'acier, c'est admirable de la voir aller.

M. Thomas a l'œil compréhensif mais triste. Il ne fait pas de doute que le souvenir douloureux de sa femme refait surface.

— Et toi, Gabrielle, comment vas-tu? Tu tiens le coup?

Avec ce bond en arrière, il doit se rappeler aussi qu'à un moment donné la maladie prend tellement de place que le petit monde qui gravite autour s'y perd un brin. Que plus personne ou presque ne se donne la peine de prendre soin de cet entourage. Ce n'est pas tout à fait mon cas puisque je suis remarquablement bien entourée. Et comme ce n'est ni mon rôle ni mon genre de m'apitoyer sur mon sort, je m'invente une force tranquille que je n'ai pas toujours. Avec papa, séparé de maman depuis longtemps, et Rosalie qui habite un autre coin de la planète, je suis en quelque sorte devenue le pilier de la famille, celle sur qui on peut compter.

Pour le rassurer, je souris. Un peu tristement, mais je souris.

— Vous inquiétez pas pour moi, je vais bien.

— Vraiment?

Il a du flair. J'hésite à me livrer sans filtre.

— Honnêtement, j'ai eu beaucoup de difficulté à l'accepter au début. J'étais aussi enragée que dévastée. Mais je suis plus zen maintenant. J'apprivoise la bête petit à petit et j'essaie de profiter de chaque moment avec maman. Comme d'habitude, le temps me manque…

Mentalement, je me dis que ce n'est pas l'annonce que je suis sur le point de faire qui va améliorer mon sort, mais cette pensée ne me démonte pas outre mesure. J'enchaîne dans un souffle:

— … et là vous allez rire parce que, même si je suis à court de temps, je me suis mis un projet dans la tête et j'en démords pas.

— Quel genre de projet ? s'enquiert M. Thomas en levant un sourcil intrigué.

Oh boy ! Le début incohérent de mes propos lui fait déjà froncer les sourcils, ce n'est pas bon signe. Ce désir presque obsessionnel que j'ai de me mettre le nez partout, il le connaît trop bien pourtant.

— Une amie à moi m'a parlé de courir pour la cause du cancer. Et du fait que ça me ferait un bien fou. L'idée m'a tout de suite charmée, mais je l'ai poussée plus loin et…

— … et tu t'es dit que tu pourrais organiser cette course toi-même !

— Exactement !

— Gabrielle, je plaisantais !

— Pas moi !

— Alors, raconte ! lance-t-il avec un intérêt non dissimulé.

— J'ai envie d'organiser un événement de course, pour femmes seulement, qui comprendrait un demi-marathon, un dix kilomètres, un cinq et un deux familial. Le parcours se situerait autour du lac et de la montagne, vous imaginez le site enchanteur ?

Les bras croisés – voilà une attitude fermée qui ne présage rien de bon –, M. Thomas me contemple d'un air amusé. Silencieux, il me laisse m'enflammer à mesure que les mots se fraient un chemin hors de mon cerveau survolté.

— Je lui ai déjà trouvé un nom, à mon *happening* : La course en rose bonbon ! C'est bon, non ?

Cette fois, mon interlocuteur éclate de rire devant ma performance vitaminée.

— Sacrée Gabrielle ! Tu me fascineras toujours !

— Et mon idée, elle, vous la trouvez fascinante ?

— Évidemment ! Ça s'est jamais fait dans le coin alors qu'il y a de la place pour ce genre d'événement. La course gagne en popularité, ça va marcher, ton truc. Surtout si tu te colles à la cause du cancer, qui touche un tas de gens, moi le premier.

— Je sais, monsieur Thomas, et j'espère que je ravive pas de souvenirs trop pénibles pour vous.

— T'inquiète pas, Gabrielle, y a longtemps que j'ai appris à vivre avec ma perte et ma peine.

Il marque une pause avant de reprendre avec le ton sérieux du bon père de famille qui préfère prévenir que guérir.

— Mais c'est pas une mince affaire, ce valeureux projet. Tu es consciente de la charge de travail que ça représente, jeune fille ? me met-il en garde, toujours avec ce bon vieux sourcil grisonnant et broussailleux.

— Pas de souci, j'ai un plan infaillible ! Mais avant tout, j'ai besoin de sentir que vous êtes avec moi, que vous avez foi en mon projet.

— Eh bien, si tu cherches ma bénédiction, tu l'as, et je vais même te donner un coup de main. Mais je te connais assez pour savoir que tu vas n'en faire qu'à ta tête, non ?

Je m'esclaffe, sachant très bien qu'il n'a pas complètement tort. Ça remonte à quand, au juste, la dernière fois où j'ai baissé les bras en abandonnant un projet au moindre obstacle ? C'est bête, je ne m'en souviens pas…

— Moi, j'y crois en tout cas. J'ai l'impression de faire quelque chose qui compte vraiment. Et puis je… je le fais pour maman… je conclus d'une voix teintée d'émotion.

Pas du genre à faire des feux d'artifice, M. Thomas acquiesce en silence en pressant ma main. Son attitude nous évite un mélodrame et je m'en trouve soulagée. Je choisis de miser sur le positif en lui exposant ma planification détaillée, inspirée de quelques coups de téléphone, sans parler de nombreuses lectures et méditations.

Personne n'est encore au courant – un détail ! –, mais je compte mettre largement à contribution Jumpaï et Pénélope. L'idée, c'est que mon amie, forte de ses innombrables expériences de course, devienne consultante-pigiste sur le nouveau projet de l'agence, j'ai nommé : La course en rose bonbon ! Pas plus tard que l'autre jour, Pénélope me disait justement être à la recherche d'un nouveau défi, elle qui s'emmerde solide dans son ministère barbant. Je la verrais très bien être secondée par Béatrice, mon bras droit, dont le potentiel est loin d'être exploité à son maximum.

M. Thomas me promet aussi une aide inespérée. Avec sa feuille de route impressionnante, il connaît tout le gratin de la ville. Mon réseau d'affaires n'est pas piqué des vers non plus, mais disons qu'avec le maire qui ne me reconnaît pas d'une fois à l'autre, j'ai plus de chances avec M. Thomas à mes côtés! Dès demain, il planifie une rencontre au sommet avec les autorités municipales et une autre avec le service de police de la ville, deux alliés indispensables pour la viabilité de mon projet de taille. De mon côté, je dois convaincre Pénélope d'accepter mon offre – ce qu'elle fera, j'en suis persuadée –, puis je mettrai Béatrice au courant de ses nouvelles fonctions. Ouf, la machine est partie et des papillons d'excitation me parcourent l'échine!

* * *

Quelle veine! J'ai officiellement réussi à repêcher ma directrice de course, Pénélope, et son bras droit, Béatrice. Toutes les deux sont emballées par le projet et s'engagent à se donner corps et âme. Quant à M. Thomas, il a tenu parole en nous planifiant, dès la semaine prochaine, les deux incontournables réunions pour la suite des événements.

Mon petit monde, lui, semble aussi prudent qu'emballé. Autant Philippe que les copines ont trouvé l'idée lumineuse mais plutôt audacieuse. Tour à tour, sans se consulter, ils ont vaguement évoqué une charge de travail colossale dans un contexte où le manque de temps est déjà au cœur des préoccupations. J'ai fait semblant de ne pas lire entre les lignes.

Chez mon homme, j'ai clairement décodé une retenue que je n'ai pas l'habitude de voir chez lui.

— Gab, prends-le pas mal, mais tu trouves pas que t'en as déjà suffisamment sur les épaules avec les enfants, l'agence, l'entraînement et Alice?

— C'est plus fort que moi, j'ai envie de tourner l'histoire de maman en quelque chose de giga positif, d'apporter ma contribution en faisant une petite différence pendant que je peux encore le faire, tu comprends?

Philippe a soupiré:

— Je sais bien, c'est tellement gros, mais tellement toi! Je t'admire, mais je peux pas m'empêcher de me faire du souci pour toi, ma blonde.

— Philoup, j'ai besoin d'aller au bout de ça, c'est tout.

J'étais en mode supplication lente et progressive. Règle géné-rale, ça fonctionne, mais cette fois, l'effet était moyen. Il est vrai que j'atteins ici un sommet inégalé étant donné mes multiples projets menés de front.

D'abord ébranlée par sa réaction pour le moins décevante, j'ai toutefois choisi d'ignorer ses réserves à peine voilées. Je voyais bien que ça lui coûtait de ne pas me dissuader. Ça ne lui ressemble pas, mais il faut le comprendre, c'est lui qui vit avec mes angoisses et mes sautes d'humeur au quotidien.

Malgré leur douce et subtile opposition, Philippe et les filles m'ont gentiment offert de m'aider en cours de route. Sophie, comp-table de métier, prendra en charge la tenue de livres que moi, je fuis comme la peste ! Ce sera pour elle une autre belle façon de poursuivre sa quête de bénévolat. Évidemment, Annabelle a promis de courir les dix kilomètres, alors que Roxane, contre toute attente, a laissé entendre qu'elle le ferait peut-être si elle se bottait le derrière à temps. Ne serait-ce que pour voir ça, je dois mener mon projet à terme !

Quant à maman, la nouvelle a eu l'effet d'une immense décharge émotive. Je ne croyais pas la toucher aussi profondément. Secouée de sanglots, elle a juré qu'elle souhaitait de tout cœur être parmi nous encore assez longtemps pour vivre l'aventure à fond. J'ai rétorqué, une boule dans la gorge, qu'elle serait évidemment des nôtres, m'attendant au fil d'arrivée, splendide et radieuse sous le soleil. Pour moi, il n'existait pas d'autre scénario possible et je ne me suis pas gênée pour le lui faire savoir.

Lorsque, plus tard, j'ai eu papa suivi de Rosalie au téléphone, je leur ai raconté cet épisode. Après avoir pris soin de saluer mon geste épique – celui d'organiser l'événement –, tous les deux m'ont rabrouée chacun à sa manière en me priant de laisser maman tranquille avec mes grandes ambitions pour elle. Ils espéraient aussi que j'enlèverais mes lunettes roses sur-dimensionnées pour voir clair. Dans leur tête à eux, Alice se meurt à petit feu, voilà la triste vérité. Ils étaient catégoriques, j'avais intérêt à faire vite si je voulais profiter de ses meilleurs moments.

Ils se sont donné le mot pour «péter ma balloune» ou quoi?
Et puis les miracles, quand exactement ont-ils cessé d'y croire?
L'espoir, je m'y accroche, point à la ligne. Après tout, c'est moi la
pro en ce qui a trait à Alice! Celle qui placote avec elle tous les
jours, lui change les idées avec des sorties amusantes, cuisine de
bons petits plats pour ses repas en solo. C'est aussi moi qui l'accompagne à l'hôpital et discute avec son médecin le plus souvent.
Loin de les critiquer, je revendique toutefois le droit d'espérer et
de les envoyer joyeusement promener dans ma tête.

Ce qui m'amène à me rappeler, alors que je suis soudée à mon
bureau surpeuplé, que le troisième traitement de maman doit avoir
lieu plus tard cet après-midi. Nous avons donné rendez-vous à
Roxane, toujours déterminée à se joindre à nous, directement à
l'étage d'oncologie. Pourvu que ma rencontre ne s'éternise pas. On
ne sait jamais avec ces clients de longue date: ils sont adorables,
mais ils ont le chic pour s'écouter parler pendant des heures…

Malgré toute notre bonne volonté, la réunion traîne en longueur avec deux verbomoteurs. Entre deux regards furtifs portés
à mon iPhone qui ne dérougit pas depuis ce matin, je suis littéralement sur le point de cogner des clous. *Wake up*, Gab, tu dois
filer à l'hôpital! Mais c'est pile le moment que choisit l'un des deux
actionnaires pour amorcer une tirade qui se veut un *briefing* sur
un nouveau projet qu'il tient absolument à partager avec moi. Il
ne manquait plus que ça! On cause croisières de luxe depuis tout
à l'heure!

Je prétexte un appel urgent pour sortir de la pièce surchauffée
et envoyer un SMS-SOS à Roxane. Toujours aussi vite sur le piton,
elle me somme illico de respirer par le nez avant de me livrer un
message rassurant. Bien sûr qu'elle veillera sur Alice avant, pendant et après le traitement. Soupir de soulagement et bouillon
d'amour pour mon amie, qui ne rate jamais une occasion d'être
là au bon moment.

* * *

— Comment ça s'est passé avec Alice? je demande, pleine d'espoir,
à Roxane qui revient de chez maman juste à temps pour conclure
un cinq à sept tout en douceur avec moi.

Je me tiens tranquille en ce «vindredi», car notre première journée de ski en famille nous attend demain. Ce soir, j'aurais bien voulu aller les rejoindre en sortant de mon interminable rencontre de clients, mais Roxane m'a découragée de le faire. Épuisée par son traitement, Alice dort à poings fermés depuis son retour à la maison.

Papa a promis d'aller la rejoindre pour passer la nuit avec elle. Dans la chambre d'amis, bien sûr, a-t-il pris soin de me préciser. J'ai trouvé la remarque plutôt rigolote, ne m'attendant certainement pas à ce que maman passe la nuit suivant sa chimio à s'envoyer en l'air, avec son ex-mari de surcroît!

— Bien, dans les circonstances. Alice a fait ça comme une pro. Et moi, mieux que je pensais, en fait. Je me suis même trouvée bonne!

— Qu'est-ce que tu veux dire?

— Pas de regards fuyants, pas de larmes, pas de panique intérieure à gérer. Je sentais qu'Alice avait vraiment pas besoin de ça. Je lui tenais la main et on se souriait courageusement.

Puis sa mine se renfrogne un brin.

— J'aurais juste aimé que tu me préviennes pour le foulard… Je t'avoue que c'est ce que j'ai trouvé le plus difficile.

— Oh, désolée, désolée, désolée… T'as raison, j'aurais dû t'avertir qu'elle avait perdu ses cheveux parce que, oui, c'est tout un choc. Même moi, j'ai du mal à m'y faire.

— C'est sûr qu'elle a senti mon malaise, mais j'ai tout fait pour détourner la conversation subito presto. J'ai essayé de la faire rire avec mes histoires de gars poches. Je pense que ça a marché et que c'est elle qui a pitié de moi, finalement!

Nous ricanons avant que je me lève d'un bond afin de lui témoigner toute ma gratitude sous forme d'accolade.

— Merci, Rox, d'avoir été là pour elle.

— Voyons donc, c'est trois fois rien! Si tu savais comme ç'a été un plaisir de passer du temps avec ta mère. De faire ça pour elle, pour toi. J'y retourne quand tu veux, ma poule.

Tiens donc, elle a l'œil brillant tout à coup. J'ignore pourquoi, mais je sens qu'il y a du non-dit là-dessous. Le vin n'est pas à l'origine de ce regard coquin, mon amie s'est à peine trempé le bout des lèvres. Un comportement louche qui ne lui ressemble pas du tout, d'ailleurs. Décidément, il y a anguille sous roche et il n'est pas question qu'elle s'en tire comme ça. Et, à bien y penser, je la soupçonne de n'attendre que ça. Se laisser désirer pour mieux me surprendre. À moins que je lui fasse le coup d'ignorer son langage non verbal… On oublie le projet, je suis beaucoup trop curieuse de savoir ce qui se cache sous ce sourire malicieux !

— C'est bon, crache le morceau ! je laisse enfin tomber.

— De quoi tu parles ? roucoule Roxane en battant des cils.

— *Come on*, Roxane, tu me caches quelque chose, mais tu meurs d'envie de m'en parler, j'ai pas raison ?

— Mais comment tu fais pour toujours lire sur mon visage ?

— J'y peux rien, mon amie, je te connais par cœur depuis trop longtemps ! Allez, qu'est-ce qui rend tes yeux brillants ?

Elle explose littéralement.

— Julien Champagne ! Le doc ! Il est beau comme un dieu !

— Tu parles de l'oncologue de maman ? C'est vrai qu'il est beau bonhomme. Mais pas touche, Rox, c'est clair qu'il est marié à une superbe blonde filiforme qui lui a fait des enfants prodiges.

— Je m'en fous !

Je lui lance un regard noir.

— Détends-toi, je te niaise !

Excitée comme une puce, Roxane se redresse avant de poursuivre :

— On l'a croisé après la chimio, et quand Alice me l'a présenté, j'ai senti un électrochoc passer entre nous.

— C'est pas un peu cliché, ça ?

— Oh, arrête, t'es-tu entendue quand tu parlais de Jacob y a pas si longtemps ?

Le rouge me monte aux joues et un frisson me chatouille les entrailles. Jacob. Il semble déjà si loin de ma vie même s'il m'arrive encore de songer à lui avec mélancolie.

— Gab, je te jure, même Alice m'a fait la remarque ! C'est sûrement sans lendemain, mais une fille a le droit de rêver, non ? reprend-elle aussitôt, sans trop se soucier de l'effet de sa douce réprimande.

— Évidemment, Roxy chérie! S'il est libre, ce serait un bon parti pour toi. Il est parfait. Ses compétences et sa patience infinies me donnent des complexes.

Sur ces mots, je roule des yeux avant de constater que l'heure de l'apéro est largement dépassée, du moins pour les enfants. Depuis le temps qu'ils sont terrés devant le cinéma maison, leur film doit bien être terminé. Du haut de l'escalier, je m'époumone :

— Juliette! Zac! C'est l'heure de monter vous coucher!

Puis, à l'intention de Roxane, j'ajoute, en prenant soin de ramasser au passage un tas d'objets qui trône sur la marche du haut :

— Bouge pas, je vais au petit coin.

— Phil est où ce soir?

— Souper de départ d'un collègue. Sa motivation était à moins mille, mais il avait comme pas le choix, je débite d'une voix haut perchée pour enterrer le bruit ambiant.

À mon retour, je constate sans grande surprise que ma progéniture n'a toujours pas quitté son lieu enchanté. Je répète mon manège, une octave plus haut.

— LES EN-FANTS! Qu'est-ce que j'ai dit? Vous avez vos cours de ski tôt demain, il faut pas se coucher trop tard.

— On arrive, maman, calme-toi! beugle Juliette d'un ton légèrement agacé.

Je suis très calme. J'ai juste la mèche un peu plus courte quand je dois radoter.

Aussi résignée qu'exaspérée, je reviens vers l'îlot alors que Roxane est en train de nous verser une bonne rasade de nectar rouge. Bon, si les enfants ont compris le message, ce n'est visiblement pas le cas de ma chipie d'amie!

— Rox, vas-y mollo avec le vin pour moi, j'ai un gros week-end de ski et de course.

— C'est moi qui devrais me tenir tranquille si je veux me mettre sérieusement à l'entraînement pour mon dix kilomètres, grimace une Roxane soudain déconfite.

— Dis donc, c'est sérieux, ton affaire?

— Pas le choix! Anna m'a prise au mot, elle m'attend au gym demain matin à 10 heures. Rien que d'y penser me met à bout de souffle ET de nerfs!

Le sourire franc qui se dessine sur mon visage s'efface aussitôt. Deux bonnes minutes, si ce n'est pas cinq, ont passé et toujours aucune trace de Juliette ni de Zac. S'ils me cherchent, mes chatons, ils vont me trouver! Furieuse, je me dirige d'un pas décidé vers le sous-sol pour aboyer mon ultimatum au moment même où je les entends grimper l'escalier à pas d'éléphants.

— C'est pas trop tôt!

— On t'entendait pas, maman, se justifie Juliette.

Me semble, oui. Mes enfants ont des oreilles que je qualifie de bioniques. Il faut les voir nous bombarder de questions quand ils entendent leur nom entre les branches. Mais dès qu'il est question de consignes précises pour les déloger de devant l'écran, curieusement, ils deviennent durs de la feuille.

— Le «steak à sept» est déjà fini, maman? demande Zac le plus candidement du monde.

Roxane et moi éclatons de rire en réclamant un énorme câlin.

Une fois les enfants au lit, je termine ma coupe, Roxane, la bouteille. Il nous reste deux sujets à l'ordre du jour. Une revue sommaire de ma liste de cadeaux de Noël qui, pour mon plus grand bonheur, raccourcit à vue d'œil, sans oublier un retour sur le beau et séduisant Dr Champagne.

14

Le réveillon enchanté

Chez moi, il ne m'arrive JAMAIS de n'avoir rien à faire puisqu'il y a TOUJOURS un panier de linge sale qui traîne quelque part. Avant, dans mon ancienne vie, je me contentais de faire une brassée de foncé, une autre de pâle puis une dernière de délicat, le tout, de manière hebdomadaire. Depuis les enfants et nos entraînements respectifs, la situation est totalement hors de contrôle.

Je ne compte plus le nombre de lessives que je peux faire en une semaine. J'ai même dû inventer des catégories de toutes pièces pour répondre aux nouvelles réalités de nos placards, de la couleur vive aux rayures noires et blanches. Et je ne parle même pas de ces quelques menus articles marginaux qui ont un laissez-passer-privilège pour le traitement royal.

En ce matin de veille de Noël, j'ai droit au petit bonheur numéro vingt-sept, celui de tomber sur une brassée à plier exclusivement constituée de grandes serviettes. *Yes, free time!* Le numéro vingt-six s'est manifesté avant-hier, autour de 19 heures, quand j'ai quitté l'agence alors que le cocktail célébrant le début des vacances de Noël battait encore son plein dans la cuisinette. Comme le veut la tradition, l'agence a mis la clé dans la porte tard ce soir-là, et ce, pour deux semaines. Rien n'a été laissé au hasard pour que clients et employés passent de belles fêtes malgré la fermeture de nos bureaux.

C'est donc le cœur léger que j'entreprends la besogne de mon 24 décembre, au rythme du doux ronronnement de la machine à laver et des cantiques de Noël. Parsemée de décorations soigneusement triées sur le volet par maman et moi, la maisonnée sent bon le Grand Nord canadien. Encore cette année, Philippe et les enfants ont pris à cœur le choix du sapin naturel et en ont fait une expédition de raquettes en forêt. Gigantesque et majestueux, le conifère trône dans son recoin habituel, frôlant presque les poutres du plafond. Il arbore fièrement l'étoile de Zac, bricolée à l'école plus tôt cette semaine.

Pour ajouter à la magie, la neige tombe délicatement dehors. Les gros flocons blancs viennent s'écraser sur les carreaux de la fenêtre, d'où je peux entrevoir Juliette et Zac s'amuser ferme dans la poudreuse. Ils n'étaient pas encore réveillés ce matin qu'ils me demandaient déjà de mettre le nez dehors. Ce n'était pas moi qui allais les empêcher de profiter du plein air et de toute cette neige en folie.

Il faut leur donner ça, à mes enfants, ils peuvent rester scotchés à la télé et aux iMachins de ce monde pendant des heures, mais ils ne rechignent jamais quand il est question de jouer à l'extérieur et de pratiquer des sports d'hiver.

Déjà, l'astiquage des aires communes est terminé, les petits tas ont été pris en charge et la lessive va bon train. Pourvu que Philippe ne tarde pas trop avec les courses et qu'il n'ait rien oublié, cette fois. Pauvre loup, je lui ai fait faire le tour de la ville, ma liste en main, afin de rassembler tous les ingrédients nécessaires à la note parfaite de notre réveillon. Nous n'aurons pas trop de l'après-midi pour cuisiner un festin à nos nombreux invités. Je me félicite d'avoir quelques plats déjà prêts au congélo et de pouvoir compter sur les biscuits de Noël fabriqués avec notre famille-jumelle hier.

En nous quittant lors de la journée-citrouille, nous avions convenu de nous revoir avant les fêtes. Ce n'est que plus tard, alors que je discutais avec Philippe d'une activité à partager avec eux, que l'idée de faire des biscuits entre amis m'était venue. Chloé avait accepté notre invitation et est débarquée hier midi avec son petit clan. Nous avions prévu le spécial « déjeuner du camionneur » avant d'entamer notre atelier de biscuits avec l'aide de nos apprentis cuistots.

Envahie de toutes parts, la cuisine a pris des allures de champ de bataille, mais nous avons eu un plaisir fou à confectionner et à déguster nos sucreries. Heureusement que j'avais prévu des quantités industrielles, les enfants engloutissant les biscuits à mesure qu'ils sortaient du four. Pas étonnant qu'ils se soient tous plaints de maux de ventre en fin d'après-midi !

En prévision de cette visite, j'avais demandé à Juliette et Zac de sélectionner un jouet et un livre dans un état plus que respectable qu'ils souhaitaient offrir à Emma et Théo. De mon côté, je m'étais imposé un dépoussiérage en profondeur de mon placard afin d'offrir quelques articles endormis, mais encore très à la mode et dont le style plairait sans doute à Chloé.

Avec son petit air gêné qui ne la quitte jamais complètement, elle m'a remerciée chaudement pour toutes ces attentions dont elle n'avait pas l'habitude. Je n'ai pas osé me montrer indiscrète, mais je mourais d'envie de connaître toute son histoire. Notre prochain rendez-vous sera peut-être plus propice aux confidences.

— Tu m'as pas manqué, Gab! claironne Philippe en mettant le pied dans la maison. J'ai dû faire au moins dix arrêts pour trouver tout ce qu'il y avait sur ta super liste.

— Au moins, t'en avais une, mon loup! je réplique, amusée par mon abus de pouvoir. J'espère que t'as suivi mes conseils en rayant à mesure?

Il hoche la tête, docile mais découragé.

— Oui, chef, j'ai fait ce que tu m'as demandé. J'ai acheté tes pinottes à vingt-cinq piastres! Ta cargaison de fines herbes aussi! Sérieux, ça m'a coûté une petite fortune. Pis je te confirme que la SAQ a fait sa journée avec mon passage!

La recette du plat principal contient en effet un nombre incalculable de fines herbes fraîches dont la moitié ne servira plus jamais. J'ai rarement le temps de cuisiner autant que pendant les vacances de Noël. C'est bien dommage, car j'aime profondément l'idée de «popoter» pour mon petit monde chéri. Passer des heures à fouiller dans mes livres de recettes, à laver et couper mes ingrédients frais du marché, à aromatiser l'air de la cuisine avec ce qui mijote en sirotant un, deux et tant qu'à y être trois verres de vin, j'adore ça.

— Les enfants sont où? demande Philippe en déposant avec fracas une bonne dizaine de sacs sur le sol de la cuisine.

— Dehors, dans la neige. Ils se sont levés en se chamaillant pour le meilleur *spot* sur le divan, mais dès qu'ils ont jeté un coup d'œil à l'extérieur, ils tenaient déjà plus en place.

— Et toi? Le plan de travail avance?

— J'ai déjà une barre dans le dos, mais pas de stress inutile, je maîtrise la situation. J'attendais la bouffe pour démarrer mon plat de résistance. Veux-tu te mettre sur la salade et les amuse-gueules?

— Oui, chef! répond-il, tout sourire, avec le signe du parfait petit soldat. Je saute dans la douche et je m'y mets. À quelle heure on attend tout le monde déjà?

— Autour de 17 heures, je suppose. Oublie pas de raser de près ton look de prisonnier! j'ajoute d'un ton jovial par-dessus mon épaule.

Moi qui avais la frousse de ne pas avoir le cœur à la fête, je constate que je suis tout aussi excitée que d'habitude. Ma vie n'est certes plus comme avant, encore moins celle de maman, mais notre quête de famille est de miser toutes nos énergies sur le positif même si ce n'est pas jojo tous les jours. Au fond de moi, je sais que c'est fort probablement le dernier Noël d'Alice, mais je tiens mordicus à ce qu'il se passe uniquement sous le signe de la joie. Tous les invités en ont déjà été avisés et sont sur la même longueur d'onde que nous.

Mon Philoup et moi sommes des fans finis de Noël et de toute cette magie qui l'entoure. Et depuis que nous avons la maison au lac, nos familles débarquent pour le réveillon et passent la nuit sous notre toit, donnant des airs de camp de vacances à nos quartiers. De cette façon, nous pouvons poursuivre les festivités le lendemain avec séance de patinage, randonnée en raquettes et partie de glisse. Certains sont plus en forme que d'autres – allez savoir pourquoi! –, mais tout le monde embarque avec son cœur d'enfant. Les joues rosies par le froid et le plaisir, nous rentrons ensuite nous mettre au chaud devant le feu de foyer, et le chocolat chaud remplace le vin de la veille.

Annabelle et Charlotte ont bien failli faire une entorse à la tradition familiale en se joignant à nous. L'état de panique dans lequel se trouvait mon amie il y a quelques jours s'est finalement avéré une fausse alerte. C'est qu'elle croyait que Louis avait découvert son aventure de l'été dernier et qu'il allait la larguer juste avant les fêtes. Je n'ai même pas pigé où elle a pêché cette idée tordue, mais l'important, c'est qu'elle était à côté de la plaque et qu'elle va passer Noël avec la famille de son chum comme prévu.

Ce qui ne veut pas dire que tout est réglé dans sa vie. Loin de là, en fait. Annabelle me jure qu'elle n'a pas récidivé – et je la crois sur parole –, mais elle m'avoue aussi être attirée comme un aimant par l'autre homme. Elle ne fait pas exprès de multiplier les rencontres, mais leurs chemins se croisent à l'occasion à l'école. Avec Louis, la vie continue comme un long fleuve tranquille et ordinaire.

Quant au sexe, il est presque inexistant et c'est bien ça qui me chicote. Comme beaucoup de femmes que je connais, Annabelle ne déteste pas une ou deux bonnes baises hebdomadaires bien senties. Un orgasme occasionnel ne lui suffira bientôt plus. Le risque qu'elle décide de sauter à nouveau la clôture pour partir à la recherche de ce qu'elle n'a pas sous sa couette conjugale est fort élevé. En coupant mes mille et une fines herbes, je me demande si son cas n'est pas désespéré.

Emportée par l'ambiance des fêtes, je m'active gaiement à mes fourneaux en sifflotant. Le temps passe – trop vite – et les arômes de ma dinde farcie se confondent en douceur avec ceux de mon beau sapin, roi des forêts. En dépit de la pression qui vient avec toute réception, je me sens légère comme une plume. C'est le calme après la tempête, le beau temps après la pluie.

Il faut dire que mon blitz avant-Noël n'a pas été de tout repos, mais ô combien captivant. À l'agence, les mandats stimulants se sont enchaînés, à commencer par celui de La course en rose bonbon, mené de main de maître par Pénélope et Béatrice. En moins de deux, les créatifs de Jumpaï ont élaboré tous les outils de communication pour démarrer le projet sur les chapeaux de roue. L'objectif avoué était de commencer les inscriptions avant Noël, ce qui n'était pas une mince affaire.

Au préalable, il a fallu, comme prévu, multiplier les échanges et les rencontres avec la Ville ainsi que le service de police, pour avoir leur bénédiction et établir un parcours aussi intéressant que réalisable. L'exercice s'était révélé plus ardu qu'on ne l'imaginait, mais avec l'aide de M. Thomas et de son impressionnant réseau de connaissances, nous avons réussi avec brio.

Résultat : une conférence de presse a été orchestrée afin de présenter l'épreuve de course aux journalistes et au grand public. Même mon ami le maire était présent pour en vanter les mérites. Les médias en ont fait leurs choux gras, couvrant largement cet événement conjugué au féminin. Avec un départ aussi fulgurant, les inscriptions – dont celle d'Annabelle et même de Roxane – allaient déjà bon train et j'étais aux anges.

Les enfants entrent en trombe dans la maison, me sortant illico de mes rêveries.

— Mamaaaaan! Est-ce que tu peux venir me moucher? me chante Zac en reniflant avec un beau manque de classe.

J'ai le nez fourré dans mon dessert et les mains poisseuses, mais rien n'est à mon épreuve aujourd'hui. Je ne suis plus à un multi-tâche près, ni aujourd'hui ni les autres jours d'avant.

— *Oh boy*, c'est pas du luxe, mon chaton!

— On voulait faire un bonhomme de neige, mais ça marchait pas, boude-t-il tout en se pourléchant les babines pleines de mucus.

— La neige était beaucoup trop molle, mais on a glissé chez le voisin, c'était *nice*, précise Juliette.

«C'était *nice*!» Doux Jésus, où a-t-elle bien pu pêcher cette expression surexploitée dans les téléréalités et les écoles secondaires? Je prends soudain un sacré coup de vieux. Oui, ma fille vieillit, mon bébé me file doucement entre les doigts. Et moi, je ne peux rien faire pour l'arrêter sauf jouer mon rôle de maman jusqu'au bout de ma vie afin de guider la sienne.

J'ai à peine le temps de me retourner pour me débarrasser du mouchoir souillé que mes deux fripons déguerpissent au salon, laissant derrière eux des traces évidentes de leur passage. En effet, une montagne vertigineuse, composée essentiellement d'habits de neige, de tuques, de mitaines et de bottes, jonche le sol et camoufle le superbe tapis que j'ai récemment acheté en solde, à un prix dérisoire. Les voilà maintenant sur le point de se disputer à nouveau pour obtenir la meilleure place sur le sofa, mais je ne leur donne pas ce plaisir.

— Je pense qu'on s'est mal compris, mes chatons mignons! Avez-vous vu l'état dans lequel vous avez laissé l'entrée? Allez hop, on range et on file sous la douche. Phil, je t'envoie les enfants!

Allez hop aussi, la belle Gabrielle! Il n'y a plus une minute à perdre. J'ai besoin d'un minimum de temps pour me faire une beauté maximum. Après tout, c'est Noël et je veux briller de mille feux. Pas de souci côté vestimentaire, ma petite robe cocktail – dénichée, elle, à plein prix – est sublime. Ce sont les à-côtés qui risquent de ne pas être à la hauteur. Si seulement Rosalie pouvait débarquer un peu à l'avance afin de me maquiller, me vernir les ongles et boucler mes cheveux comme une star de cinéma… N'importe quoi pour détourner l'attention de ma teinture qui a besoin d'une sérieuse mise à jour.

Arrivée avec son beau Scott sur le dernier vol en provenance de New York hier, ma sœur passe la prochaine semaine chez maman et entend bien tirer profit de chaque moment avec elle. Je la comprends et n'ose pas empiéter sur leur temps de qualité ensemble simplement pour combler mes caprices. Quant à son petit ami, il reprend l'avion dans quelques jours, histoire de célébrer le Nouvel An avec de vieux copains. Non, mais quand même, qui l'eût cru, Scott Apple réveillonne chez moi cette année ! Ça fait des semaines que je me retiens à deux mains pour ne pas m'en vanter sur Facebook !

Je jette un regard satisfait à mon joyeux festin qui prend forme peu à peu. Frais lavé et rasé, Philippe me rejoint à la cuisine, sentant bon le May West. En l'enlaçant, je lui fais le commentaire pour le taquiner sur son nouveau parfum aux effluves de vanille. Mon homme enfile son tablier et me sourit. Ce qu'il peut être sexy, fringué de cette façon ! Je pourrais le prendre là, tout de suite, sur l'îlot plein de farine, comme dans les films. Mais le temps presse et les enfants sont juste en haut.

* * *

— Entrez, entrez, Jeanne !

— Bonjour, ma belle-fille, joyeux Noël !

— Mamie Cookie ! s'égosille Zac en courant se coller comme un koala sur les mollets de sa tendre grand-maman.

Se donnant des airs de grande fille qui ne s'énerve plus pour un rien, Juliette s'approche à petits pas, le visage néanmoins illuminé, trahissant sa joie. Puis le naturel revient au galop et elle se love contre sa mamie et son papi, immobilisé sur le pas de la porte, les bras chargés de paquets. Bon sang, le beau-père – ou devrais-je dire la belle-mère ? – a dévalisé le magasin de jouets de son patelin !

— Les enfants, laissez un peu d'air à papi. Arthur, laissez-moi vous débarrasser de votre manteau et de votre tonne de sacs !

Je me retourne vers sa douce moitié pour la gronder gentiment:

— Vous n'auriez pas abusé un peu beaucoup par hasard, chère mamie Cookie?

— Laisse-moi donc mes petits plaisirs, Gabrielle! Je les gâte une fois par année, ces petits.

— Vous avez bien raison, ils en ont tellement besoin! je la taquine à nouveau.

— Maman, papa, content de vous voir! lance avec chaleur Philippe en s'approchant du vestibule, où l'on commence à sérieusement étouffer.

Bien entendu, les beaux-parents sont les premiers arrivés. Je les soupçonne même d'avoir attendu plus loin dans la rue pour éviter d'être outrageusement en avance. Je voue une admiration sans bornes à leur comportement exemplaire, qui est tout le contraire du mien. J'ai beau avoir les meilleures intentions du monde, je fiche toujours et sans exception mon horaire en l'air.

Pendant que le clan Renaud libère l'entrée – et ma pauvre moquette coquette –, je leur offre à boire parmi la sélection infinie de Philippe qui, preuves à l'appui, a investi temps et argent à la fameuse « Commission des liqueurs », comme s'entête à dire son père.

Fidèle à sa réputation, Mme Renaud ne tarde pas à me rejoindre avec une gigantesque boîte de biscuits aux couleurs de la fête. En plus de cuisiner ces délectables bouchées sucrées, il a fallu qu'elle fasse un emballage « scrapbooké » de toutes pièces. Non, mais faut-il avoir du temps à perdre pour le passer à fabriquer du *packaging* alors que ça pullule dans les magasins à un dollar! Enfin, chacun son truc, je suppose.

Sur cette pensée coupable, je m'extasie devant ses petites merveilles – c'est mérité – et les joins aux miennes qui, je dois l'avouer, perdent un peu de leur lustre. Mince consolation: le souvenir des bons moments passés lors de la confection collective avec nos nouveaux amis, Chloé, Emma et Théo.

Le second bataillon finit par se pointer, j'ai nommé Charles, Alice, Rosalie, Scott ainsi que tout leur bataclan. La petite copine de papa brille par son absence, mais je ne m'en porte pas plus mal. Pour me donner bonne conscience, je l'ai mise sur la liste des convives, mais elle a dû deviner, dans mon langage non verbal, que mon invitation n'était pas réellement sentie.

En fait, elle a d'abord dit oui puis s'est décommandée tard hier, prétextant une fête de dernière minute à ne pas manquer. Vu l'âge qu'elle a, je ne serais pas étonnée qu'elle aille dans un *rave*! Mon cher papa ne cessera jamais de m'étonner avec ses conquêtes.

Tiré à quatre épingles, tout mon petit monde est rassemblé autour de l'îlot et jacasse haut et fort, enterrant presque ma sélection musicale. Philippe déclare le bar officiellement ouvert et personne ne se fait prier pour le vider. Même Juliette et Zac ont le privilège de boire du punch, dans sa version non alcoolisée, dans leurs coupes en plastique. Alice partage leur mélange, davantage par obligation que par sagesse.

Je capte souvent son regard circulaire et mettrais ma main au feu qu'elle enregistre et emmagasine toutes ces images dans sa tête. Je suis rassurée de voir au fond de ses yeux non pas de la tristesse, mais des éclats de lumière. Après un « *cheers!* » bien sonore avec ses petits-enfants, elle les entraîne dans un tourbillon de danse alors que les premières notes de son air favori se font entendre.

Le service des amuse-gueules est loin d'être terminé, mais déjà, Philippe a le toupet hirsute, signe avant-coureur d'une éventuelle perte de contrôle. Encouragé par son troisième *drink*, il marmonne son registre limité en anglais avec Scott pendant que Rosalie et moi rigolons ferme. Le beau-père reste muet comme une carpe, visiblement pas dans son élément avec ce dieu grec parlant anglais, mais chinois pour lui. Ma belle-mère, elle, est tordante. Faisant mine de suivre la conversation animée de mes parents, qui ne se lâchent pas, elle sirote un *rhum and coke*, son jus alcoolisé des grandes occasions, le regard littéralement fixé sur Scott.

Je dois avouer que le mec de ma sœur dégage et détonne. À mon avis, il se prend légèrement au sérieux, mais il s'avère somme toute d'un commerce agréable. Et puis il doit bien avoir un millier d'autres qualités pour que Rosalie fracasse avec lui des records de longévité. Je lui en glisse un mot à l'oreille :

— C'est quoi, son secret à lui, pour que tu le gardes dans ton lit aussi longtemps ?

— Il a pas seulement L'AIR d'un dieu grec, il BAISE comme un dieu grec ! Encore hier, on l'a fait trois…

— Bon, bon, bon, je veux pas savoir combien de fois vous le faites par jour ou par semaine ! Pression inutile et non pertinente pour une mère de famille. On s'en reparlera dans dix ans ! je la coupe avec un tchin-tchin.

Mentalement, j'ajoute que, à part le boulot, elle a pas mal juste ça à foutre, faire l'amour jour et nuit avec son amant. Aucun gamin ni la moindre activité physique qui l'attendent. Il y a des jours où moi, Super-Gaby la *superwoman*, je l'envie un brin.

— Sérieux, *sister*, je pense que je l'aime vraiment. Et lui aussi.

— *What are you talking about, girls ?* nous questionne Scott en voyant l'air taquin de ma nymphomane de sœur.

— *Nothing, sweetie. Keep drinking !*

Puis Rosalie continue tout bas à mon intention :

— Lui, je sais pas comment il s'y prend, mais il « performe » encore plus quand il est *drunk*. Première fois que je vois ça !

— Moi, je te confirme que, quand Phil est fripé, y a rien à faire avec lui ! De mon côté, passé mon heure de gloire, celle où j'ai envie de sexe brut, son chien est pas mort, mais pas fort.

Nous poursuivons dans le rire et le délire jusqu'à ce que je retrouve mon équilibre – malgré mes cocktails et mes escarpins de Cendrillon – pour mettre la touche finale à mon repas festif, à l'aide de quelques volontaires. Je sens que je ne tarderai pas à les envoyer valser, ceux-là. Pas mes bénévoles, mes souliers ! Pourquoi faut-il que les talons aiguilles qui ont de la gueule soient invariablement d'un inconfort inégalé ? J'ai beau être parfaitement consciente de cette triste réalité, je suis indomptable et continue de collectionner les modèles « bling-bling » sans scrupules.

Les invités se massent autour de ma table dressée ce matin avec l'aide de Juliette. Nous avons reproduit le plus fidèlement possible celle d'un magazine sur lequel je suis tombée au hasard de mes recherches culinaires. Encore une fois, Philippe a l'impression que j'en ai trop fait. Entre nous, heureusement qu'il n'a pas vu la facture à la rondelette somme consacrée à cette orgie d'arts de la table !

Quand Alice me complimente sur les petits détails comme sur l'ensemble de l'œuvre, je lui en suis infiniment reconnaissante. Venant d'une designer de métier, c'est d'autant plus flatteur.

— Oui, ta table est superbe, Gaby, l'approuve Rosalie avec admiration.

— Merci, vous êtes trop douces. Juliette m'a donné un bon coup de main. Elle a hérité du talent d'Alice pour la touche finale en déco, j'ajoute avec fierté en regardant ma fille.

— Moi, mamie, j'veux être décoratrice comme toi quand j'vais être grande. Vas-tu m'aider quand je vais être à l'université ? demande Juliette, pleine de candeur et d'espoir.

Pendant un bref instant, l'atmosphère est à couper au couteau à l'extrémité gauche de la table, mais Alice reprend vite ses esprits et réplique :

— T'auras pas besoin de moi, ma chouette. Avant longtemps, c'est toi qui vas m'en apprendre.

— J'espère que j'vais être aussi bonne que toi, en tout cas.

— Tu vas être bien meilleure que moi après tes longues études, c'est sûr.

Bouleversée par la spontanéité de ma grande et la bravoure de maman, je ferme les yeux et j'inspire profondément. Nous savons tous qu'Alice n'aidera pas Juliette à réussir son baccalauréat avec mention d'honneur. Elle ne verra pas son premier petit ami ni à quel point elle sera éblouissante lors de son mariage. À tâtons, je cherche la main de ma mère sous la longue nappe et la presse doucement en guise de soutien moral. Elle me répond par un nouveau sourire plein de soleil avant de reprendre la conversation, avec son petit-fils cette fois :

— Dis donc, Zac, comment ça va à l'école ?

— Pas pire… Ma matière préférée, c'est l'éduc ! Le reste, c'est plate !

Réponse décevante, mais ô combien répandue chez les garçons en général, selon l'enseignante et mon amie Sophie, qui en arrache avec ses hockeyeurs hyperactifs. Loin d'être surdoué, Zac se débrouille plutôt bien, mais mes soupçons se concrétisent au rythme du calendrier scolaire. Fiston n'est pas particulièrement fan de l'école. Nous travaillons là-dessus avec toute la patience qu'il nous reste à l'heure des devoirs et leçons.

— T'as raison, le sport, c'est important, mais le français et les mathématiques aussi. Si tu veux écrire des beaux mots d'amour à ton amoureuse, il faut apprendre à bien écrire.

— D'ailleurs, as-tu une blonde, mon beau Zac ? reprend Mme Renaud, avec une pointe d'espièglerie dans la voix.

— Oui, il en a une ! explose Juliette sans laisser le temps à son frère de réagir. Elle a un drôle de nom, elle s'appelle Romane.

Curieusement, Zac ne dément pas la rumeur et affiche même un demi-sourire gêné. Juliette profite de son silence pour enchaîner :

— ... mais elle est pas au courant, elle !

— Si je comprends bien, Romane est l'amoureuse de Zac, mais elle en sait rien ? résume ma belle-mère, franchement amusée.

— Je l'aime comme amie, dit-il, sortant enfin de son mutisme.

— Oh, mon poussin ! Je parie qu'elle est super jolie, fait Alice.

En faisant un petit signe de tête affirmatif, Zac se lève et quitte la table pour s'empiffrer de biscuits. Juliette le suit à la trace, histoire de ne pas se faire avoir. Ils reçoivent même de mamie Cookie les instructions qu'ils attendaient : aucune limite de quantité, jusqu'à épuisement des stocks. Je roule les yeux au ciel mais me remets vite en mode zénitude. Après tout, c'est Noël pour tout le monde. Même les maux de ventre sont les bienvenus !

— En parlant de la jolie Romane, justement, savez-vous ce que Zac lui a dit l'autre jour ? Qu'elle était sexy ! Mot pour mot ! J'en revenais juste pas... je m'exclame en secouant la tête.

— Non ! Trop drôle ! C'est pas nous qui aurions dit ça il y a soixante ans, n'est-ce pas, Jeanne ? lance Alice.

— Jamais de la vie ! Autres temps, autres mœurs, comme on dit.

— Ouais, on va surveiller ça de près, cette belle évolution-là ! j'ajoute avec ironie avant de vérifier si tout le monde à ma table est heureux.

Vérification faite, le bonheur semble au rendez-vous. Tous s'entendent pour dire que le menu est un véritable régal, qu'il fait bon arroser de vin divin. J'avais oublié que Scott et Rosalie boivent le vin rouge pratiquement comme du jus de fruits. Les autres non plus ne donnent pas leur place, moi la première. Conséquemment, la réserve de bouteilles baisse à vue d'œil, mais rien d'alarmant. Ce n'est pas ce soir que nous allons être en rupture de stock, Philippe est catégorique là-dessus. Au pire, nous pigerons dans les bouteilles offertes par les invités, n'en déplaise à l'étiquette.

À l'unanimité, nous votons pour une pause nécessaire entre le succulent repas et le dessert afin de passer au moment préféré des enfants, c'est-à-dire le dépouillement de l'arbre de Noël. Encore cette année, on y passe une bonne heure, même s'ils ne sont que deux. Les grands-parents ont carrément perdu la boule, ma parole ! Il y en a tellement que je me demande où on va mettre tout ça, les espaces de rangement étant déjà un enjeu majeur.

Quant à mes cadeaux, achetés et emballés avec, comme promis, un peu d'avance, ils me permettent de regarnir ma banque de points de supermaman auprès de ma marmaille et de mon tendre époux. À l'instar des enfants, je suis moi aussi délicieusement gâtée. En pleine séance de déchiquetage, Zac nous prend tous par surprise en déclarant :

— C'est drôle, le père Noël a le même papier d'emballage que toi, maman.

— Oui, c'est vraiment très drôle, je grommelle, me mordant les joues pour ne pas pouffer.

Juliette me fait un signe entendu – trop fière d'être dans le coup –, mais Zac ne voit rien, trop impatient d'aller apprivoiser ses nouveaux joujoux. Après avoir pris soin de distribuer accolades et remerciements, mon regard insistant aidant, mes chatons surexcités filent chacun de leur côté, leurs nombreux cadeaux sous le bras.

Comme par enchantement, le réveillon file sans qu'on le voie passer. Les discussions et les jeux se donnent la réplique jusqu'à tard dans la nuit. Naturellement, Philippe rechigne sur le feu de foyer trop brûlant, Charles n'est jamais bien loin d'Alice et le beau-père se délie enfin la langue en nous racontant des histoires à coucher dehors. Toute la soirée, j'ai senti la maisonnée habitée de la magie des fêtes, celle qui me plaît tant.

Vers 2 heures, tout le monde tombe au combat, excepté Rosalie et moi. Débarrassées de nos instruments de torture, nous bavardons pieds nus dans la bibliothèque, un thé fumant à la main. De tout et de rien. De la soirée. De maman. Elle me fait des confidences sur Scott, sur celui qu'elle croit être l'homme de sa vie. C'est la première fois que j'entends ma sœur parler de cette façon. On oublie parfois combien c'est beau d'entendre quelqu'un parler d'amour. Je lui fais la remarque et elle se lève, comme si je lui avais soudain rappelé quelque chose. Elle revient aussi vite qu'elle est partie et me tend un rouleau de papier.

— Tiens, j'ai pensé que ça pourrait t'intéresser malgré tout...
— Qu'est-ce que c'est?

Dans mes mains, le magazine prend forme, avec Jacob en couverture. Frissonnante et sans mots, je fixe la publication puis je saisis tout. C'est le fameux numéro de Noël, comprenant la séance photo avec Scott à laquelle j'ai assisté. À l'époque, j'étais loin de me douter que mon *kick* en serait la vedette.

Rosalie, voyant bien l'effet que ça me fait, s'assoit près de moi et m'enlace tendrement pendant que je le feuillette d'une main tremblotante. Quand je réalise que, dans l'article de fond, il y a même une photo de moi en train de bavarder avec ma sœur, la photographe, je frôle l'étouffement.

Un petit mot s'échappe du magazine. Il vient de Jacob. C'est écrit noir sur blanc: « Je ne sais pas ce qui me retient de te le remettre en mains propres. Rien que pour te voir. Une dernière fois. »

Mon réveillon enchanté a débuté et se termine sur une note magique. Une note magique mais toxique.

15

Boxing Days

Après la météo en folie des dernières semaines, il fait bon renouer avec le temps doux et les conditions parfaites pour le ski en famille. Une petite journée de congé comme on les aime, à faire la grasse matinée avant de filer tranquillement vers la montagne, où plombe un soleil ardent, faisant briller la neige de mille feux. On se croirait dans un printemps emprunté.

Après un réveillon relevé, c'est le cas de le dire, le grand air me fait du bien. Oui, j'ai survécu au chaos organisé des célébrations entourant la naissance du petit Jésus et j'ai maintenant le champ libre pour m'aérer les esprits en dévalant les pistes à ma guise.

Trop prise par le tourbillon de décembre, je n'ai pas vu venir les questions de mon aînée sur Alice au lendemain de Noël. J'aurais pourtant dû y songer avant et, surtout, m'y préparer mentalement. Jusqu'alors, Juliette avait été épargnée quant à l'état de santé de sa mamie chérie, puisque celle-ci s'était résignée à abandonner son bénévolat à la bibliothèque scolaire à la fin de novembre. Son nouveau look enturbanné n'a pourtant pas échappé à ma grande fille, qui a eu la sagesse de patienter jusqu'au départ de tous les invités avant de me questionner.

— Maman, pourquoi mamie portait un foulard hier? m'a-t-elle demandé alors que je m'apprêtais à replier ma literie au grand complet.

J'étais en mode panique. Qu'est-ce que j'allais bien pouvoir répondre à ça, moi qui avais fait le choix de laisser mes enfants en dehors de toute cette histoire? J'aurais dû savoir que ma bulle d'illusions éclaterait un jour ou l'autre! Mon discours rassurant n'était pas prêt. Mon cœur non plus.

J'ai fait mine d'avoir mal entendu, le temps de fabriquer la réponse qu'il fallait pour calmer la tempête dans sa tête et dans ses yeux de petite fille inquiète. J'étais déchirée entre la vérité crue et le mensonge sans vergogne. Même si un poids immense me pesait sur les épaules, je n'avais aucune envie de partager ce fardeau avec ma Juliette.

— C'est chouette, tu trouves pas? C'est la mode, tu sais, il...

— Maman! J'sais ce que ça veut dire!

— ...

La boule logée dans ma gorge m'étouffait, me réduisant à un silence qui en disait long.

— Mamie est malade, c'est ça?

Ne ménageant aucun effort afin de refouler mes larmes et puiser dans ma réserve de courage, je me suis approchée de ma grande, si petite soudain, pour la prendre dans mes bras.

— Oui, Juju, mamie Alice est malade, elle a un gros bobo au poumon... ai-je murmuré.

Juliette a levé vers moi des yeux affolés en balbutiant:

— Un... un cancer?

— Oui, un cancer... ai-je acquiescé, mais elle va bien pour l'instant. Faut pas que tu t'inquiètes, les médecins prennent bien soin d'elle, et nous aussi.

— Mais si elle a perdu ses cheveux, c'est grave, non?

— Disons que c'est une vilaine maladie qu'on soigne avec des médicaments forts qui ont des effets souvent malcommodes, comme la perte des cheveux.

— Est-ce que... est-ce qu'elle va mourir?

— Bien sûr que non!

J'ai répondu à cette inévitable question tellement vite que je craignais qu'elle voie clair dans mon jeu. Je m'en voulais terriblement de lui mentir ainsi en plein visage.

— Tu me le jures?

— Juré, craché! ai-je rétorqué sans grande conviction, incapable de m'empêcher de croiser les doigts derrière mon dos, comme une gamine prise en faute.

— T'inquiète pas, mon chaton, tout va bien aller... En attendant, mamie a juste besoin de beaucoup d'amour.

Le cœur lourd de remords et de chagrin, je l'ai serrée contre moi encore plus fort, pour la rassurer, elle, mais aussi pour me réconforter, moi. Je ne sais pas pourquoi, mais j'avais le sentiment de ne l'avoir convaincue qu'à moitié. Depuis, plus rien. Je lui ai fait promettre de garder le secret, et manifestement, elle m'a prise au mot. Avec un peu de recul, je suis loin d'être sûre que c'est une bonne nouvelle. Avant longtemps, je n'aurai d'autre choix que de reprendre la discussion là où nous l'avons laissée.

Puis il y a eu Jacob. Qu'est-ce qui lui a pris de revenir dans le décor, lui! Nous étions pourtant d'accord, tous les deux. Mais non, il a fallu qu'il rapplique avec un autre de ses fameux mots coup de poing. Décidément, mon flirt new-yorkais a le tour pour me chambarder le cœur, pour me transporter en eaux troubles. Je navigue entre le bonheur de savoir que j'habite toujours ses pensées, moi, la fille d'à côté, ordinaire et sans histoire, et la certitude que je dois me tenir loin de lui. Je suis rongée par la honte de le laisser se réintroduire dans ma tête. Et même si je suis infiniment touchée par sa délicate attention, je lui en veux tout autant.

J'ai beau me dire qu'il n'est pas assez fou pour débarquer chez moi, devant mon mari et mes enfants, je m'attends sans arrêt à le voir surgir de nulle part. Quoique, à bien y penser, je n'ai pas encore donné suite à sa résurrection. Il faudrait être assez culotté pour mettre les pieds dans ma vie sans crier gare. Un retour s'impose pour ne pas le laisser en plan de cette façon. Jacob mérite mieux que mon silence. Il attend une réponse, il en aura une. Mais laquelle?

— Maman, j'ai faim!

— Moi aussi!

Ai-je déjà mentionné l'utilisation exagérée de ce petit bout de phrase par ma progéniture? Quand Juliette est affamée, Zac l'est instantanément. Et vice-versa. Un peu comme pour les pauses-pipi. L'un ne va pas sans l'autre. La consigne est désormais de me passer le mot en privé pour éviter les escapades de groupe à répétition.

Je fais un grand signe à Philippe à l'aide de mes bâtons, manquant du même coup de crever un œil au skieur apparu près de moi comme par magie. Malgré mes excuses sincères, il s'éloigne avec un regard assassin. Pfft! Mon homme me rejoint en freinant dans un nuage de neige. Il se trouve très drôle. Moi, pas mal moins, avec la jolie moustache blanche qu'il me lègue.

— Phil, t'as quel âge au juste ? Écoute, Juliette et Zac ont faim. Moi aussi, au fond. On arrête pour casser la croûte ? J'ai une envie folle de poutine.

— Une poutine ? Ouache ! C'est sûr que les enfants vont vouloir la même chose, répond Philippe, découragé. Un sandwich ou une salade, ça te dit rien ?

— Rien pantoute ! Ça me dit quelque chose à longueur de semaine ! Là, j'ai le goût de m'offrir un petit luxe pas cher. Ça sert à ça aussi, l'entraînement, se gâter de temps en temps.

Qu'est-ce qui lui prend ? Annabelle, sors de ce corps ! Règle générale, nous mangeons de façon saine et équilibrée, alors il n'y a pas de quoi en faire un plat. Les quatre groupes d'aliments ne figurent pas toujours au menu – surtout les soirs de semaine –, mais notre alimentation comprend juste ce qu'il faut pour nous garder en pleine forme sans renoncer aux petits plaisirs gourmands.

Sa bulle au cerveau a de toute évidence un lien avec cette nouvelle bedaine qu'il s'invente depuis quelques semaines. Moi, j'en ai une vraie, qui est à son meilleur en fin de journée, et je ne m'en porte pas plus mal. La taille empire, je connais et j'en raffole !

— On aurait dû prévoir un lunch, histoire de manger santé tout en économisant cinquante piastres, ajoute-t-il, mi-figue mi-raisin.

Avec notre démarche à la Goldorak, nous nous dirigeons vers la cafétéria, les enfants trottinant tant bien que mal derrière.

— Je vais prendre deux hot-dogs avec des frites, moi.

— Hum, beaucoup mieux, Philippe Renaud ! Ça valait la peine de me faire la leçon pour ma poutine !

— Rien d'autre me tente, finalement, marmonne-t-il.

— J'veux un hot-dog comme papa !

— Moi aussi !

Non seulement leur fringale est simultanée, mais elle est aussi exactement la même quatre-vingt-dix-neuf pour cent du temps.

Cinquante dollars plus tard, nous enlevons quelques couches avant d'amorcer notre débauche de malbouffe.

— Y a du ketchup et de la moutarde partout sauf sur les frites et les hot-dogs ! La prochaine fois, vous me laisserez en mettre moi-même, bougonne Philippe, qui en a plein la veste.

À lui voir l'air misérable, je glousse de rire. Qu'est-ce qu'il est grognon quand il s'y met ! Oui, de temps à autre, mon mari chéri est un grognon, mais un grognon mignon. Je le regarde du coin de l'œil avec une tendresse infinie. Ça me frappe encore de plein fouet. Jacob ou pas dans la tête, je l'aime, mon homme, je l'aime profondément. Je fais une tournée spontanée de câlins à mon petit clan bien-aimé qui ne comprend rien à cette vague d'amour.

Nous sommes sur le point de terminer la glorieuse et éternelle étape consistant à nous emmitoufler à nouveau et à chausser les bottes si peu commodes pour les déplacements – et les manucures fraîches de la veille ! – quand Zac annonce en grande pompe qu'il a encore soif. Juliette renchérit aussitôt. Qu'est-ce que je disais déjà tout à l'heure ? Parfaitement conscient qu'il vaut mieux abdiquer plutôt que d'affronter du pleurnichage en règle plus tard, Philippe lance en soupirant :

— Pas de problème, mes chatons, y me semble que ça fait long-temps que j'ai pas dépensé un dix !

— Zénitude, Phil, zé-ni-tu-de, je lui rappelle, tout sourire.

— Y fait chaud en ciboire ! lâche-t-il entre ses dents avant de tré-bucher sur notre sac à dos en laissant tomber un autre gros mot.

Cette soudaine soif étanchée, nous finissons par reprendre le chemin de la montagne blanche et brillante. Les rayons du soleil caressent aussitôt nos visages rougis par le grand air. L'heure du lunch étant dépassée, ça grouille de monde autour de nous. Ainsi cordés et vêtus de nos habits aux couleurs de l'arc-en-ciel, nous ressemblons à un emballage de Skittles !

Notre journée file à vive allure, comme nous sur les pentes. Quelques connaissances croisent notre route et nous donnent rendez-vous pour le cinq à sept. Juliette et Zac nous suivent à la trace partout et en redemandent. Dire qu'il a fallu les traîner de force à leurs débuts ! Comme quoi la persévérance est de mise avec les enfants.

Après de nombreuses descentes à se malmener les jambes, l'in-contournable après-ski est bon. À cette heure, le bar *kid-friendly* fait salle comble. Les tables s'entassent les unes contre les autres, animées par des skieurs volubiles au brushing discutable mais au teint frais. Aucun visage connu n'étant visible, nous cherchons désespérément du regard un petit coin près du foyer et, comme par miracle, repérons une famille de quatre sur son départ.

Un groupe remplit l'espace de musique et d'ambiance avec des airs connus qui nous rappellent l'université. Les enfants ne tardent pas à rejoindre la piste de danse pour virevolter à gauche et à droite pendant que nous sirotons notre rouge tout en observant la scène. Après quelques tours de piste, Zac se tortille de gêne devant une jeune et jolie demoiselle pleine de boucles et de coquetterie. Pourvu qu'il ne lui balance pas qu'elle est sexy!

Ce soir-là, les enfants tombent de sommeil et s'endorment devant le feu avant 20 heures. Je profite de ce moment pour me réfugier dans les bras de mon Philoup et lui proposer de me faire l'amour près du foyer, après avoir déposé nos deux roches endormies dans leur lit, ça va de soi.

* * *

— Veux-tu bien me dire ce qui est arrivé à ta manucure? s'exclame Rosalie en fixant mes ongles avec horreur.

— Bottes de ski et manucure, ça va pas très bien ensemble, figure-toi! Désolée de t'avoir fait perdre ton temps, Rose.

Depuis tout à l'heure, ma sœur et moi multiplions les sujets légers et sans conséquence pour détendre l'atmosphère autour de maman. La salle d'attente de l'hôpital en a grandement besoin. L'air y est lourd et suffocant.

Même si nous avons tenté de le déplacer, le quatrième traitement de chimio tombe pile à quelques dodos du jour de l'An. Nous n'aurons jamais été aussi sages pour défoncer la nouvelle année. Qu'à cela ne tienne, j'ai tout prévu. Un *pyjama party* en famille, à jouer aux cartes. Philippe, Juliette et Zac adorent ça, et Alice aussi. Rosalie et moi sommes un peu moins emballées, mais ça nous passera. Et puis je trouverai bien le moyen d'inventer un ou deux jeux rigolos.

C'est de ça qu'elle a besoin, notre maman. Passer du temps avec ses filles et ses petits-enfants sans fioriture ni artifice. Nous l'avons bien vu à Noël. Notre soirée ultra-festive l'a fatiguée plus qu'elle n'a voulu l'admettre. Non, pas question de tomber dans l'excès, cette fois-ci. Ce sera la simplicité volontaire dans toute sa splendeur.

En attendant que notre tour vienne, je fais un retour sur la dernière visite d'Alice avec Roxane, histoire de mettre Rosalie au parfum. À la suite de ma discussion avec mon amie, je me suis empressée de bombarder maman de questions sur sa version des faits. À mon grand soulagement, ses propos corroboraient ceux de notre célibataire endurcie.

— Il est si beau que ça, ton doc, *mom*? demande Rosalie, vivement intéressée, en s'enroulant une mèche frisée à la perfection autour du doigt.

De grâce, dites-moi que je rêve! Ma sœur ne va pas s'y mettre et lui faire son numéro de charme, elle aussi! Je lui fais de gros yeux et elle me rassure illico. Alice répond:

— Trop jeune pour moi, mais oui, c'est un homme très séduisant. Je sais que c'est pas le cas de Roxane, mais s'il est libre, son portefeuille doit aussi en séduire plus d'une.

— Ça fait des jours que je réfléchis à un plan de match pour découvrir s'il est en couple ou pas. Conclusion: faut absolument qu'on passe le voir à son bureau…

— … et qu'on se mette en mode radar-photo! complète Rosalie, qui commence sérieusement à s'amuser.

— Minute, les filles, je le rencontre pas chaque fois que je mets les pieds à l'hôpital.

— Trouve quelque chose! Je sais pas, moi, raconte-lui ton Noël, ta fatigue, ta toux, je tente de la convaincre.

— C'est rien de bien nouveau… Pas certaine que ça nécessite une intervention de sa part.

— *Mom*, la fin justifie les moyens, *everybody knows that*!

Alice rit de bon cœur et finit par accepter de se joindre au complot juste au moment où son nom résonne dans les haut-parleurs. Nous lui prenons la main et marchons d'un pas courageux vers la pièce maudite.

Le traitement se passe sans embûches, si ce n'est que Rosalie y assiste pour la première fois et qu'elle semble constamment au bord des larmes. Maman, elle, continue de nous épater avec sa grande sagesse et sa force tranquille. Coiffée d'un de ses chics bandeaux qui ne la quittent plus, elle marche la tête haute et le pas déterminé, espérant mettre rapidement notre plan à l'œuvre.

Ô miracle – tiens, en voilà un –, nous tombons face à face avec le Dr Champagne au tournant d'un corridor. Même avec sa blouse aussi laide que blanche, il est d'un chic fou. Ses chaussures – un indice infaillible qui en dit long sur la classe d'un homme – sont exactement comme je les aime. Sa chemise et sa cravate, qu'on peut entrevoir, aussi. Quant à son visage, il est toujours d'une beauté désarmante.

— Alice, quelle belle surprise ! Comment allez-vous ?

Rosalie me lance un regard impressionné. C'est tout juste si elle ne se met pas à siffler d'admiration.

— Bien, merci. Euh… Avez-vous quelques minutes ?

— Je m'apprêtais à avaler mon sandwich, mais si ça ne vous gêne pas que je casse la croûte en votre compagnie, je peux vous voir tout de suite.

Il me prend une envie de sautiller sur place en tenant ma sœur par la main comme quand nous étions petites, mais je me retiens juste à temps.

— Merci, docteur Champagne, c'est très apprécié. Au fait, vous vous souvenez de Gabrielle ? Et je vous présente ma cadette, Rosalie.

— Bonjour, Gabrielle. Rosalie, ravi de vous rencontrer. Vous habitez New York, si je me souviens bien ?

— Tout le plaisir est pour moi ! Oui, je suis photographe là-bas, mais je passe les vacances de Noël ici, avec ma famille, roucoule-t-elle.

Oh boy ! Elle est à la limite d'en faire un peu trop, mais je la soupçonne de ne pas le faire exprès. Ma sœur, c'est une charmeuse naturelle. Je lui jette tout de même un autre regard noir pour la remettre à sa place. Elle semble se calmer, du moins en surface.

— Je vous en prie, assoyez-vous, dit-il en désignant les quelques chaises qui lui font face. Alice, vous n'êtes pas venue avec votre autre fille, cette fois ?

— …

— La… euh… la belle jeune femme qui vous accompagnait lors de votre dernière visite, c'était bien votre fille ?

— Oh, vous parlez sans doute de Roxane ?

Cette fois, j'affiche un large sourire satisfait et ça me prend une volonté de fer pour ne pas taquiner en douce mon amie par texto. Alice entreprend le récit de ses dernières semaines pendant que Rosalie balaie la pièce du regard d'une façon si peu subtile que c'en est presque ridicule. Jusqu'ici, pas d'alliance en vue ni rien d'autre à signaler. Elle pousse donc l'audace jusqu'à laisser échapper – volontairement – son rouge à lèvres derrière le bureau du beau docteur et se lève aussitôt pour le récupérer. Bien entendu, elle prend le temps de vérifier l'écran d'ordinateur qui, visiblement, ne contient rien de concluant.

Absorbée par son manège aussi absurde que comique, je tente tant bien que mal de participer à la conversation se déroulant en parallèle. Qui sait, cette rencontre impromptue pourrait s'avérer plus dramatique que prévu, mais ça ne semble pas être le cas, Dieu merci. La fatigue et la toux sont des symptômes bien réels de la maladie. Du repos s'impose dès que le besoin se fait sentir.

— Je vous félicite, Alice, vous menez votre combat avec beaucoup de courage et de détermination. Ç'a été un plaisir de vous voir, conclut le médecin avec chaleur.

— Merci ! répondons-nous en chœur, telle une chorale bien entraînée.

Juste avant de refermer la porte derrière nous, nous l'entendons nous dire, un sourire dans la voix :

— Vous saluerez Roxane pour moi…

Je lui souris en retour avec désinvolture, comme si ça allait de soi. Hourra ! Mission accomplie ! C'est dans la poche ! En couple ou pas, il est clair que Julien Champagne craque pour mon amie ! Cette fois, je ne me retiens pas. Je commence à gambader joyeusement dès que la porte du bureau se referme, entraînant mes deux complices. Ça fait du bien de sortir de l'hôpital autrement qu'avec un air d'enterrement.

Bon, ça suffit, le surplace. Après des jours à ruminer mon plan en courant, je dois passer à l'action et couper les ponts avec Jacob. Forcément, c'est la seule issue possible. Je ne vais quand même pas lui proposer qu'on reste amis ! Du réchauffé ridicule, mais surtout dangereux. On dira ce qu'on voudra, mon New-Yorkais pourra se targuer de m'avoir touchée et troublée à maintes reprises. Je remercie presque le ciel que tout nous sépare, à commencer par la distance.

— Gab, vas-tu courir au gym ou dehors ? beugle brusquement Philippe de l'étage.

Sa soudaine intervention me fait sursauter, comme si j'étais en train de préparer un mauvais coup. À bien y penser, c'est exactement le cas. J'ai d'ailleurs pris soin de me positionner de façon stratégique dans la bibliothèque, face à la porte, mon MacBook sur les cuisses.

— Je pense aller au club, vous voulez venir avec moi ? je lui crie en retour, en refermant néanmoins l'écran sur mes secrets, de peur d'être prise en défaut.

Depuis que nous subissons les foudres de l'hiver, je choisis le gym trois fois sur trois pour mon entraînement. J'ai bien essayé de courir dehors, mais rien n'y fait, le froid m'agresse de la racine des cheveux à la plante des pieds. Quoique le tapis roulant n'est pas beaucoup mieux. En plus d'être fabuleusement ennuyeux, il se transforme vite en véritable sauna, me faisant suer du coude !

— Oui, on t'accompagne ! Mon chum vient de me proposer un match de tennis. On laissera les enfants à la halte-garderie. Départ dans une demi-heure ?

— Parfait !

Maintenant, qu'on me foute la paix pour que je fasse le ménage tant attendu dans ma tête ! Allez, Gab, voilà ta chance de faire ressortir ton talent naturel de rédactrice. Eh non, encore une fois, j'ai le sens du *timing*. Pour la première fois de ma vie, je suis victime du syndrome de la page blanche. Plutôt que de se bousculer dans mon esprit, les mots me fuient, comme s'ils ne voulaient pas qu'on les utilise. Il le faudra bien pourtant.

Le brouhaha de la maison ne me donne aucune chance de mener ma mission à bien. J'entends Juliette et Zac de loin me demander quoi mettre, et je leur réponds un vague et périlleux « mettez donc ce qui vous chante ! ». Pendant ce temps, Philippe ne cesse de passer devant la porte, toujours une question au bout des lèvres. Tout le monde attend quelque chose de moi, Jacob inclus.

Après avoir semé la pagaille dans mes pensées, les enfants et leurs combinaisons maison se proclament prêts à partir et me passent bientôt sous le nez, me faisant presque réprimer un haut-le-cœur. Ce n'est pas du joli, mes amis! De toute évidence, ils n'ont pas mes aptitudes pour le *mix and match*!

Pressée par la montre, je me mets à taper sur le clavier en y mettant toutes mes tripes: «Tu as rempli ma tête de souvenirs. Encore une fois. Mais je t'en prie, Jacob, retiens-toi, c'est mieux ainsi. Accroche-toi à ta quête de bonheur et dis-toi que tu feras toujours partie de mon autre vie.»

Quand je me relis, presque à contrecœur, je constate que j'aurais pu être plus claire, mais il est un peu tard pour reculer. À moins que j'efface tout et que je reprenne du début un autre jour? Non, non et non, je dois en finir avec ma procrastination malsaine. Mes adieux à Jacob sont aussi nécessaires que douloureux. C'est avec le cœur remué mais libéré que je ferme les yeux sur ce délicieux épisode.

Lorsque je les ouvre à nouveau, la réalité me rattrape. Je m'imagine déjà Philippe taper du pied dans l'entrée. Ce qu'il peut m'énerver parfois avec sa ponctualité abusive! Il a de qui tenir avec ses parents qui en font une réelle maladie chronique.

En deux temps trois mouvements, je monte à l'étage pour me fabriquer un chignon approximatif et j'enfile une nouvelle tenue dénichée sous le sapin qui me servira de source de motivation pour mon jogging contre le mur. À demi repentante, j'adopte mon petit air de chien battu – que je maîtrise particulièrement bien, d'ailleurs – en dégringolant les escaliers afin de rejoindre mon clan impatient. Après des années d'essais et d'erreurs, j'ai conclu qu'il s'agit de l'attitude gagnante pour échapper aux discussions qui tournent mal.

Dès que nous mettons les pieds dans le gym plein à craquer de résolutions, nous tombons sur Annabelle et Roxane. Littéralement bourgogne, mon amie *wannabe* sportive est au bord de la suffocation.

— *MY GOD!* Ça va, mon p'tit chou fané? je l'interroge en tentant de dissimuler mon envie de m'esclaffer.

Annabelle me jette un regard dont le sens est un croisement entre «la ferme!» et «au secours!».

— Ça fait mille ans qu'Anna s'entraîne, pis moi, j'essaie de la suivre, c'est du délire! Elle m'a même fait avaler son *shake* vert infect. En plus d'être dégueu, y a pas changé grand-chose à ma performance ! arrive à articuler Roxane, tout en cherchant désespérément son souffle.

Cette fois, mon rire retentit haut et fort dans la pièce. Le coup du *shake*, elle me l'a déjà fait à moi aussi et j'ai bien failli me vomir les entrailles. Le sourire d'Annabelle ne résiste pas, ce qui ne l'empêche pas de trouver les mots justes malgré un doute persistant.

— Donne-toi une chance, Rox, faut que tu commences quelque part. Tu t'es jamais entraînée de ta vie, les résultats tomberont pas du ciel ! Faut que tu y mettes du temps et des efforts.

— Pfft ! C'est peut-être pas pour moi, tout ce cirque, finalement. Dire que je me suis acheté trois nouveaux *kits* Lulu pour me motiver !

— Là, tu vois, ça marche pour moi, ce truc, je rétorque pour la dérider. Anna a raison, Rox, vas-y à ton rythme. Pis mets-toi pas trop de pression. Fais-le pas pour moi ni même pour Alice... Fais-le pour toi.

Mentalement, je me dis que, si jamais elle abandonne son entraînement, je pourrai au moins récupérer ses nouvelles fringues. On ferait d'une pierre deux coups, et ça nous éviterait gaspillage et culpabilité inutiles.

— Je vais me donner une petite semaine pour ruminer tout ça et récupérer de ma blessure.

— Ta blessure ? D'où elle sort, celle-là ? demande Annabelle en levant un sourcil.

— Ben quoi ? Je me suis fait mal à la cheville tantôt en voulant t'imiter.

Devant notre mine plus-que-sceptique, Roxane sent le besoin d'ajouter :

— Je vous jure ! Arrêtez de me regarder de même ! En plus, je manque de temps, je suis sur un gros coup au bureau. C'est juste une petite pause, je serai de retour la semaine prochaine, promis.

Yeah right.

— Arrête, tu vas me faire brailler ! dis-je, moqueuse. Sérieux, tu fais comme tu veux, mon p'tit chou. Moi, faut que j'y aille, ma séance de torture m'attend ! On se voit toujours samedi prochain chez nous pour un « varia » ?

Sur leur réponse affirmative, je les serre dans mes bras – geste héroïque post-effort physique – en guise d'au revoir et de bonne année. Après tout, on se reverra l'an prochain seulement.

Gonflée à bloc, j'enfile mes pattes de course et je plane vers mon tapis roulant aussi beige que la dernière fois. Je prends soin de passer saluer les enfants, qui m'ignorent de façon magistrale, trop occupés à se faire de nouveaux amis à la halte-garderie. Non, mais tu parles d'une idée heureuse et *mommy-friendly*! Un service de gardiennage gratuit pour les gamins pendant que maman se démène à brûler les vilaines calories et, bien souvent, à éliminer le surplus de poids dont nous tairons les grands responsables. Ça nous fait une excuse en moins.

Depuis un petit moment déjà, je réserve mes dix kilomètres au dimanche. Mes deux autres sorties, d'une demi-heure, se font en semaine à l'heure du lunch. Il m'arrive de déroger à ma routine, boulot oblige, mais en règle générale, je m'en tiens fièrement à mon plan d'entraînement, que Félix continue de superviser. Le samedi, lui, est un jour sacré de ski en famille.

Cette année encore, nous poursuivons dans le déni en faisant la sourde oreille aux demandes incessantes des enfants – Zac surtout – qui veulent s'inscrire à l'équipe de compétition et, du même coup, nous faire intégrer le cercle des super-bénévoles-super-engagés. J'en mène déjà suffisamment large pour le moment, tout le monde est d'accord sur ce point, Philippe le premier. Chaque chose en son temps. Une saison à la fois. À moins que je mette Sophie là-dessus l'an prochain, dans sa quête de bénévolat? Cette pensée me fait ricaner en solo.

Félix me fait un signe de la main, emprisonné derrière son comptoir. Pourvu qu'il ne vienne pas me piquer une jasette pendant que je cours. Je n'arriverai jamais à tenir une conversation normale, même si ça devrait être le cas, comme «ils» disent.

Si on était un jour de semaine, je serais sur le point de terminer joyeusement ma demi-heure. Mais c'est dimanche et je ne suis qu'à mi-chemin de mon parcours. Je me sens toutefois sur une bonne lancée, ce qui se traduit dans mon temps, soit moins de six minutes du kilomètre environ. Un *pace* que je m'entraîne non seulement à maintenir, mais à perfectionner en vue de la Miamimania.

Explications. Pendant une de nos nombreuses discussions, Pénélope et moi avons convenu qu'il serait bon que je participe à un événement de course avant le nôtre, prévu pour le début de juin prochain. Question de me familiariser et de m'inspirer pour un avenir rapproché. Plusieurs recherches plus tard, nous avons constaté que j'aurais l'embarras du choix. Des épreuves du genre, en variations sur un même thème, il y en a dans la plupart des grandes villes de la planète.

Avant que Pénélope me propose de courir dans la brousse – on ne sait jamais avec cette dynamo –, j'ai pris soin de suggérer une date et une destination un peu moins exotique, mais me permettant de joindre l'utile à l'agréable. Miami en mars l'a emporté haut la main, ce qui m'enchante. Naturellement, je suis emballée à l'idée de courir un premier «vrai» dix kilomètres, mais tout autant à celle de courir les boutiques! Je n'ai pas manqué de partager mon agitation avec Pénélope, qui s'est moquée de moi et de ma drogue douce.

Ma séance se termine sur cette pensée aussi motivante que réconfortante. Faisant fi de mon look tout sauf présentable, je file vers Félix pour lui confier mes dernières performances et cette belle aventure qui m'attend dans le détour. Je m'amuse à l'appeler mon entraîneur privé, alors que je sais pertinemment que je trafique les mots à mon avantage. Qu'importe, c'est comme courir dans Central Park ou encore avoir un top-modèle comme beau-frère, ça se place bien dans une conversation et ça me suffit.

— *Nice!* Ça va bien, tes affaires, Gabrielle! s'écrie-t-il avec admiration.

— Pas mal, hein? Qui l'aurait cru quand je suis venue te voir avec mes angoisses à mes débuts?

— Ouais, t'étais pleine de doutes, mais pas moi. Au fait, ton projet de course pour juin, ça avance bien?

— J'ai pas les chiffres à jour, mais aux dernières nouvelles, oui.

— Dommage que ce soit réservé aux femmes, j'aurais embarqué tous mes chums avec moi.

— Tu peux nous aider autrement, je le taquine avec un clin d'œil.

— T'inquiète, j'en parle beaucoup aux clients du club et je peux être ton bénévole le plus dévoué, si tu veux.

— Certainement! Je prends tout, tu sais! D'ailleurs, merci encore pour la pub.

À ma demande, et avec l'accord du proprio, Félix a accepté d'installer l'affiche promotionnelle un peu partout dans le gym en plus de faire la distribution de notre feuillet à tous les membres. Ce coup de marketing s'est traduit par de nombreuses inscriptions.

— C'est rien, voyons, fait-il en haussant les épaules.

— Bon, à la douche si je veux pas trop faire attendre mon homme et mes enfants. *Ciao*, Félix, et souhaite-moi bon courage pour la suite!

* * *

On se croirait en plein cœur de vacances en Espagne alors que je viens de passer mon samedi après-midi à popoter des tapas en prévision de l'arrivée des chipies. Fuyant ma musique qui résonne à tue-tête, Philippe s'est réfugié dans la bibliothèque afin de faire du rattrapage dans ses lectures financières. Il va bien finir par s'endormir, avec tous ces chiffres assommants.

Les enfants passent la journée entière avec Alice. Suivant sa suggestion, ils ont décidé de faire de leur journée un véritable *road trip*. Tous les trois se sont empressés de quitter le nid familial tôt ce matin. Sans but, ils y vont au gré du moment. J'ai trouvé l'idée tellement géniale que je n'avais qu'une envie, les accompagner, mais je ne pouvais pas décommander mes amies. Je les ai à peine croisées pendant le long congé des fêtes.

Dire que, dans moins de deux jours, je viendrai de sortir d'une réunion interminable pour remettre toute la brigade en marche. Ce grand retour ne me fait pas peur outre mesure. Sans être une boulimique de travail, j'aime l'immense dose d'adrénaline que m'apporte mon boulot au quotidien. Carburant aux défis et à la performance, je me verrais bien mal dans mes platebandes à longueur de journée.

De toute façon, je suis nulle pour tout ce qui touche à l'entretien extérieur de la maison. C'est le département de Philippe, tout comme le désormais célèbre garage excavé, où il excelle particulièrement. Sur ce plan, aucun partage des tâches n'est envisageable.

On cogne à la porte et Annabelle fait son entrée.

— Salut, mon p'tit chou, comment tu vas ? je claironne joyeusement en lui sautant au cou.

Oups, j'ai pris combien de verres déjà ?

— Bien, toi ? Miam, ça sent bon ici !

— Je vous propose une formule tapas ce soir, j'annonce en la débarrassant de son superbe manteau couleur miel, bordé de fourrure. C'est nouveau ? Je l'adore !

— Mouais, j'ai décidé d'aller habiller mes émotions, répond-elle en soupirant.

— *Oh boy !* Ça va pas mieux, toi… Je t'ai négligée ces derniers temps, on a pas fait assez de psy-shopping.

— Bof, tu sais, c'est une façon de parler. T'en fais pas trop pour moi, je suis pas malheureuse pour autant.

— Tu m'inquiètes quand même, Anna Bella, va falloir que tu provoques quelque chose, là. Un genre de « ça passe ou ça casse ».

La ferme, Gab ! Tu y vas un peu fort. À bien y penser, j'en suis à ma troisième coupe version piscine. Je devrai y aller doucement avec la première tournée de vin.

Dieu merci, nous sommes interrompues par Sophie et Roxane, qui arrivent en même temps. Tout comme Annabelle, elles sont ravissantes avec leurs yeux charbonneux et leurs *tops* scintillants. Nous nous faisons un câlin tout en paillettes avant de filer vers la cuisine aromatisée.

— Tiens, la triathlète, voilà la pâtisserie du jour, me dit Sophie en me tendant un plat encore chaud.

— T'es trop *hot* ! Merci, fée marraine !

Elle, ça fait longtemps qu'elle a gagné son ciel. Il y a fort à parier que mon amie n'a pas eu une microminute pour elle-même, mais elle a trouvé le temps de nous cuisiner un dessert maison.

— C'est quoi cette musique débile, Gab ? s'affole Roxane.

— Ben quoi ? Je nous mets dans l'ambiance de la fiesta ! Ça fait changement, non ?

Pour toute réponse, Roxane émet un grognement avant de prendre en charge la première tournée de *drinks*. Je m'étais promis de passer mon tour, mais la tentation est forte, et la chair, trop faible. Je me rallie donc à la majorité et je lève mon quatrième verre à la nouvelle année. Je sais d'ores et déjà que mon dix kilomètres sera pénible demain.

— Dis donc, comment va ta cheville, Rox ? je demande en adressant un clin d'œil subtil à Annabelle.

— Ma quoi ?

— Ta cheville. Ta blessure au gym... Tu te rappelles ? insiste une Annabelle sans pitié.

— Oh, ça ? C'est... c'est mieux... Beaucoup mieux, se reprend-elle non sans hésitation.

Voyant que nous ne croyons pas un mot de ce qu'elle raconte, Roxane détourne habilement la conversation :

— Parle-nous donc plutôt d'Alice. Comment elle va ?

Annabelle et Sophie hochent vigoureusement la tête et s'inclinent avec intérêt vers l'avant, me donnant une vue imprenable sur leurs décolletés plongeants.

— Assez en forme dans les circonstances, je dirais. Je l'ai trouvée plus fatiguée pendant les fêtes. Elle tousse beaucoup aussi. Tout ça est normal, à ce qu'il paraît.

— Elle a le moral, au moins ? demande Sophie.

— Pour ça, oui, elle est surprenante. Des fois, j'ai l'impression que c'est elle qui nous console et non l'inverse. Elle a le tour pour voir le bon côté des choses, trouver le mot juste. Vous auriez dû la voir l'autre jour avec Juliette.

— Oh, c'est vrai, ta fille est au courant maintenant.

— À moitié, disons. Zac, zéro, pas un mot. Juliette sait pour la maladie, les traitements, mais rien sur les chances de survie. Je fais comme si Alice allait guérir. À la lumière de mes petites enquêtes sur le Net, pas sûre que ce soit la bonne chose à faire, mais c'est tout ce que j'ai eu la force de lui dire, les filles.

Comme d'habitude, mes trois amies se font rassurantes. À l'unanimité, elles croient que cette approche est la bonne. À cinq et huit ans, mes enfants peuvent se permettre de rêver en technicolor. À quoi bon mettre un gros nuage gris au-dessus de leur petit monde enchanté ?

— Vous allez sûrement la voir, elle ramène ma marmaille tantôt, j'ajoute afin de clore le sujet, du moins pour le moment.

Même si les copines ont croisé ou visité Alice à quelques reprises depuis l'été dernier, je sais qu'elles se réjouissent toujours de la voir. Leur attachement profond pour maman est palpable depuis notre tendre adolescence. Et c'est encore plus vrai aujourd'hui. Je les trouve franchement adorables de venir aux nouvelles, mais à cet instant précis, j'ai envie de penser à tout sauf à cette réalité qui me rattrape si souvent. Ce soir, j'ai envie de boire du rouge et non de broyer du noir.

— Je pensais que tes chatons étaient avec Philippe. Où il est, le beau Philoup ? me questionne Annabelle.

— Emprisonné quelque part entre la bibli et son putain de garage excavé, tu sais bien ! Je vais lui passer de la nourriture sous la porte plus tard, dis-je à la blague.

Pendant que je m'affaire à déballer quelques amuse-gueules avec l'aide de Sophie, Roxane et Annabelle concentrent leurs énergies sur la trame sonore de la soirée en prenant soin de monter le volume. Hum, je sens que Philippe va aimer cette dernière initiative. Manifestement, nos D.J. ne font pas attention au monde ambiant et se trémoussent le popotin comme des pros. Je sens déjà venir les mots d'ordre de la soirée : « Débauche. Sans hésitation. » Pourvu que je puisse compter sur leur papa pour mettre les enfants au lit !

Sophie et moi ne tardons pas à rejoindre nos deux chipies, des tapas dans une main, notre fidèle coupe dans l'autre. Les vapeurs de l'alcool nous entraînent dans un joyeux tourbillon de pas dansants et d'éclats de rire. À travers cette douce folie, je veille à jouer mon rôle d'hôtesse en distribuant mes petits fours tout beaux, tout chauds.

Je m'apprête à me diriger vers la cachette secrète de mon homme lorsqu'il se pointe au détour du foyer. Arborant sa tenue week-end que j'aime tant, il a le regard fatigué mais rieur. D'après l'air qu'il fait, nos prouesses l'amusent drôlement. Je m'approche en titubant pour lui mettre mes fantaisies culinaires sous le nez. Quelle idée d'avoir toujours mes bottillons d'Émilie Bordeleau aux pieds ! Je les envoie illico valser sur la causeuse du salon transformé en plancher de danse. Plus tôt, c'était une question de look, mais à cette heure, tout le monde s'en fiche.

— Avoue qu'ils sont irrésistibles !

— J'avoue ! Leur arôme a traversé les murs… votre musique aussi ! plaisante-t-il. J'espère qu'ils sont aussi succulents qu'ils en ont l'air !

— C'est pas pour me vanter, mais ils sont pas mal. Tiens, prends donc celui-là en attendant mon prochain tour de piste.

Debout sur le bout de mes pieds nus, je lui dépose un baiser sur le museau et lui tends une bouchée de pâte phyllo fourrée au brie, seule et abandonnée dans mon adorable plateau de service. La malheureuse est victime du très répandu syndrome «je-ne-peux-pas-prendre-la-dernière-de-quoi-je-vais-avoir-l'air». Un concept fascinant qui s'applique à tous les types de rassemble-ments que je connais.

Pendant que Philippe fait la conversation avec mes amies sur-voltées, je file à la cuisine regarnir mes assiettes. Un peu plus et je mettais le feu à la maison ! Plus-que-cuits, mes canapés aux champignons sont en version croûton. Je vais passer ma bourde sous silence. Dans l'état où elles sont, les filles ne verront pas la différence. Roxane me fait sursauter en arrivant derrière moi pour ouvrir une nouvelle bouteille. Elle me glisse à l'oreille – comme si elle avait besoin de faire ça pour être discrète avec cette musique qui joue à tue-tête :

— Penses-tu que c'est le moment ?

— Le moment… ?

— De leur raconter l'épisode Julien Champagne ! explose-t-elle en roulant des yeux.

— Oh oui, c'est ben trop vrai, elles savent pas ! Excuse-moi, Rox, j'essaie de me concentrer sur mes tapas si je veux pas nous faire flamber toute la gang !

— Laisse-moi t'aider ! Je fais quoi ?

— Te sens-tu encore en mesure d'aligner des bouchées minus-cules à l'infini sur une plaque ?

— Certainement ! affirme Roxane d'un ton convaincant, ses yeux de biche plus grands que nature.

Pour ma part, j'ai de gros doutes quant à sa capacité à se concen-trer sur une telle tâche. Mais si ce n'est pas elle qui s'en charge, c'est moi, et bien honnêtement, je ne suis pas plus en état de cuisiner qu'elle. J'ai ralenti le tempo depuis un petit moment, mais j'avais une sérieuse longueur d'avance.

La musique se tait soudain, et Dieu que ça fait du bien! Sophie et Annabelle viennent nous rejoindre et se laissent lourdement tomber sur les tabourets de l'îlot encombré. Perlées de sueur, elles ont quelques mèches rebelles et les joues enflammées. Elles poursuivent leur rigolade tout en goûtant avec appétit la suite de mon menu. Pour attirer leur attention, Roxane se racle la gorge, mais passe près de s'étouffer pour vrai. Le nez dans mes fourneaux, je m'esclaffe. Sans cacher son énervement, elle se lance:

— Les filles, j'ai comme un mini scooooop!

— Wouhou! On adooooore les mini scooooops! s'emballe une Sophie de très belle humeur.

— Dis-moi pas que t'as réussi ta quête? renchérit Annabelle.

— Tu y es presque!

C'est ainsi que Roxane relate son histoire dans les moindres détails – on dirait M. Thomas! – devant un public gagné d'avance. Assise sur un bout de comptoir, à me lécher les doigts, je la trouve aussi marrante qu'attendrissante. Tout en l'observant, je songe à la machination que nous avons inventée pour provoquer une nouvelle rencontre entre les deux tourtereaux.

Après l'élaboration de plusieurs scénarios tous plus invraisemblables les uns que les autres, nous avons finalement misé sur la simplicité. Roxane nous accompagnera, Alice et moi, à sa prochaine et avant-dernière chimio. Naturellement, maman s'est assurée de prendre son rendez-vous pendant l'un des quarts de travail du beau docteur. Avec un peu de chance – la même que la première fois –, nous tomberons sur lui au hasard de notre visite. Au pire, Alice prétextera une autre bonne raison de le voir. Seulement voilà, le traitement n'est que dans deux semaines et Roxane ne tient déjà plus en place.

— Prends ton mal en patience, Rox, ça va marcher, la rassure Annabelle.

— Tout vient à point à qui sait attendre, philosophe Sophie, à demi sérieuse. Non, mais c'est vrai, c'est à ton tour maintenant.

— Oui, t'as assez donné, mon amie. Buvons à ton prochain grand amour! je renchéris en levant mon verre dans un geste glorieux.

— Vous êtes trooooop douces, mes chéries. Je vous aime teeeeel-lement ! chantonne-t-elle avant d'amorcer une distribution de câlins interminables.

Et voilà, nous y sommes ! Roxane est sous l'effet de l'alcool et a un petit surplus d'émotions à gérer. Ça lui arrive même de verser une larme ou deux dans ces cas-là. Avant d'en arriver là ce soir, je me fais un devoir de détourner la conversation.

— Moi aussi, je t'adore, je vous adore toutes ! Et… et j'ai aussi un mini scoop à partager.

Toutes les trois se mettent à piailler en même temps, c'en est étourdissant. S'il avait fallu que je leur parle du dernier mot de Jacob, elles auraient été complètement hystériques ! Non, cet épisode nous appartient, à Rosalie et moi.

— Je m'en vais en Floride bientôt !

— Pour une virée shopping ? Je t'envie tellement ! lance Roxane.

— Non, courir mon premier dix kilomètres au marathon de Miami Beach !

— Ben je t'envie pus pantoute !

Sacrée Roxane, elle ne changera jamais.

— Rox, arrête ça… Gab, c'est génial ! s'exclame Annabelle.

— Vraiment ? Bonne idée ! Tu te prépares tranquillement pour notre événement ? devine Sophie.

— Ben oui, ben oui, c'est sûr que c'est une bonne idée… Une bonne idée pour toi, mon amie ! nuance Roxane, à moitié repentante.

Emballée, j'entreprends de leur raconter le but de cette escapade plus sportive qu'autre chose. Je prends néanmoins la peine d'apaiser le scepticisme de mes amies. Juré, craché, mes véritables intentions sont de vivre l'expérience d'une première course pour en tirer doublement profit. Primo, m'offrir un champ de pratique, secundo, ramener un bagage d'idées et de savoir-faire en prévision de ce qui nous attend en juin. Mais, je dois l'admettre, le shopping fait partie intégrante du programme de récompenses qui suivra mon défi !

— D'ailleurs, So, on en est où avec les inscriptions ?

— Je savais que t'allais me poser la question et j'ai vérifié pas plus tard que cet après-midi. On en est à cinq cents au total. Quand même !

— Pas mal du tout… C'est la moitié de notre objectif, je calcule, songeuse. Mais faut faire grimper ça !

— Je connais plein de gens qui veulent participer, mais qui sont pas encore inscrits. Le printemps va entraîner un regain d'intérêt, ajoute Annabelle.

— C'est quoi la date déjà ? grommelle Roxane.

— Le 3 juin, ça te donne amplement le temps de guérir de ta blessure, je me moque gentiment.

— Bon, bon, bon, foutez-vous de ma gueule tant que vous voulez, ça n'a aucun effet sur moi.

— Je le sais, moi, ce qui te ferait de l'effet… roucoule Annabelle.

— Julien Champagne sur la liste des membres du club sportif ! complète Sophie, amusée.

Nous nous entendons toutes là-dessus, même Roxane, qui finit par retrouver son sens de l'humour et de la fête.

Le reste de la soirée coule comme le bon vin que nous buvons, à cette heure, à plus petites doses. Un tour de table s'amorce dans le but de découvrir où nous en sommes avec nos quêtes. Roxane est bien partie pour jouer au docteur bientôt alors que Sophie multiplie son aide humanitaire à gauche et à droite, à commencer par La course en rose bonbon, dans laquelle elle met tout son cœur.

Surqualifiée pour ce type de mandat, elle tient dur comme fer à s'en charger elle-même. Ça la détend, qu'elle me dit. Doux Jésus ! Je suis TELLEMENT loin d'être détendue lorsqu'il est question de bilan financier ! Avec Sophie aux commandes des cordons de la bourse, je peux dormir sur mes deux oreilles, les colonnes vont assurément balancer ! J'ai beaucoup de chance de l'avoir à mes côtés et je profite de l'occasion pour lui faire des éloges ce soir encore.

Quant à Annabelle, la vie ne lui sourit pas comme elle le voudrait. Notre amie le sait pertinemment, mais elle semble résignée à poursuivre sur cette route ni meilleure ni pire. Après tout, Louis est un bon gars, un papa extra pour sa fille. Elle lui voue une grande tendresse et il la lui rend bien. C'est un doux, dans tous les sens du terme. Pour lui, la vie avec Annabelle semble belle.

Je tâche de ménager mon amie en évitant les déclarations sans filtre comme celle que je lui ai servie à son arrivée. Ce qui ne m'empêche pas de croire, en secret, qu'elle fuit la réalité pour s'en tenir à la routine confortable d'une vie rangée et sans histoire. À quoi bon tout remettre en question, au risque de faire plus de mal que de bien ? À mon avis, c'est une triste façon de voir les choses, mais qui suis-je pour juger ?

Annabelle n'est visiblement plus amoureuse, mais je demeure persuadée qu'elle pourrait le redevenir. Comme dirait ma mère, Louis est un homme à marier. Reste à savoir si elle en a envie. Encore ce soir, nous n'avons pas réponse à cette question. Pince-sans-rire, elle prend toutefois la peine de nous rassurer sur un point. Quand l'envie lui prend, elle sort sa petite valise de joujoux « dix-huit plus » et s'amuse toute seule dans le silence et l'obscurité de la nuit. Un fourre-tout – qui porte bien son nom – plein à craquer d'objets sexuels ? Jamais entendu Annabelle parler de ça ! Mon amie est *so wild* – et moi tellement pas, à côté d'elle !

Le temps file et je suis étonnée de voir que les enfants ne sont toujours pas rentrés. Ils ont probablement choisi de conclure leur journée avec un film-popcorn. Quant à Philippe, il y a longtemps qu'il a regagné ses quartiers, nous laissant entre filles.

Lorsque le trio d'aventuriers arrive enfin, nous sommes dans le confort du salon, à la lueur des flammes. Notre look et nos chaussures ont été laissés à l'abandon dès que nous y avons mis les pieds. En fusion avec les causeuses, mes amies bondissent vers la porte dès qu'elles aperçoivent Alice, qui ne semble pas trop épuisée par son périple. Les accolades s'entremêlent pendant un moment.

Deux clans se forment peu à peu, celui de maman et des copines, puis le mien avec les enfants. Alors que je décode d'une oreille des bribes de l'histoire de maman, j'écoute de l'autre Juliette et Zac me raconter leur joyeuse escapade. Même s'ils tombent de sommeil, ils sont surexcités à l'idée de me rapporter chaque détail de leurs activités. Je finis par les convaincre de se mettre au lit, en m'avouant que je prendrais volontiers leur place.

À mon retour, je repère quelques mouchoirs, ce qui me laisse croire que l'ambiance n'est pas jojo. Pourtant, les sourires sur les visages me rassurent et m'enchantent. Je n'avais pas envie de finir la soirée sur une note triste. D'autant plus que je suis morte de fatigue en dépit de ma journée sans enfants. Mes invitées lisent dans mes pensées et se lèvent d'un bloc. Ce n'est sans doute pas étranger à la mine que j'ai, marquée de restes de mascara et de cernes sous les yeux. Je n'ose pas leur confesser que je me suis assoupie quelques minutes près de Zac.

— T'aurais pas de l'aspirine, de l'ibuprofène, n'importe quoi pour m'enlever ce mal de tête? me demande Roxane en enfilant sa chic veste de cuir.

— Je t'en prendrais bien une moi aussi, j'ai le crâne qui veut exploser! renchérit Sophie dans un bâillement.

— Grosse soirée, les filles! rigole maman. Êtes-vous certaines d'être en état de conduire?

— On n'aurait pas dit ça y a quelques heures, mais ça ira. On est sages comme des images depuis un bon bout, la rassure Annabelle qui, visiblement, est la moins fripée de toutes.

Après la distribution tant attendue de cachets miracles, la porte s'ouvre sur l'hiver et le vent mordant. Une petite neige tourne en légère poudrerie au sol. Oh, que je me verrais mal courir avec cette température! L'idée de mes dix kilomètres au gym demain ne me sourit pas particulièrement non plus. Sur cette pensée, je regarde ma mère et les copines se perdre dans la nuit, une couverture sur mes épaules dénudées. Une autre soirée pas banale se termine. Un temps des fêtes de plus prend fin. Peut-être le dernier d'Alice. J'ai le cœur froid tout à coup.

16

Heureux d'un printemps

Ce matin, je suis partie en coup de vent de la maison. Résultat, j'ai oublié mon lunch et mon sac d'entraînement. Tant pis, pas le temps de rebrousser chemin. Et je ne parle même pas du café au lait, préparé avec amour par mon homme, que j'ai également relégué aux oubliettes sur le toit de mon bolide le temps de trouver mes clés. Le liquide ne s'est pas gêné pour se déverser sur ma voiture – et mon tailleur – dès que la porte s'est ouverte. Un fâcheux départ qui ne s'est pas amélioré en cours de route.

En toute franchise, si je suis d'une rigueur exemplaire au bureau, je peux être assez lunatique dans ma vie personnelle par moments. Le genre de fille à oublier ses achats sur le comptoir d'un magasin après avoir réglé la facture. Pas étonnant que j'aie déjà laissé une épicerie entière dans le stationnement d'un supermarché ! Et je ne compte plus les fois où la porte du garage est demeurée grande ouverte pendant des heures en plein hiver. Philippe n'était pas très fier de moi en rentrant, disons.

J'ai même déjà repoussé les limites en oubliant mes enfants au service de garde deux, si ce n'est trois fois chacun, dans la même année. Je n'ai pas cru bon de tenir le géniteur au courant de ces petits accidents de parcours, il aurait du mal à comprendre. On a bien droit à quelques minuscules défauts de fabrication, à ce que je sache !

Un nouveau latte sans complexe à la main, je fonce plus tard que d'habitude vers mon bureau afin de mettre un peu d'ordre dans ma semaine. À cette heure, l'agence grouille déjà de monde et d'idées. On cogne timidement à ma porte. C'est ma dernière recrue, mon petit génie du Web. Vêtu d'un jeans et d'un t-shirt qui aurait besoin d'un bon repassage, il se tient là, avec sa face du matin, en pieds de bas. Depuis son embauche, je l'ai toujours vu en chaussettes. Ça peut sembler étrange, déplacé même, mais cet électron libre est tellement talentueux qu'on lui pardonne ses petits travers vestimentaires.

— Gabrielle, euh... J'ai finalisé les maquettes hier, veux-tu regarder ça tout de suite?

— Oui, bien sûr, montre-moi, dis-je en lui faisant signe de me rejoindre afin d'étudier le créatif de plus près.

Au milieu d'un nombre record d'autres mandats, nous apportons la touche finale à la campagne de L'espace mode etc., le nom donné au nouveau complexe commercial dont le coup d'envoi est enfin à nos portes. Ça fait des semaines qu'on travaille comme des damnés pour attacher les dernières ficelles de toute la campagne intégrée afin d'être prêts pour l'ouverture à la fin de mars.

— J'adore! C'est pile ce que le client a demandé. Je commence à le connaître, il va aimer.

— J'ai voulu la jouer très mode. La couleur, le filtre, ça fonctionne super bien, je pense.

— Vraiment! Attention, t'as fait une petite coquille ici. Et là aussi. Sinon, c'est parfait. Envoie-moi le lien de validation et on croise les doigts pour qu'ils en raffolent autant que nous.

Ce qu'il est doué, et il a à peine vingt-cinq ans! Du gros talent brut qu'il me sera difficile de retenir dans quelques années. Le concept qu'il a créé est à jeter par terre. De loin le plus beau site internet que nous ayons jamais réalisé. Les clients sont comblés, nous aussi. À mon avis, ce complexe faisant appel à tous les sens est un succès assuré, et nous, chez Jumpaï.com, sommes plus que ravis d'y contribuer. Personnellement, je m'engage à m'y rendre à une fréquence au-dessus des normales de saison!

Bon, tant qu'à louper l'entraînement, autant en profiter pour m'enfermer à double tour dans mon bureau et faire un peu de rattrapage dans ma paperasse. J'y ai passé la soirée hier, mais rien n'y paraît, la pile est toujours au même niveau critique. Je suis sur le point d'ouvrir mon courrier quand mon iPhone se met à vibrer, m'annonçant un texto de Sophie.

«Bon jeudredi! Je suis dans une ambiance "ça roule, ma poule"!»

Un sourire se dessine sur mes lèvres. Elle pique ma curiosité avec son expression pour le moins colorée.

«Hein?»

Nous voilà parties! Nos doigts dégourdis se déchaînent sur l'écran.

« On vient de passer la barre des 700 inscriptions ! »

« Wooooow, c'est génial ! »

« Anna avait raison, le printemps nous donne des ailes. »

« Notre opération charme à la fin du mois va créer un autre buzz. »

« C'est quoi déjà ? »

« Un point de presse pour rappeler la tenue de l'événement et dévoiler le nom des personnalités qui ont accepté d'y participer. »

« Ah oui, c'est vrai. Un autre petit coup de cœur profitable. »

« En parlant de grand cœur… Es-tu pas mal impliquée à la Fondation Jaune Soleil ces temps-ci ? Faut pas que tu te tues à l'ouvrage, mon amie. »

Quel mauvais choix de mots !

« J'ai été bénévole à une de leurs dernières activités de financement, c'est tout. Je continue de rassembler livres, jouets, vêtements, si jamais ça t'intéresse. »

« J'ai fait le vide il y a pas longtemps, avec Chloé et ses enfants justement, mais je note, je note. Une prochaine fois, c'est sûr. D'ailleurs, j'ai un autre projet à cœur, moi aussi : le tien ! »

« Je sais. Mais encore ? »

« On a emmené notre famille-jumelle à une partie de glisse l'autre samedi. C'était vraiment sympa. On tisse des liens petit à petit. »

« Tu me fais plaisir, mon amie. Bon, le boulot m'appelle, je te laisse. Déjà que j'ai fait attendre le patron en prétextant un message urgent… #jeteloveyou »

« Priorités 101. :) Merci d'avoir partagé les derniers chiffres. J'aime et je partage la bonne nouvelle. #jeteloveyoutoo »

Habitée d'une belle fébrilité, je me remets bravement à la tâche, entrecoupée d'appels, de courriels et de visites impromptues. En moins de temps qu'il n'en faut pour passer à travers une pile de dossiers divers, mon estomac crie famine et me réclame une petite pause. Ma misérable rôtie refroidie de ce matin, tartinée de façon très approximative de beurre d'arachide, est déjà loin derrière. Je descends au rez-de-chaussée pour attraper au vol un sandwich vite fait, vite consommé.

À mon retour, le bureau est pratiquement désert, heure du lunch oblige. Youpi ! Soixante petites minutes de productivité sans interruption m'attendent. Cet effet de rareté est presque jouissif. Le moment est bien choisi pour m'attaquer au courrier laissé en plan après le texto de Sophie. Heureusement que Béatrice fait un premier tri, autrement j'y passerais la journée!

En dévorant ma succulente baguette jambon-fromage, je tente d'ouvrir sans laisser de traces la première enveloppe qui me tombe sous la main. Une tâche ardue mais réussie avec brio. Il faut dire que je suis passée maître dans l'art de grignoter tout en bossant. C'est une question d'habitude.

Les doigts poisseux, je tiens une lettre qui provient d'un client qui est avec nous depuis une bonne dizaine d'années. Je lis tout bas puis relis à voix haute, n'en croyant pas mes yeux. Soudain, ma tête bourdonne et les mots se mettent à danser devant moi. La missive m'annonce bêtement que notre agence n'est pas retenue pour la suite des opérations du détaillant de mobilier. Pas de signe avant-coureur ni de coup de téléphone. Rien. *Niet. Nothing.* Une lettre. Quelques mots. Sans plus. Je n'en reviens tout simplement pas. J'ai raté un épisode ou quoi?

Sous le choc, je m'abandonne sur le sofa de mon bureau. Mes pensées se bousculent et me ramènent en arrière. Avec du recul, je dois bien admettre que je ne suis plus tout à fait la même depuis l'été dernier. La passion du métier m'anime toujours, mais la tête et le cœur m'ont souvent fait faux bond. Ma gang, voulant m'éviter des tracas en extra, a sans doute cherché à sauver les meubles – trop facile, comme jeu de mots! – sans me prévenir. Je suis partagée entre la colère d'avoir été tenue à l'écart et la fierté, la satisfaction de sentir mon équipe derrière moi, coûte que coûte.

Est-il nécessaire de préciser que je n'avais pas besoin de ça par les temps qui courent? Le sixième et dernier traitement d'Alice, survenu la semaine passée, a été particulièrement pénible. Pour elle comme pour moi. Je me souviens encore de chaque détail. Le silence de mort, l'odeur fétide, les murs cireux, les gens et leur visage soucieux. Je me rappelle celui de maman. Nous étions assises là toutes les deux, à contempler le vide sous toutes ses formes.

Allez savoir pourquoi, tout était disproportionné et exponentiel par rapport aux cinq traitements précédents. Pendant que le liquide coulait dans les veines d'Alice, je me surprenais à me demander si c'était du poison ou une potion magique. Si j'avais eu raison de m'acharner autant, au risque d'aggraver son cas. Main dans la main, cœur à cœur, sans parler, nous sentions un courant nous unir. Nous prenions véritablement conscience que cette étape était celle qui marquait la fin des possibilités, le début de l'espérance d'une vie meilleure nichée entre les mains du destin.

Heureusement, le traitement d'avant avait été beaucoup plus gai, avec la conclusion de notre complot ayant pour but de réunir Roxane et Julien Champagne. Avec mon amie qui s'énervait – et nous énervait – depuis des semaines, la tâche n'avait pas été de tout repos, mais avait valu le coup en fin de compte. À vrai dire, le scénario réel avait largement dépassé les attentes. Nos deux tourtereaux étaient entrés en collision comme dans les films guimauve. La scène avait tellement l'air arrangée avec le gars des vues que je cherchais des yeux une caméra cachée !

En reprenant leurs esprits, ils s'étaient mis à bégayer comme deux ados coincés. Lui, toujours aussi sexy malgré son éternelle blouse blanche, et elle, superbement fringuée dans une petite robe qui annonçait le printemps. Maman et moi suivions la conversation de loin – mais d'assez près pour ne pas rater une seule syllabe. Malgré leur maladresse, on voyait tout de suite que Roxane avait vu juste. Ce type aurait pu avoir une petite coulisse sur le bord de la lèvre inférieure que je n'aurais pas été surprise. Ils avaient échangé quelques phrases anodines à travers leur non-dit avant d'aboutir à mon moment préféré.

— Alice me disait que tu t'entraînes pour La course en rose bonbon ? avait demandé Julien, visiblement au parfum et intéressé par mon projet fou.

— Euh… Oui, oui, je m'entraîne, euh… fort. Trois fois par semaine… au moins ! avait réussi à articuler Roxane.

Sale menteuse, va ! À demi étouffée à force de chercher ses mots, elle maudissait sans aucun doute maman intérieurement. Moi, je pouffais déjà de rire, et le meilleur était encore à venir.

— C'est vrai ? Où exactement ?

— Au club, pas loin d'ici.

— Quelle coïncidence! Mon abonnement vient de se terminer et je voudrais bien devenir membre là-bas. J'ai entendu que du bien de ce gym.

— Ben oui, tu parles d'un hasard!

Là, je n'aurais pu dire si c'était de l'ironie ou pas.

— Moi aussi, je cours minimum trois à quatre fois semaine. J'ai commencé y a deux ans et j'adore ça. Si tu veux, un de ces quatre, on pourrait se donner rendez-vous là-bas pour casser la croûte ensemble après l'entraînement.

— Euh... On verra?

Fais gaffe, Roxane, il ne faut pas le laisser te filer entre les doigts. Ou bien elle m'avait entendue penser, ou bien elle avait réalisé sa sottise et se reprenait aussi vite qu'elle s'était égarée.

— Je voulais dire «pourquoi pas». C'est juste que moi, je... je viens de commencer pis... pis je me suis blessée récemment, alors j'ai comme pris un *break*, s'était-elle justifiée. Mais je... je reprends l'entraînement demain... J'ai super hâte!

C'est quoi, ce baratin? Plus mon amie s'enfonçait, plus je rigolais dans mon coin. Je pense même avoir laissé échapper un gloussement perceptible. Quoique, comme on se le disait à la blague l'autre soir, c'était peut-être ce qu'il lui fallait pour s'y mettre réellement. Je sentais que l'imminent don de vêtements Lululemon était sérieusement en péril avec l'arrivée du doc Champagne dans le décor.

Sachant pertinemment que nous étions à l'écoute, Roxane m'avait jeté un regard en coin, que je n'avais pas manqué de capter avec un sourire fendu jusqu'aux oreilles. Toujours en attente de sa chimio, maman s'amusait presque autant que moi. Ça nous faisait du bien de rire en ces murs.

Quelques semaines – et entraînements – plus tard, Roxane file le parfait bonheur avec ce nouvel homme dans sa vie. Échaudés par leurs anciennes relations, tous les deux ont pris le temps qu'il fallait pour s'apprivoiser, apprendre à s'aimer. Étrangement, Julien – c'est ainsi qu'on l'appelle maintenant – n'a ni femme ni enfant. Une question de choix qui n'est pas sans déplaire à Roxane, que nous avions toutes du mal à imaginer dans le rôle de la belle-mère.

Eh oui, mon amie s'est laissé prendre au jeu de la séduction en reprenant le chemin du gym au bras de son prince charmant.

Elle a même renoué avec le ski – et l'après-ski surtout. C'est fou ce que l'amour peut faire.

Malgré ses grands airs de femme indépendante et fière de l'être, nous la savons plus amourachée qu'elle ne le laisse paraître. Il faut la voir nous raconter les doux moments volés ici et là. Car n'entre pas qui veut dans la vie trépidante et surchargée d'un médecin hautement qualifié. Habituée à vivre seule, Roxane considère ces accommodements comme étant raisonnables et ne garde que le meilleur de son mec. Le sexe, notamment. Ça m'en fait une autre qui va se targuer de survivre à plusieurs orgasmes quotidiens ! AU SE-COURS !

— Ça va, Gabrielle ?

Je sursaute en voyant Béatrice sur le pas de la porte de mon bureau. Elle a son air alarmé des grands jours.

— Oui, oui, ça va, j'ai la migraine, je lui mens à pleine bouche.

Et puis tant pis, je fais volte-face.

— En fait, non, ça ne va pas ! As-tu vu ça venir plus que moi ? dis-je en lui tendant la lettre d'un geste brusque.

Mais qu'est-ce qui me prend ? Ce n'est quand même pas sa faute si nous avons perdu ce client important.

— Je peux ? me demande-t-elle avec un soupir, tout en désignant la causeuse.

Se faisant toute petite, Béatrice prend place à mes côtés et entreprend de me faire le récit des dernières semaines avec ce client. Du moins ce qu'elle en sait. Avec sa plus-que-légère propension au placotage, je la crois sur parole ! Bien entendu, je vais prendre soin d'aller aux sources, mais le tableau qu'elle me dresse m'en dit suffisamment long et s'avère assez fidèle à mes soupçons. Notre service à la clientèle n'a pas été à la hauteur, point à la ligne. En ce moment, je ne suis fière de personne, à commencer par moi.

Mon regard se pose sur la grossière tache couleur café causée par ma gaffe de ce matin. Décidément, ma journée a débuté du mauvais pied et va plutôt mal se terminer. Vivement qu'elle finisse pour qu'on passe à un autre appel.

* * *

J'ai bien cru que je n'y arriverais pas. Pourtant, nous y sommes presque. Plus que quelques minutes avant d'arriver à notre destination sous le signe de la relâche. Juliette et Zac sont tellement occupés à compter les secondes qui nous séparent de notre but qu'ils ont cessé de se chamailler pour un rien.

Puis, au tournant d'un boisé où se cache une rivière scintillante de soleil, nous l'apercevons. L'immense chalet en bois rond, juché entre deux petits vallons de neige et encadré d'arbres à l'infini. Il est encore plus beau que dans mon souvenir. Dans la voiture, c'est l'euphorie généralisée. Même Philippe est impressionné.

Le moteur n'est pas arrêté que les enfants bondissent dehors pour rejoindre le reste de la bande. L'imposante porte s'ouvre sur un bruyant comité d'accueil, essentiellement composé d'enfants de tous les âges. Je peux apercevoir Roxane derrière qui sautille comme une gamine.

— C'est É-CŒU-RANT! jubile-t-elle.

— DÉ-BI-LE! renchérit Sophie, dont la tête apparaît soudain comme un ressort dans le cadre de porte.

Louis arrive pour nous prêter main-forte et nous l'accueillons à bras ouverts. Avec tout le « gréement » qui s'empile dans les moindres recoins de la Jeep, on pourrait croire qu'on s'installe pour quelques semaines. Plusieurs sacs sous le bras, j'entre chancelante dans le chalet. D'emblée, ce que je vois me plaît terriblement.

L'espace, immense, s'ouvre sur de généreuses fenêtres, une mezzanine et un foyer de pierres. Grattant le ciel, les murs et le plafond en pente sont faits de larges lattes de bois rustique. Des fauteuils en cuir brun chocolat, où sont négligemment posés coussins et jetés à carreaux rouges, habitent le cœur de la pièce. Plus loin, la cuisine est tout droit sortie d'un magazine, avec ses électros en inox et sa touche champêtre jusque dans les petits détails. Au fond se dessine une vaste verrière où trône rien de moins qu'un spa énorme en plein centre. Notre marmaille agitée parle déjà de s'y installer.

Pendant la tournée en règle de bises, nous devons mettre un frein aux ardeurs de nos enfants respectifs, qui sont déjà en train de déballer leurs sacs à la recherche de leur maillot.

— Holà, on se calme le pompon, les ti-namis! claironne Annabelle.

Mon amie se serait-elle déjà mise au rosé par hasard ?

— Est-ce qu'on peut prendre le temps d'arriver ? Inquiétez-vous pas, le spa se sauvera pas, je les rassure pendant que je continue mon tour du proprio.

En montant à l'étage, j'avoue à Philippe que je suis assez fière de moi. C'était à mon tour, cette année, d'organiser le rassemblement de nos quatre familles pour un long week-end de ski, et mon choix de chalet est au-delà des espérances. Bien entendu, les photos avaient été déterminantes à l'étape du magasinage en ligne, mais elles ne rendaient pas justice à la beauté des lieux. À lui seul, l'endroit donne vraiment le goût de s'adonner à ce sport.

Tous s'entendent pour dire que la barre est haute pour l'an prochain, ce qui met Roxane, la prochaine G.O. sur la liste, un peu sur les nerfs. Julien, le petit nouveau dans la grande famille, que nous sommes ravis de compter parmi nous, prend la peine de rassurer calmement sa douce. Il est vrai que, entre le choix d'une destination de ski et celui du traitement qui sauvera la vie d'un patient, il y a de quoi relativiser !

Lorsque je redescends au rez-de-chaussée, mes trois amies s'activent à défaire la tonne de sacs d'épicerie qui jonchent le sol. Une bière à la main, les hommes discutent près du spa. Manifestement, ils ont décrété à l'unanimité que la tâche du dépaquetage nous revenait ! Je les soupçonne de vouloir déloger les enfants afin d'être les premiers à mariner dans l'eau bouillante. Ça tombe pile, notre ribambelle de gamins semble avoir déjà oublié ce projet alors qu'on les entend de loin courir et jacasser plus fort les uns que les autres.

Le cœur léger et à la fête, je fonce sur les filles.

— Après une semaine iiiiinterminable, j'ai une seule chose à dire : QU'ON M'APPORTE UN SPA ET DU ROUGE !

Elles éclatent de rire et lèvent à l'unisson leur verre déjà rempli à ras bord. *Oh boy !* Non seulement le site est prometteur, mais notre soirée aussi ! Pendant une fraction de seconde, je m'interroge vaguement sur l'exemple que nous donnons à nos enfants, mais ma culpabilité naissante passe avec ma première gorgée de vin.

Je l'aurais parié, nos hommes s'empressent de s'approprier le bain à remous, la caisse de vingt-quatre pas loin. Ils ne perdent rien pour attendre, les petits malins, je verrai personnellement à ce qu'ils nettoient la cuisine après le passage du tsunami. Remettant donc à plus tard mon projet de baignade, je me joins à la brigade de chefs afin de concocter un plat tout simple de pâtes. Quelques sacs de croustilles circulent en attendant le souper à la bonne franquette. Le slogan du week-end : *Keep it fun and simple!*

Les deux tablées se suivent et se régalent en parts égales. Toutes deux mènent un bruit d'enfer, mais n'ont pas exactement les mêmes sujets de conversation. Chez les adultes, le sexe rafle les honneurs. Passablement éméché, François, qui parle plus fort et plus souvent que les autres, prend la parole :

— Mais vous autres, les gars, c'est quoi votre moyenne au bâton ?

Hum, charmante question. Je sens que ma cote de popularité – tout juste redorée par mon judicieux choix de chalet – va dégringoler de façon fulgurante. Philippe ouvre la bouche, je ferme les yeux.

— Une semaine type, mettons ? avance-t-il prudemment.

— Mettons, oui.

— Ben mettons qu'avec ma blonde je mise sur la qualité plutôt que sur la quantité, confie Philippe avec un demi-sourire.

J'ai envie de protester, mais je suis obligée d'admettre qu'il a raison. Il continue, et c'est là que ça se gâte.

— À 19 heures, ma blonde arbore déjà son « anti-viol », c'est-à-dire son pyjama à pattes et à manches longues, et à 22 heures elle a un cadenas là où vous pensez. Avec elle, il faut faire preuve de *timing* et d'astuce.

Non, mais est-ce qu'il va la fermer à la fin ? C'est un vrai livre ouvert ce soir, ma parole ! Encouragé par la bière et le vin qu'à cette heure on ne compte plus, Philippe rapplique pour se rendre intéressant. Solidaire, Sophie vient à ma rescousse :

— Moi, mon chéri, au risque de me répéter, j'aime pas particulièrement le cul, mais je t'aime, toi. Pour la fréquence, par contre, je suis pas ton homme, et tu le sais très bien !

Et vlan dans les dents, mon François ! J'ai presque envie de me lever pour l'ovationner. Pendant que le principal intéressé poursuit son discours, mon amie ajoute tout bas à mon intention :

— Une fois par semaine, c'est ben en masse ! Dans ce temps-là, je me dis que c'est une bonne affaire de faite, que j'ai sept bons jours devant moi !

Je pouffe. Dans la catégorie franchise, j'ai rarement vu mieux ! Et quand on se compare, on se console. J'ai beau ne pas être la plus assidue sur le plan du devoir conjugal, mon cas me semble moins alarmant que celui de Sophie. Contrairement à mon amie, j'aime le sexe. Mais pas trop souvent, pas trop longtemps… Allons, je plaisante !

Disons en fait que plusieurs éléments doivent idéalement être réunis. Ce qui, en vrac, veut dire avoir un temps raisonnable – et variable selon l'humeur – devant soi. Des enfants qui vaquent à d'autres occupations, comme dormir à poings fermés. Ou encore pas d'enfants du tout, ça peut aider à faire grimper ou du moins à maintenir une libido.

Ça demande également un minimum d'hygiène personnelle. En d'autres mots, il faut se sentir fraîche, avoir les dents brossées, les jambes rasées et le bikini à jour – l'importance de ces deux derniers éléments est inversement proportionnelle au nombre d'années en couple. N'empêche, c'est de la gestion tout ça, mes amis !

D'ordinaire très à l'aise de discourir à ce propos, Roxane se tortille sur sa chaise en cherchant l'approbation de son amant avant de mettre sa nouvelle vie sexuelle sur le tapis. Étonnamment ouvert quant au sujet à l'ordre du jour, Julien lui donne le feu vert. Je savais qu'il était parfait, celui-là !

— J'entrerai pas trop dans les détails, roucoule-t-elle, mais je pense que mon homme a pas de quoi se plaindre par les temps qui courent, hein, bébé ?

« Bébé » ? Ai-je bien entendu ? L'amour la rend non seulement aveugle, mais sourde aussi !

— Je confirme, j'ai rien à redire, se contente de répondre Julien, le rose aux joues.

Pendant un micromoment, je m'imagine Roxane déguisée en infirmière sexy et je glousse toute seule dans mon coin. En simultané avec cette pensée amusante, le regard de nos deux tourtereaux se perd dans l'éternité d'une béatitude entière et totale.

Misère! On croirait entendre Rosalie. Ma belle Roxy chérie, tu m'en reparleras dans une couple d'années! Loin de moi l'idée de jouer les trouble-fêtes, alors je me tais et j'observe Annabelle, muette comme une carpe depuis un bout. Roxane ne tarde pas à m'imiter et, avec toute la discrétion qu'on lui connaît, elle lance:

— Louis, toi non plus, tu t'ennuies pas avec Anna, hein?

— Que... Qu'est-ce que tu veux dire? demande-t-il, visiblement mal à l'aise.

Les yeux écarquillés, Annabelle reste interdite.

— Enfin, tu sais... La valise... Vous êtes *wild*, j'adore ça! s'exclame Roxane, sans faire attention à la commotion qu'elle cause autour d'elle.

Avec tout ce vin, la mémoire fait cruellement défaut à ma chipie d'amie. Le problème n'est pas tant la valise trois X que le fait qu'elle ne sert plus au couple depuis des lustres! Pendant un bref instant, le malaise s'invite à la table. Puis l'éclat de rire d'Annabelle retentit avec fracas dans le chalet, entraînant la surprise et l'hilarité générales.

— Qui l'eût cru, n'est-ce pas? J'ai l'air d'un ange, mais, ô surprise, j'ai aussi des cornes! se marre-t-elle allègrement.

Puis, à l'intention de Louis, elle ajoute:

— Lou, faudrait s'y remettre, hein?

— Peut-être bien...

— Comment ça, peut-être bien? le coupe aussitôt François. Tu connais pas ta chance, mon gars, tu devrais en profiter. Anna, une petite démonstration dans le genre Tupperware à tes amies, ça te dit rien?

La cacophonie reprend de plus belle. Dans un élan de lucidité, je me demande si le volume de la télé au sous-sol, où sont rassemblés nos six enfants à charge, est assez fort pour enterrer notre truculente conversation. Déjà que Juliette, à l'heure de son souper et du sommet de mon cinq à sept, a avoué avec candeur qu'elle me trouvait «vraiment énervée». Traduction: elle me considérait comme «cocktail» pas à peu près. Elle avait cent pour cent raison!

Heureusement, je retrouve le chemin de la sagesse plus tard dans la soirée, ce qui me permet de mettre les enfants et moi-même au lit sans avoir le tournis. Je ne peux pas en dire autant des garçons, les grands, qui ont choisi de récidiver avec le spa après le rangement de la cuisine. Je suis impatiente de voir ces petits poissons dans l'eau à l'œuvre sur les pistes demain.

* * *

La journée de ski se passe sous les chauds rayons d'un printemps hâtif. L'ambiance de la station est résolument festive grâce à ses haut-parleurs crachant succès après succès et à quelques barbecues en série qui sentent bon les burgers grillés. L'heure de la pause-repas a sonné et les enfants, têtes et mains nues, se font une guerre de boules de neige plus loin pendant que les parents sont tous sur le radar, prêts à bondir sur la première table de piquenique qui se libérera. La terrasse extérieure est inondée de soleil et de monde. Partout, les visages sont heureux. Parmi nous, certains sont plus verts que d'autres.

Je finis sur une butte enneigée, entourée de mon petit clan, à déguster mon *cheeseburger* couci-couça. Il avait meilleure mine sur le gril, disons. Si je ne me régale pas, je savoure néanmoins cette petite incursion dans ma bulle familiale. Des condiments plein les joues, Juliette et Zac sont des moulins à paroles. Ils nous racontent leurs prouesses de la matinée, celles de leurs amis. Le soleil a déjà laissé des traces sur leur bouille radieuse. Le bonheur aussi. Je donnerais n'importe quoi afin d'avoir maman ici avec nous quatre.

Toujours obsédée par ce besoin de multiplier les bons moments en sa présence, j'ai insisté pour qu'elle nous accompagne, mais je me suis butée à des refus à répétition.

— C'est pas ma place, Gaby. Tu vas être avec tous tes amis, les enfants. Vous passerez vos journées à skier, vos soirées à boire du vin jusqu'aux petites heures, s'entêtait-elle.

Je me doutais qu'elle me cachait quelque chose. Elle avait ce regard triste qui ne la quittait pas.

— T'es certaine que tu me dis tout, maman ? ai-je osé demander.

D'abord hésitante, Alice a finalement adopté le ton des confidences.

— Tu sais, ma puce, je fais plus rien de tout ça… Je veux dire le sport, l'alcool, me coucher tard… J'y arrive plus, ça m'épuise…

Sa voix, déjà vacillante, s'est brisée. Je savais à quel point ça lui coûtait de m'avouer ses faiblesses et j'en étais troublée.

— Oh, maman, ça va, je comprends… C'est comme tu le sens. Je… je voulais juste que tu fasses partie de l'aventure. Je sais pas, moi, tu pourrais passer tes journées à lire, faire la grasse matinée et des promenades en forêt, passer nous voir à la montagne à l'heure du lunch ou…

— Gaby, m'a-t-elle coupée, ton offre me touche beaucoup, mais je changerai pas d'idée. Je vais rester tranquille à la maison. Des amis veulent passer me voir. Puis ton père a promis qu'il prendrait soin de moi. Et, avant que tu me poses la question : oui, notre relation est entièrement platonique.

J'ai souri malgré moi, rassurée. Leur relation quasi fusionnelle avait de quoi nous réjouir, Rosalie et moi, mais pas au point de les vouloir réunis au lit !

Une énorme boule de neige en plein visage me ramène au moment présent. Philippe se met à rire de bon cœur pendant que je laisse échapper quelques jurons un peu trop fort. Qui est le petit morveux qui a fait ça ? Notre peloton d'enfants se tourne vers Émile, mon préféré. Il est tout penaud et au bord des larmes. Mon cœur de maman est secoué.

— Viens là, mon chatounet, c'est pas grave, je le console dans mes bras.

— Une chance que ça venait pas de moi, hein, maman ? me lance une Juliette qui a vu juste.

— T'es chanceux. Moi, j'me serais fait chicaner fort, ajoute Zac à l'intention d'Émile.

— Bon, ça suffit, l'humiliation publique !

À demi sérieuse, je leur coupe l'herbe sous le pied. Il y a des limites à passer pour la marâtre !

— Ça vous dit de retourner au ski avec la méchante Gabrielle ? je reprends à la blague.

— Ouiiiii ! répondent-ils tous en chœur.

Émile se met à pleurer.

* * *

Ce soir-là, tout le monde se tient plus tranquille, allez savoir pourquoi. Je peux enfin envisager une séance de spa avec les copines. Eh merde! J'ai oublié mon maillot! Décidément, j'ai fait mes bagages à la hâte et ça paraît. Hier, c'était ma brosse à dents, et ce matin, les sous-vêtements des enfants. Je leur ai suggéré de les porter à l'envers pour aujourd'hui. Je l'ai bien fait, moi, à leur âge, pendant une semaine entière au camp de vacances! Ma mère avait eu la bonne idée de mettre les sept petites culottes dans les bas-fonds de ma poche de type militaire.

Je suis rentrée au chalet plus tôt, cet après-midi, accompagnée de Sophie tenant dans ses bras un petit garçon de trois ans et trois quarts exténué, qui avait «très beaucoup mal aux jambes». Pauvre petit chaton. Plus habitué au hockey qu'au ski, il s'est somme toute bien débrouillé pendant la première moitié de la journée, secondé par sa maman qui a passé son temps à faire des *squats*. Le reste de la bande continuait de s'éclater dans les pentes aux conditions curieusement bonnes à cette température. Nous leur avions donné rendez-vous pour l'après-ski au chalet, pas celui de la station, le nôtre.

Pendant que Sophie et Émile se payaient un petit roupillon bien mérité, j'ai passé un coup de fil au bureau pour me rassurer. Le iPhone sorti de la poche, j'étais tombée sur plusieurs échanges de courriels peu rassurants alors que j'étais en pause-pipi avec la moitié de notre relève. Vu les événements récents survenus à l'agence, j'estimais qu'il valait mieux prévenir que guérir. Le vin n'en serait que meilleur à l'heure de l'apéro. J'ai terminé l'après-midi sur le balcon, à feuilleter quelques numéros en retard du *Runners' World*, un verre de rosé à la main.

Toujours est-il que, plusieurs apéros plus tard justement, j'ai enfilé des sous-vêtements qui pouvaient, avec un peu d'imagination, avoir l'air d'un maillot plus ou moins à la mode. Imbibées d'alcool, mes amies n'y verraient que du feu, trop occupées à se pâmer sur Julien. C'était bien mal connaître mes chipies.

— C'est quoi, ce maillot passé date? s'époumone Roxane avec des yeux horrifiés.

— Donnez-moi un *break*, c'est tout ce que j'ai trouvé pour remplacer celui que j'ai oublié!

Sur ces mots, je me cale dans l'eau profonde jusqu'à mes épaules pleines de nœuds pendant que mes trois copines se moquent de moi et de mes bagages toujours imparfaits. La détente est de courte durée puisque Juliette et Charlotte débarquent dans la verrière en coup de vent, en se chuchotant des secrets à l'oreille.

— Maman, mouille-toi donc les cheveux !

— Oh, Juju, décroche un peu !

Mes enfants ont une fixation presque obsessionnelle sur le fait que je ne trempe jamais mes cheveux dans les étendues d'eau, tous genres confondus. Il fallait voir leurs têtes quand, l'été dernier, en revenant d'une course effrénée, j'avais sauté tout habillée jusqu'au fond de notre piscine.

Nos deux intruses poursuivent leurs cachotteries.

— OK, bye d'abord ! déclare-t-elle finalement en rebroussant chemin, Charlotte sur les talons. En passant, ton maillot est bizarre, maman.

Amusée par ce commentaire gratuit et cette soudaine demande d'attention de la part de ma fille, je reprends le fil de la conversation.

— Mine de rien, Roxy chérie, t'as réussi ta quête. Maintenant, la question qui tue : est-ce un homme dans ta vie… ou l'homme de ta vie ?

Il n'en fallait pas plus pour que notre babillage reprenne de plus belle, chacune y allant de ses prédictions. Notre princesse charmée finit par le marteler sans équivoque : Julien est l'homme qu'elle attendait.

Hum, intéressant. Ça nous en fait deux de réglées, presque trois. Sophie et son âme de mère Teresa. Roxane, avec son médecin conjugué au plus-que-parfait. Puis moi, qui avance à petits pas de course.

17

Le goût des autres

C'est le jour J aujourd'hui. Après des mois de travail d'équipe acharné, me voilà en coulisses, en train de donner quelques directives de dernière minute avant mon mot de bienvenue. Dans moins d'un quart d'heure, L'espace mode etc. sera dévoilé sous toutes ses coutures au public. La communauté d'affaires y est au grand complet, notre distingué maire inclus.

Un chic cocktail tout en bulles bat déjà son plein en attendant le coup d'envoi officiel. Suivront un défilé haut en couleur et une visite guidée des lieux pour les intéressés. Toutes les boutiques brillent de mille feux afin de nous offrir une expérience de shopping à la belle étoile. L'ambiance est on ne peut plus électrisante.

Tout mon petit monde adulte est là, à siroter du champagne aussi pétillant qu'eux. Philippe, papa, maman, mes trois fidèles amies accompagnées, toute l'équipe de Jumpaï ou presque, y compris Pénélope. Même Rosalie et les beaux-parents sont débarqués pour quarante-huit heures top chrono. Ma New-Yorkaise de sœur tenait à voir cette nouvelle génération de mégacentre même si, entre nous, elle en a vu d'autres. Les hommes portent la cravate ou le nœud papillon – je hais cette mode! –, et les femmes, d'éblouissantes robes rehaussées de chaussures de Cendrillon que j'ajouterais volontiers dans mon placard.

Ils sont tous là pour moi, rien que pour moi. Bon, d'accord, leur présence a peut-être aussi quelque chose à voir avec le rabais de vingt-cinq pour cent accordé ce soir seulement. N'empêche que, promo ou pas, chacun s'est donné la peine d'assister à mon événement tapis rouge, sachant à quel point c'est important pour moi.

Le compte à rebours est commencé, les battements de mon cœur s'accélèrent. De quoi j'ai l'air? Mon *gloss* est-il impeccable? Et mes dents? Merde, mes dents! Mais qu'est-ce qui m'a pris d'engloutir un canapé aux fines herbes à deux minutes de mon intervention! Je galope vers Roxane en souffrant le martyre dans mes escarpins. À me voir l'air, personne ne peut se douter que je fais de la course à pied.

— Rox, mes dents sont comment?

Mon amie ricane. Je n'ai pas besoin de ça.

— T'as une graine juste là. Je devrais dire, t'as une dent derrière ta graine.

— Tu rigoles?

— Même pas!

— As-tu de la soie dentaire?

— Est-ce que j'ai l'air d'une fille qui a de la soie dentaire dans ce truc minuscule? me répond Roxane en désignant son sac à main de la grosseur d'une carte de visite.

Je panique et je sens que mon déo va me lâcher.

— Tiens, prends ça! me glisse Sophie, qui débarque de nulle part en me tendant un de ses longs cheveux brun caramel.

En parfaite maîtrise de ses moyens – tout le contraire de moi –, elle me tend aussi un antisudorifique longue tenue. Elle mérite bien son nom de bonne fée marraine.

Quand même... Je partage à peu près tout avec les copines, mais de là à me mettre un de leurs cheveux dans la bouche, il y a une marge! Sur le point de protester contre la pseudo-soie dentaire, je suis vite rabrouée.

— Pas de discussion, t'es en mode survie! m'ordonne Sophie avec un demi-sourire.

— C'est bon, j'ai compris, j'abdique en tentant de faire bon usage, subtilement, de ces dons spontanés. Faut que j'y aille!

Finalement, la soirée se déroule sans fausse note apparente. Quelques petits pépins techniques, sans plus. Envoûtés, mes invités ne manquent pas de me féliciter pour l'ensemble de l'œuvre qui, je le rappelle avec véhémence, est le résultat d'un immense effort collectif. Enfin libérée de mes engagements professionnels, je suis collée contre mon homme, qui n'en finit plus de me complimenter sur ma tenue, mon maquillage, ma soirée, mon tout. J'ai presque du mal à reconnaître mon Philoup, d'ordinaire peu enclin aux débordements émotifs.

— Gaby, c'est magnifique! Le cocktail, la publicité, le site, tout est parfait! me confie maman, admirative.

Superbe dans sa robe multicolore assortie d'un foulard dans les mêmes tons, Alice fait un trois cent soixante degrés comme pour s'imprégner davantage des lieux, entre deux petites quintes de toux qui se veulent discrètes, mais qui ne m'échappent pas.

— Je suis pas mal fier de ma fille! déclare aussitôt mon père en secouant la tête. Vraiment, toi et ton agence, vous êtes épatants avec vos idées.

— *You rock, sister!* fait Rosalie avec son enthousiasme habituel.

— Gab, c'est le plus beau tapis rouge de ma vie! siffle Roxane, elle aussi lovée contre son homme, qui a délaissé sa blouse blanche pour un costard impeccable.

— C'est vrai que t'en as foulé beaucoup, toi, des tapis rouges, je la taquine.

En vérité, je suis touchée par cet éloge puisque Roxane, en raison de son boulot et de son goût pour le glam, a l'habitude des événements VIP de ce genre. Nous avons d'ailleurs parcouru quelques tapis rouges ensemble, et elle a raison, celui-ci sort du lot. Tout, absolument tout a été mis en œuvre pour faire vivre une soirée d'exception.

— Le champagne et les bouchées goûtent le ciel, ajoute Anna-belle, main dans la main avec Louis.

— Ça, c'est vrai! renchérissent les beaux-parents en chœur, visi-blement impressionnés.

Manifestement, la planète entière est *in love* ce soir. Chez ma petite «granole» préférée, ça me semble tout de même étrange. J'ai besoin d'une mise à jour, et que ça saute!

Sophie et Pénélope, qui causent course depuis un moment, m'adressent un clin d'œil plein de tendresse.

— Merci, vous êtes trop doux. Faut dire que les proprios ont eu du flair, et ma gang, elle, a du talent à revendre, c'est hallucinant!

Plein d'admiration, mon regard se pose sur le rassemblement que mon équipe s'est improvisé près du *lounge* monté de toutes pièces. Je suis sur le point de courir vers eux – malgré mes chaus-sures de Cendrillon à moi – pour leur dire à nouveau à quel point je suis fière d'eux, mais me retrouve plutôt au beau milieu d'une cohorte d'acrobates. Ils sont une bonne dizaine à se plier en quatre pour épater la galerie. Ça fonctionne fabuleusement bien avec moi, qui suis incapable de toucher mes orteils sans plier les genoux !

Nos artistes de cirque cèdent bientôt la place au défilé qui en met plein la vue aux invités. Connaissant mes goûts par cœur, Philippe me surveille du coin de l'œil, sachant très bien que, mentalement, je prends des notes.

— Console-toi, mon loup, je vais économiser vingt-cinq pour cent !

— Pfft, je suis loin d'être rassuré, mon amour, étant donné que je sais très bien que tu vas juste dépenser plus, me glisse-t-il à l'oreille, pince-sans-rire.

Démasquée, je lui tire la langue pour toute réponse. Autour de nous, l'ensemble des invités ont les yeux rivés sur le spectacle, maman aussi, assise à une table bistro non loin de moi. Je l'entends toussoter depuis le début de la soirée et, chaque fois, mon cœur se serre. Dans la pénombre de la salle, je l'observe à la dérobée et elle m'apparaît soudain moins pimpante, plus fatiguée.

— Papa, je crois que tu devrais proposer à Alice de rentrer.

— Ouais, t'as raison, je vais la raccompagner. J'aime pas ça, cette toux-là. Son dos la fait souffrir de plus en plus aussi.

— La maladie fait son chemin… je murmure avec un soupir las et impuissant.

— Je sais… Je sais trop bien, ajoute Charles tristement.

— Tu vas prendre soin d'elle quand je serai à Miami ?

— Bien sûr. Tu pars quand déjà ?

— Après-demain. Ça me coûte toujours de m'éloigner.

— T'inquiète, je serai jamais bien loin.

— Tu sais qu'à un moment donné j'ai vraiment cru que vous étiez retombés en amour, tous les deux.

— Alice m'a raconté… Mais non, Gaby, j'ai seulement une grande tendresse pour elle. J'ai pas toujours été correct, je suis pas loin de le regretter aujourd'hui, mais bon… Alice est l'amour de ma vie et la mère de mes filles.

Je hoche la tête, remuée par les paroles de mon père.

— Je te l'ai jamais dit, mais ça me touche beaucoup, ce que tu fais pour maman. Merci d'être revenu dans sa vie de cette façon, j'articule non sans peine avant de me pendre à son cou.

C'est ainsi que Charles et Alice quittent la soirée bras dessus bras dessous, comme de vieux amoureux, et que j'amorce, d'un pas traînant, mon shopping dans les flamboyantes artères de L'espace mode etc. Mes amies me reconnaissent à peine, elles qui, d'ordinaire, arrivent difficilement à suivre la cadence.

Puis, au bout d'une demi-heure, le naturel revient au galop, me sommant d'habiller mes émotions sans ménagement. Mes talons cinq pouces dans le sac à main, j'enfile les gougounes d'urgence avant de sprinter d'un trottoir à l'autre. Fidèle à mes habitudes, je ferme boutique et rejoins Philippe, qui en a plein son casque. Bien entendu, ses mains sont vides, les miennes pleines à craquer.

* * *

Le voyage de retour est interminable. Adossée contre mon toujours aussi inconfortable siège d'avion, j'ai les nerfs en boule comme jamais. Moi qui passe mes journées à vouloir arrêter le temps, me voilà en train d'espérer qu'il s'égrène à la vitesse de l'éclair. J'ai beau essayer de me calmer le pompon, je bouge et je soupire sans arrêt. J'arbore mon air bête le plus spectaculaire. Autrement dit, je suis détestable. Mes pensées roulent en TGV.

Quand, à la première heure de ce matin floridien, mon iPhone a affiché le numéro de Roxane, j'étais loin de me douter de la raison de son appel. D'autant plus que c'est Julien que j'ai eu au bout du fil. D'un ton qui se voulait calme et rassurant, il m'expliquait qu'Alice était à l'hôpital depuis la veille, en raison d'une vilaine pneumonie. Il a pris soin d'ajouter que la situation était maîtrisée, que maman se portait bien. Charles et Rosalie étaient déjà à son chevet. En résumé, il n'y avait pas de quoi paniquer.

J'étais franchement ravie d'apprendre que j'étais la dernière mise au courant! Roxane avait insisté pour attendre le lendemain de ma course avant de m'inquiéter avec cette histoire. C'était de ma mère qu'il était question, bon sang! Dans les circonstances, j'avais le droit de connaître la vérité et de prendre moi-même la décision de revenir ou pas. Ce n'était pas le moment de me disputer avec mon amie, mais j'éprouvais tout de même un peu de colère envers elle. À vrai dire, j'en avais contre l'humanité, cette journée-là.

Je n'avais pas raccroché que j'étais déjà sur le Web, désespérément à la recherche d'un moyen d'avancer mon vol. Trop énervée pour aligner deux phrases de façon cohérente, je me suis laissé gérer par Pénélope en silence. Pendant que je fixais le vide, je m'inventais plein de scénarios catastrophes malgré les propos réconfortants de Roxane et Julien.

Comme un automate, j'ai bouclé une valise incomplète avant de filer vers l'aéroport. Mon amie s'entêtait à vouloir m'accompagner, mais ma réponse était catégorique et sans équivoque. Elle devait maintenir le cap sur nos plans d'origine pour les deux prochains jours et profiter de la ville comme prévu, même en solo. Après tout, elle méritait amplement cette escapade urbaine.

Moi aussi, j'avais pourtant beaucoup de mérite après le triomphe de mon premier dix kilomètres en cinquante-cinq minutes, sous le soleil de Miami. J'avais même dépassé mon temps record, sans doute en raison de ce second souffle généré par la vision de tous ces gens à l'énergie contagieuse. Le véritable déclic m'attendait au fil d'arrivée, nez à nez avec la fierté d'être là – en un morceau.

J'étais déjà séduite par ma nouvelle discipline de vie, mais avec cette épreuve, je suis tombée complètement sous le charme de la planète course. Tout le reste de la journée, je n'en finissais plus de saluer l'idée de génie de Pénélope. Celle-là même qui m'a fait réaliser que j'aime ce sport d'amour et qui me donne, du même coup, des repères inestimables pour mon événement de juin prochain.

Seulement voilà, en l'espace de vingt-quatre heures à peine, le ciel bleu et sans nuages de Miami vient de passer au gris foncé. Du haut des airs, impuissante, j'appréhende l'orage et la tempête. Je me doutais que la toux et les maux de dos n'auguraient rien de bon, mais j'entretenais l'espoir fou que ce passage obligé finirait par être de l'histoire ancienne. Que ses jus de légumes maison supposément magiques et, surtout, toutes ces pénibles heures de chimio donneraient par miracle des résultats concluants. En y repensant, je réalise qu'il fallait être bien naïve pour croire ça.

Mes idées noires me pourchassent jusqu'à l'aéroport, puis l'hôpital, où j'amorce un sprint jusqu'à la chambre de ma mère. Debout près de la porte, Charles et Rosalie me voient venir de loin et me font signe de ralentir ma course. Pfft, je ne suis même pas essoufflée, ça me profite, les dix kilomètres ! Sans un mot, nous nous enlaçons longuement.

— Elle s'est endormie, me dit Rosalie pour expliquer leur présence dans le couloir.

— Comment va-t-elle ? je demande en passant ma tête dans la chambre.

Mon cœur chavire. Ma petite maman, si menue et si fragile sous les draps, dort paisiblement.

— Bien, répond papa. Elle est encore ici pour un jour ou deux, par précaution, mais elle va déjà beaucoup mieux.

Charles entreprend de me raconter les événements de la veille au loft d'Alice. Vers la fin de la matinée, tous les deux étaient sur le point de se faire un cinéma maison. Puis maman s'est étouffée avec du popcorn avant de se mettre à tousser comme jamais, ce qui lui a causé des douleurs foudroyantes au dos. Alarmé, papa a appelé Roxane – et Julien – pour savoir quoi faire, malgré les protestations répétées d'Alice. C'est ainsi que tous se sont donné rendez-vous à l'hôpital afin d'examiner la situation de plus près. Justement, voilà Julien qui approche.

— Salut, Gabrielle... Je suis désolé pour tout ce qui arrive, je voulais tellement pas t'inquiéter.

— Tu plaisantes ? T'as rien à voir là-dedans, Julien ! C'est à moi de te remercier d'être accouru au secours de mes parents. Dis-moi, comment elle va ? je m'empresse de lui demander.

— Bien. Elle a une vilaine pneumonie, qu'on a maîtrisée grâce aux médicaments qui lui sont administrés depuis hier. Avec les cancers du poumon, on voit ça souvent.

Ces derniers mots, durs et sans pitié, résonnent dans le couloir et dans mon cœur. Je ne m'habitue pas.

— Donc y a pas à craindre, elle va pouvoir rentrer à la maison comme si de rien n'était ?

Julien se fait hésitant et papa le devance.

— Gaby, tu sais très bien que la santé d'Alice ira pas en s'améliorant... La chimio a rien arrangé, elle a acheté du temps, c'est tout.

— En fait, pour le moment, son état est stable, mais Charles a raison. La maladie est toujours là, malgré les traitements voués à diminuer la quantité de métastases et à… à prolonger la vie d'Alice, précise Julien, non sans mal.

— C'est bon, je l'ai compris depuis longtemps, ça, je rétorque, vexée. Mais t'as oublié de mentionner l'effet miracle, qui est pas exclu, non ?

— Effectivement. Peu probable, mais pas impossible. Je suis vraiment désolé…

Pour la première fois, je sens que Julien perd ses moyens. Le fait qu'il compte désormais parmi les membres de notre grande famille n'est certes pas étranger à son malaise.

— Ça va, ça va, Julien. Tu fais tout ce qu'il faut et on t'en est très reconnaissants.

Silencieux, Charles et Rosalie opinent du chef.

— Bon, si vous permettez, je vais rejoindre ma douce pour revenir tôt demain matin.

Il ajoute à mon intention :

— Rox a passé la majeure partie de son temps ici avec nous, mais elle est rentrée tout à l'heure.

Les nerfs toujours à vif, j'éprouve tout à coup un gigantesque bouillon d'affection pour mon amie. J'ai beaucoup de chance de l'avoir dans ma vie. Je somme Julien de lui passer le message avant d'entrer en catimini dans la chambre alors que papa et Rosalie filent à la cafétéria.

Minuscule dans ce lit pourtant pas si immense, Alice dort en émettant des râlements à peine audibles. J'avance lentement, à petits pas vers le lit, comme pour m'habituer à l'image troublante qui se dessine devant moi. Je m'assois près d'elle avant de m'effondrer de chagrin. Je lui prends la main et je pleure ma peine. Doucement, mais longtemps. Jusqu'à ce que le soleil cède la place à la lune.

* * *

À mi-chemin entre le printemps et l'été, le temps continue de me filer entre les doigts. *Exit* le ski – snif –, les beaux jours s'apprêtent à redorer ma terrasse en hibernation et, Dieu merci, mon décor d'entraînement. Je n'en peux plus de courir entre quatre murs. J'étouffe carrément. Mon grand retour est prévu pour ce week-end alors que je compte me balader dans le paysage, dans le temps et dans ma tête, en prenant un bol d'air frais. Avec un peu de chance, tout comme la neige, ma microdouleur au genou droit disparaîtra aussi vite qu'elle est apparue. Ce n'est pas le moment de perdre pied, étant donné l'approche de La course en rose bonbon, et la santé de maman surtout.

Depuis sa sortie de l'hôpital, Alice se porte plutôt bien. Sa pneumonie lui a causé bien des soucis mais a fini par la laisser tranquille grâce aux bons soins d'une équipe d'experts pilotée par Julien. Entièrement dévoué à la cause, Charles a aussi insisté pour emménager chez elle – dans la chambre d'amis bien sûr –, et maman n'a pas eu la force de l'en empêcher. Il n'en fallait pas plus pour que sa petite amie le largue pour de bon.

Nous nous en trouvons tous soulagés, papa le premier. Elle n'était franchement pas de tout repos avec ses crisettes et son âge mental d'à peine vingt ans! Je cherche encore le pouvoir attractif de cette fille même pas mignonne. J'ignore ce que mon père avait pu lui trouver, mais elle, c'est clair qu'elle en avait après son argent.

— Tu travailles encore ce soir, ma blonde?

Mon regard, perdu à travers les carreaux de la fenêtre, se pose sur Philippe qui vient d'entrer dans la bibliothèque. Il est torse nu, et porte un bas de pyjama usé jusqu'à la corde. Inspirée par Annabelle trois X, je lui sauterais bien dessus, mais hélas, tous les astres ne sont pas alignés. Je dois absolument terminer ce truc avant la nuit.

— Pas le choix! Mais je me plains pas!

— Mouais… fait-il avec l'air désabusé qu'il me réserve quand il sent que j'en fais trop. As-tu besoin de quelque chose? Un thé? J'ai une nouvelle saveur à te faire découvrir.

Il lève sa tasse fumante dans ma direction. Je souris. Mon homme fait une fixation sur ce liquide aussi rétro qu'actuel.

— T'es doux, mais non, ça va. J'en ai pas pour longtemps. Les enfants font dodo?

— Ils dorment pas, ils ronflent!

— Hum, je vois d'ici le beau concert qui m'attend tantôt!

Plus amusée qu'autre chose, je lui souffle un bisou avant de replonger dans mes notes. Je peaufine la présentation que je m'apprête à livrer au déjeuner-conférence de la Chambre de commerce sur le coup de midi demain.

C'est fou comme tout vient à point à qui sait attendre. Avant même que je manifeste un quelconque intérêt, le C.A. m'a proposé d'être conférencière-invitée et de retracer le parcours de la petite agence devenue grande, jusqu'à des sommets inégalés à ce jour. Il est vrai que, après une année en dents de scie, la vie est particulièrement bonne pour Jumpaï depuis un certain temps. L'espace mode etc. est en nomination au prestigieux Délirium publicitaire, le plus grand gala d'excellence de l'industrie, dans la très sélecte catégorie « meilleure campagne de publicité ».

Toute l'agence est en liesse depuis l'annonce. Démesurément fière de mes troupes, je n'ai pas ménagé les efforts pour improviser une petite fête afin de souligner leur talent à gros traits l'autre vendredi. À mon humble avis, cette reconnaissance à l'échelle provinciale est amplement méritée. Et, qu'elle remporte ou pas ce prix, Jumpaï s'est déjà taillé une place enviable au soleil en tant que finaliste.

À cette glorieuse nomination s'ajoute le succès géant de notre dernière opération de charme, où une impressionnante brochette de personnalités féminines s'est ralliée à la cause de La course en rose bonbon. Fidèle à lui-même et à ses promesses, M. Thomas a largement contribué à embarquer tout ce beau monde dans notre aventure. Il s'est aussi avéré un allié de taille pour dénicher les commanditaires de l'événement.

Ses efforts, combinés à ceux de Pénélope et de Béatrice, continuent à être récompensés non seulement par le nombre de partenaires, mais aussi de participants. À la suite de cette nouvelle action afin d'attirer le public, le nombre d'inscriptions a grimpé à huit cent cinquante, ce qui n'est pas rien pour une première édition. Plus que quelques dizaines avant d'atteindre le chiffre magique de mille. On peut y arriver, j'en suis persuadée.

Penchée sur mon PowerPoint, j'ai décidément les idées vagabondes. Pourtant, ce n'est pas l'inspiration qui manque. L'histoire de l'agence m'emballe à un point tel que je dois doser mes propos pour éviter le piège de l'infopub de mauvais goût. Je tiens mordicus à livrer un message clair, cohérent, pertinent. Par-dessus tout, je le veux inspirant et, pourquoi pas, amusant. Pas question de me prendre trop au sérieux ni de passer l'heure la tête baissée à lire mes notes.

Pendant ma réflexion animée, j'entends la télécommande se fracasser sur le plancher du salon deux fois. *Come on*, Philippe! Sans exagérer, ce bruit parvient à mes oreilles, en moyenne, à cinq reprises minimum dans une même semaine. Je suis hautement fascinée par ce phénomène cent pour cent masculin, généralement jumelé avec le syndrome de la «zappette». En trente-sept ans, j'ai dû laisser échapper cette manette, quoi, trois ou quatre fois, gros max?

Entre deux bâillements, je fais une dernière relecture à voix haute et j'aime ce que j'entends. Il n'y a plus qu'à espérer que mon auditoire – dont le principal intéressé, M. Thomas – s'enthousiasmera autant que moi pour le récit de cette ascension peu banale. Des papillons plein le ventre, je ferme la lampe banquier du bureau sur le fruit de mon travail.

* * *

Quel bonheur de renouer avec le plein air, l'immensité du lac et de la montagne! Revigorée par ce retour attendu, j'ai l'impression de planer à travers une nature qui se réveille de la nuit et de l'hiver. Ça sent bon la neige fondante, le bois mouillé et les feuilles mortes.

Malgré mes efforts pour me concentrer sur la beauté des lieux, je sens déjà mon genou me faire souffrir après à peine deux kilomètres. Ça promet, il m'en reste encore une bonne douzaine! Dans le déni total, je tente de poursuivre ma course, mais le mal a raison de moi au bout de cinq cents mètres. M'avouant vaincue, je reprends la route de la maison tel un petit chien battu et boiteux.

C'est bien connu – et mes lectures sur le sujet m'ont pourtant avertie –, courir est un sport extrêmement exigeant pour le corps. Les blessures sont archi-fréquentes et douloureuses. Je n'ai qu'à penser à Pénélope, qui a dû interrompre ses entraînements pendant une longue période. Seulement voilà, cette possibilité ne faisait pas partie de mon programme, surtout pas deux mois avant mon demi-marathon! SOS-Penny! 1-800-Félix! Il me faut une solution miracle et ça presse!

— *My God*, as-tu besoin d'un *lift* au pont? me demande vivement Philippe dès qu'il me voit entrer, dégoulinante de sueur malgré mon coït interrompu, version course à pied.

Traduction : « C'est quoi, cette tête d'enterrement ? » Sa réflexion, que je trouve particulièrement comique d'ordinaire, ne me fait pas rire du tout ce matin. Le genou en compote, je risque maintenant une blessure d'orgueil. Mon entraînement allait si bon train pourtant, je me sentais au sommet de ma forme. Irritée, je me défoule sur mon homme en terminant par un retentissant :

— Fait chier !

— Maman, on dit pas ça !

Mon petit Zac surgit de nulle part et me saute au cou.

— T'as raison, mon chaton mignon, t'as raison.

— Beurk, t'es toute mouillée ! Pis ça sent pas bon ! s'exclame-t-il avec sa spontanéité d'enfant.

Au moins, il a le mérite d'être clair ! Et moi, je lui donne encore raison. J'ai besoin d'une douche froide pour me remettre les idées en place. Il est hors de question que j'abandonne ma quête en raison d'une vulgaire blessure ! Non seulement je veux finir mes vingt et un virgule un kilomètres, mais j'ai un temps en tête et j'y tiens à me rendre malade.

Juliette apparaît, comme pour constater les dégâts.

— Pauvre maman…

Dans un élan de tendresse – et de pitié –, ma fille s'approche pour me donner un peu de réconfort, mais Zac le lui déconseille fortement et elle le croit sur parole.

— Tu pourrais mettre de la glace comme au tennis ? me suggère-t-elle en reculant de dégoût.

Du calme, je n'ai pas la peste quand même !

— J'y ai pensé. Mais y a sûrement d'autres trucs de coureurs que je connais pas et qui me seraient utiles. Je vais faire ma petite enquête plus tard. Là, allez hop, il faut se préparer pour le brunch chez mamie Alice !

Ô surprise, nous sommes déjà en retard sur notre programme et devons passer par la boulangerie. Charles, le nouveau coloc du loft, s'occupe des petits fruits, et Alice de rien du tout. Depuis sa pneumonie, nous la confinons au repos quasi total. Même Julien, le doc bien-aimé, est de notre avis.

— *Full cool !* s'excite Zac en sautillant vers sa chambre.

— La question qui es-tu : qu'est-ce qu'on met ? me demande Juliette le plus sérieusement du monde.

Nouvelle traduction : « La question qui tue. » Marrant, non ? On croirait entendre mes amies et moi échanger des textos sur nos tenues respectives avant une soirée prometteuse. Cette interrogation est toujours et sans exception d'actualité. Pas étonnant que ma fille l'ait entendue déjà trop souvent, l'ait adoptée et débaptisée du même coup.

Juliette monte à l'étage et je marche sur ses talons pour voler à son secours. Avec mon nouveau handicap, je me fais semer royalement. Grr ! À la va-vite, je tape un SMS-SOS à Pénélope, histoire qu'elle me prête assistance en me refilant ses conseils de pro.

* * *

La chouette chocolaterie du quartier est pleine à craquer. Derrière le comptoir, un essaim de petites abeilles se démènent pour servir glaces et chocolats aux mille et une saveurs. Nous faisons le pied de grue dans l'entrée grande comme ma main pendant plusieurs minutes, puis notre tour vient enfin. Mes enfants et ceux de Chloé ne tardent pas à se régaler avec leur molle à la gomme balloune – ouache ! – qu'ils ont d'ailleurs déjà plein le bec et les menottes.

Quant à moi, je me goinfre tout autant. Je ne m'en cache pas, la crème glacée est un de mes plaisirs coupables, sans cesse renouvelable à l'approche de l'été. Il est encore plus culpabilisant depuis que je consomme les calories sans les dépenser en raison du congé forcé causé par mon genou malcommode. Une simple balade sur la piste cyclable, comme aujourd'hui, me donne du fil à retordre.

Heureusement, mes entraîneurs me suivent de près. Au programme, dans le désordre : repos, massages, chiro, glace, bandelettes, alouette ! Grâce à ces prétendus remèdes infaillibles, tant Félix que Pénélope me garantissent un fulgurant retour sur pattes dans moins de sept jours. Vraiment ?

Me voyant grimacer, Chloé vient aux nouvelles pendant que notre marmaille trottine main dans la main devant nous :

— Ça va pas mieux, ton genou ?

— Pas encore au *top*, disons. Je fais la bonne fille, tout ce qu'on me dit, mais j'ai encore mal et, surtout, je me vois teeeellement pas courir ma vie avec cette douleur-là dans quelques semaines !

— Ça va se placer, je suis sûre.

— Je t'avoue que j'ai pas un excès de confiance, mais j'essaie de rester positive, paraît que c'est ma marque de commerce ! je lui réponds avec un demi-sourire. Ça arrive à plein de monde et y a des solutions. N'empêche, je trouve ça angoissant pareil, c'est mon premier demi, tu sais. Je veux vraiment pas me péter la gueule.

— Je comprends… D'ailleurs, t'as toujours besoin de moi comme bénévole pendant le week-end de l'événement ?

— Bien sûr ! T'es déjà sur la liste de ma directrice de course.

— Super ! Je suis pas assez en forme pour courir, mais ça va me faire plaisir d'aider à ma manière.

— Y a pas de bonne ni de moins bonne façon de contribuer, Chloé. Tu participes et ça me touche, je lui confie doucement.

Le temps et les sorties ont fini par avoir raison de la discrétion légendaire de ma nouvelle copine. Avec les enfants, le pari était gagné d'avance, mais il en allait autrement de Chloé. Petit à petit, elle s'est laissé prendre au jeu de la confidence en me révélant des bribes de son passé trouble. En me parlant de cet homme violent qui la battait quand il prenait un verre de trop. Jeune et innocente, elle encaissait et ravalait ses larmes sans cesse, devenant chaque fois plus petite dans son coin et dans sa tête.

Jusqu'au jour où il a levé la main sur Théo. Là, c'en était trop. Beaucoup trop, depuis beaucoup trop longtemps. À partir de ce moment, avec de l'aide, elle lui a livré une lutte infernale pour le sortir de sa vie et de celle de ses enfants. Il a continué de s'acharner et de lui en faire baver avant de déguerpir pour de bon avec toutes leurs économies.

Il leur a donc fallu se reconstruire une vie à trois en reprenant de zéro ou presque. Leur histoire d'horreur a laissé des traces, mais aujourd'hui, Chloé réussit tant bien que mal à faire vivre sa petite famille avec cœur et courage. À la voir aller depuis ses révélations, je lui voue un respect éternel. Venant d'aussi loin, elle est déjà un modèle pour moi à bien des égards, mais je me permets de penser que je lui apporte quelque chose également. Chacune puise chez l'autre ce qui lui plaît. Et ça donne deux familles aux antipodes qui s'inspirent, passent du bon temps, se font du bien.

Lorsque maman a été hospitalisée pour sa pneumonie, Chloé et ses enfants ont tous les trois débarqué à la maison afin de nous offrir un panier rempli de biscuits fraîchement sortis du four, ceux-là mêmes que nous avions cuisinés ensemble quelques mois auparavant. L'emballage était accompagné d'une carte bricolée par Emma et Théo. Comme dirait Zac, c'était très chou !

— Dis-moi donc, as-tu eu des nouvelles de tes entrevues ?

Voulant l'aider à améliorer son sort, je n'ai pas hésité à la recommander à quelques connaissances d'affaires. Deux d'entre eux ont d'emblée communiqué avec elle pour un poste de réceptionniste.

— Négatif pour une, en attente pour l'autre. Je m'y attendais pour la première, j'avais pas l'expérience nécessaire.

— Et ton *feeling* pour la deuxième ?

— Je veux pas me faire de fausses idées, mais je serais pas surprise que ça fonctionne. C'est un poste plus junior, ça colle plus avec moi.

— Génial, alors ! Et tant mieux si ça fonctionne. Sinon, tant pis, y en aura d'autres.

Sur cette note positive, nous rejoignons les enfants qui jouent au ballon à l'ombre d'un énorme saule pleureur. Deux équipes se forment sans moi, l'estropiée, les garçons contre les filles, créant un certain déséquilibre que nos fistons confiants choisissent d'ignorer. Qu'importe, le plaisir est au rendez-vous – les taches de gazon sur les pantalons aussi ! En les regardant s'amuser, je me dis qu'il doit faire bon courir après quelque chose.

* * *

À peine remise de ma soirée d'hier, je marche d'un pas doublement fier, tenant Juliette par la main. Ma fierté exponentielle s'explique d'abord par le retour fort attendu de mon genou miraculé, me permettant du coup de reprendre l'entraînement et un peu de temps perdu. Ma démarche satisfaite vient aussi du fait que, la veille, c'était soir de première pour moi alors que j'ai quitté le chic et fameux Délirium publicitaire avec un trophée sous le bras.

Wow et re-wow ! Jumpaï venait de rejoindre une classe à part. L'espace mode etc. aussi. Enivrées par le succès et l'alcool, mon équipe et moi avons étiré les célébrations jusqu'à tard dans la nuit avant de reprendre la route vers notre patelin tôt ce matin.

Après la remise du prix, je n'ai pas tardé à texter les copines qui partageaient déjà ma joie d'être parmi les agences sélectionnées. Annabelle m'a félicitée en me proposant une sortie avec nos grandes, pour une manucure plus pédicure. Pour des poulettes de huit ans, il y a pire! Comme nous avions pris du retard sur nos rendez-vous doux à deux, le moment était bien choisi pour se faire dorloter en compagnie de nos deux inséparables fillettes.

Emballées par cette activité mère-fille, Juliette et moi entrons dans un univers cent pour cent *girly*, le sourire fendu jusqu'aux oreilles. Tout au fond, Annabelle et Charlotte nous font signe de les rejoindre. Il y a du rose et du rouge partout. Même les fauteuils portent fièrement ces couleurs éclatantes. Les flacons de vernis, de toutes les teintes imaginables, tapissent les murs à l'infini. Petits pots et accessoires de tous genres complètent le décor enchanteur. Un vrai terrain de jeu. L'équivalent d'une allée de quincaillerie pour un homme, je suppose!

— Charliiiiie!

— Jujuuuuuu!

— Annaaaaa!

— Gaaaaab!

À la blague, nous imitons nos grandes qui, visiblement, vivent de touchantes retrouvailles. Étant donné qu'elles se voient tous les jours à l'école, on sent déjà qu'elles ont le sens du drame.

De jeunes filles nous dirigent bientôt vers nos places respectives pour les deux prochaines heures. On nous offre même le menu du jour, un *smoothie* aux demoiselles et un rosé aux mamans.

— C'est ce qu'on appelle le luxe jusqu'au bout des orteils. Belle initiative, Anna Bella! je lance, les pieds confortablement installés sur un pouf d'un fuchsia criard.

— C'est ma tournée, tu le mérites tellement!

— On le mérite toutes!

— Toi encore plus! Avec ton prix à l'agence, ta mère...

Mon visage se rembrunit. Pitié, je n'ai pas envie de discuter de ça. Annabelle décode mon langage non verbal.

— Ça te tente pas d'en parler, hein ? D'Alice, je veux dire ?

— Je suis plongée là-dedans à longueur de journée, j'haïs pas ça, penser à autre chose, tu comprends ?

— Je comprends. Dis-moi juste comment elle va…

— Correct, sans plus. Depuis la fin des traitements, de sa pneumonie, son état est loin de s'améliorer… C'était prévisible, mais j'espérais encore un miracle… Ses cheveux repoussent, c'est *cool*, mais elle mange peu et a perdu beaucoup de poids. Le moral, lui, est au beau fixe, elle m'épate.

— Alice est forte, elle l'a toujours été. Et puis elle vous a, vous.

— Une chance que papa s'implique autant. Avec Rosalie qui fait de son mieux malgré la distance, moi et la famille, le boulot, la course, l'événement… Ça prend de l'organisation, t'as pas idée.

— Qu'est-ce que je peux faire ?

— Rien, ça va aller, c'est ma faute si j'en ai autant sur les bras. Et maman, c'est à moi de m'occuper d'elle.

— Arrête un peu, Gab, laisse-toi donc aider. Je pourrais faire son épicerie, tiens !

— L'épicerie, c'est pas inintéressant comme idée, ça.

— C'est réglé, je vais l'appeler !

Mes amies me touchent profondément. Roxane et ses visites-surprises – accompagnées de faux petits plats maison. Sophie, la toujours très dévouée bonne fée marraine – avec ses vrais petits plats maison. Et maintenant Annabelle. Sans parler de la trousse-réconfort qu'elles ont offerte à Alice dès le jour 1. On y trouvait une tonne de petites douceurs qui font du bien. Parfois, je rentre tard à la maison et j'y trouve une poignée de marguerites, un petit mot tendre ou encore mes *cupcakes* préférés. Le genre de délicate attention que, d'ordinaire, je suis la première à faire dans un élan de générosité, sans trop réfléchir. Depuis plusieurs mois, je fais relâche et ça me fait bizarre de constater que les rôles sont inversés tout à coup.

— Parle-moi donc de ta boîte trois X, je murmure afin d'éviter la fuite de cette information compromettante partout autour, mais surtout dans les oreilles chastes de nos filles, qui ont exactement la même position que nous sur le sofa voisin.

Depuis que je suis au courant de ce petit secret, il ne se passe pas une semaine sans que je taquine Annabelle à ce sujet. Bonne joueuse, elle se contente de sourire d'un air mystérieux. Cette fois, elle s'y prend autrement.

— Issh, es-tu sûre de vouloir t'embarquer là-dedans ?

— Bon, si ça continue, on pourra plus parler de rien ! je rigole. T'es sérieuse, là, c'est pas jojo de ce côté non plus ?

— En fait, je vais peut-être te surprendre, mais Louis et moi, on a un peu renoué avec notre complicité... et la joujouthèque !

— Noooon !

— Ouiiiii !

Ainsi donc, mes soupçons se confirment, il y a de l'amour dans l'air depuis le cocktail d'ouverture du complexe commercial. J'avais senti un courant passer entre les deux ce soir-là. Je ne peux m'empêcher de me demander si c'est la boîte à surprises qui a fait toute la différence.

Sans aller jusqu'à corroborer mon hypothèse, Annabelle me confie toutefois que le sexe s'est avéré un point de départ efficace pour des rapprochements progressifs à tous les niveaux. Un soir où Louis et elle étaient en tête à tête, l'alcool a effacé toute trace de gêne et tout filtre. Ils en ont profité pour crever l'abcès, aller au fond des choses. L'ambiance était si propice aux confidences que mon amie a bien failli lui avouer son aventure d'un soir, puis s'est ravisée. À mon avis, une sage décision.

Depuis cette discussion à cœur ouvert, ils baisent comme de jeunes amants – c'est pas vrai ! – et redoublent d'efforts pour reprendre goût à leur couple. Annabelle est à la fois ravie et étonnée de la tournure des événements. Moi, je ne suis pas surprise. Il suffisait d'un peu de temps, d'amour et, surtout, de bonne volonté.

— Dans le fond, j'en ai mis du temps à saisir ça, mais j'ai finalement compris que l'herbe est pas plus verte chez le voisin. Au début, peut-être, mais pas *ad vitam æternam*.

— C'est tellement vrai ce que tu dis.

En prononçant ces quelques mots, je songe à Jacob. Jacob qui a su remuer mon être tout entier. Sereine dans ma tête et dans mon cœur, j'avoue qu'il m'arrive malgré tout parfois de le voir encore dans ma soupe.

Profitant de la transition entre nos deux soins, je prends quelques clichés de nos poulettes sur la banquette, si belles et si grandes déjà. Visiblement, elles ont été inspirées par les lieux, car leurs ongles sont magenta fluo. Annabelle et moi avons opté pour une couleur moins m'as-tu-vu. Une question d'âge, je décrète.

« Matantes » ou pas, nous terminons notre après-midi de petits luxes à cinq-à-sept en version familiale au Citron Lime, où je n'ai pas mis les pieds depuis des lunes, on dirait. Conclusion de la journée : j'ai passé un fabuleux moment en compagnie de quelques-unes des femmes de ma vie.

18

La quête de soi

L a course en rose bonbon, c'est pour bientôt, très bientôt. Une dizaine de dodos, en fait. J'amorce mon dernier sprint, c'est le cas de le dire. Dans l'ensemble, j'ai suivi mon plan d'entraînement à la lettre. Bon, d'accord, il y a eu ce petit moment d'égarement à la fin de l'été dernier, puis mon genou meurtri qui a ralenti mon *training*. Mais dans les deux cas, je n'y pouvais pas grand-chose. Tour à tour, le cœur puis le corps n'y étaient pas.

Ma blessure a eu ceci de particulier qu'elle m'a obligée à redoubler d'ardeur, à ne rien tenir pour acquis. En ruminant dans mon salon, de la fumée s'échappant de mes oreilles, j'ai eu amplement le temps de me poser les bonnes questions, de me rendre compte que je voulais véritablement « performer ». En d'autres mots, me fixer un objectif de temps réaliste, mais ambitieux. Ayant atteint un certain plateau sur le chrono, je me suis mise aux intervalles, ce passage obligé – et mal nécessaire – où il y a alternance entre la marche et la course rapide, dans le but avoué d'améliorer la vitesse.

Naturellement, ça fonctionne à plein régime dans ma tête, mais aussi dans les coulisses de l'événement. Béatrice se consacre presque à temps complet au dossier, secondée de main de maître par Pénélope, qui passe chaque minute de ses moments libres sur le projet. Mes deux recrues forment un duo hors série, je me félicite encore de les avoir jumelées pour les besoins de la cause. Leur enthousiasme communicatif s'est vite transmis à nos partenaires, commanditaires et bénévoles qui s'impliquent à fond, chacun à leur manière.

Chez Jumpaï, nous avons une ou deux rencontres hebdomadaires, histoire de faire le tour des points chauds. Je vois aux orientations majeures, mais la gestion du terrain et de la poutine leur appartient. Ma confiance en elles est aveugle.

Pas plus tard qu'hier, la motivation des troupes a atteint des sommets inégalés quand Sophie s'est présentée à l'agence au beau milieu de la journée. Je l'avais rarement vue aussi excitée. Un peu plus et elle courait jusqu'à mon bureau dans son tailleur de comptable coincée jusqu'au cou.

— Sophie ? Qu'est-ce qui t'amène ?

— J'ai de bonnes nouvelles, ma chérie !

— *Shoot* ! ai-je dit, tout sourire, en lui faisant de grands signes invitants.

— On est rendus à… MILLE INSCRIPTIONS ! a-t-elle crié en gesticulant dans mon bureau vitré, au vu et au su de toute l'agence.

— WOUHOU ! Je savais qu'on y arriverait ! Et si ça se trouve, ça peut encore grimper pendant les deux prochaines semaines.

— Tellement ! Et en passant, Rox figure toujours sur la liste du dix ! a-t-elle ricané en s'affalant sur une des chaises art déco – mais pas confo – devant moi.

J'ai pouffé, me remémorant les hauts et les bas de mon amie depuis le début de sa remise en forme avec son infatigable mec.

— Bien joué, So !

Le câlin qui a suivi dégageait un heureux mélange d'affection, de soulagement et de fierté. Mission accomplie, c'était l'allégresse dans nos cœurs ! Ne restait plus qu'à livrer la marchandise. À créer une épreuve de course rassembleuse, inspirante et porteuse d'espoir. Faire de cet événement un incontournable à vivre en solo, en duo, en famille.

Puis il y a Alice. Ma maman qui tient bon, qui s'accroche à la vie, à son rêve de rester parmi nous toujours un peu plus longtemps. En dépit du courage et de la joie de vivre dont elle fait preuve et que je qualifie d'héroïques, la maladie lui vole chaque jour une partie d'elle-même. Fréquemment épuisée et à bout de souffle, elle partage son temps entre le loft et le jardin encore frais malgré son petit goût d'été. Je l'y retrouve souvent assise à l'ombre sur la terrasse, une couverture sur les épaules, à bouquiner ou à roupiller. Chaque fois que je l'aperçois endormie, j'imagine le pire et mon cœur se serre comme un étau.

Il y a en permanence quelqu'un qui veille sur elle de près. Si ce n'est pas Charles, Rosalie ou Philippe, ce sont mes amies ou les siennes. Inutile de faire l'autruche, Alice a maintenant besoin d'aide et de soins en raison de ce mal qui ne la quitte plus vraiment.

Les douleurs au dos ne s'apaisent désormais qu'avec la morphine à petites doses. À lui seul, le mot « morphine » me fout la trouille depuis toujours. Il m'en a fallu du temps pour accepter que ma mère en était là. À prendre cette cochonnerie afin de soulager ses souffrances, la bercer le plus doucement possible vers la mort.

Je le sais, la fin approche, et je ne suis pas prête. Personne ne l'est autour de moi. Pitié, qui que vous soyez là-haut, laissez-moi ma maman encore un peu.

* * *

Le réveil, que j'ai sans doute consulté une bonne vingtaine de fois cette nuit, indique enfin 6 heures pile. J'ai, au bas mot, à peine fermé l'œil, trop fébrile à la veille de La course en rose bonbon ET, dois-je le rappeler, de mon premier demi-marathon. Celui pour lequel je m'entraîne religieusement depuis près d'un an. Le résultat de cette idée de quête que j'ai eue l'été dernier, après je ne sais plus combien de verres de vin.

— Tu dors pas ?

Voilà mon grognon mignon qui gémit sous les couvertures.

— Pfft ! Ça fait longtemps que je suis réveillée !

— Pas si bien dormi, moi non plus. Je pense que je suis enrhumé, grommelle-t-il.

Une grippe d'homme, il ne manquait plus que ça ! Bien entendu, ce sont les pires.

— Pauvre Philoup, ne me dis pas que tu pourras pas faire les deux kilomètres avec les enfants ? je le taquine en enfouissant mon nez dans son cou.

— Moque-toi tant que tu veux, j'ai vraiment mal à la gorge depuis hier soir. C'est peut-être un streptocoque ?

Bon, une bactérie maintenant ! Quand il s'y met, Philippe est légèrement hypocondriaque. Il faut dire qu'avec les enfants et l'école les microbes ne mettent jamais longtemps avant de nous contaminer les uns après les autres. Mlle Gastro s'est régulièrement pointée chez nous sans prévenir au cours des dernières années. Chaque fois, Philippe l'a attrapée dans sa version la plus virulente, et ce, malgré toutes ses précautions, comme – sans rigoler – celle d'appliquer du désinfectant à mains sur son volant gainé de cuir !

— Prends-toi un bon suppositoire et le tour sera joué ! je lui balance avant de me lever d'un bond pour filer vers la salle de bains.

Faites ce que je dis et non ce que je fais ! Je n'ai jamais supporté ces petites fusées blanches invasives qui dégagent une odeur de pharmacie dans la maisonnée des jours durant.

Sous la douche, mes pensées coulent dans ma tête comme l'eau brûlante sur ma peau. Tout mon corps est habité d'une fébrilité indescriptible qui a débuté hier matin, alors que je faisais le tour du parcours et des installations. Dans un chaos organisé, ça grouillait de monde au pied carré !

Pour ma part, je me promenais d'une station à l'autre avec, tour à tour, Pénélope et Béatrice, afin de distribuer les dernières consignes avant le coup d'envoi des inscriptions en prévision des courses du lendemain. L'objectif de l'opération étant de me libérer complètement le jour J, de me permettre de me concentrer sur mon défi.

Je me suis particulièrement impliquée dans l'aménagement de l'aire de bienvenue, où tous les participants doivent récupérer leur trousse de course, en passant par un nombre incalculable de kiosques. L'indispensable *kit* de survie inclut un dossard numéroté, une puce pour calculer le temps ainsi qu'un article promo aux couleurs de la course. Par souci d'économie, Sophie nous avait convaincus d'opter pour une bouteille d'eau plutôt que pour le traditionnel t-shirt – qu'on finit souvent par porter pour tondre le gazon.

Maximisation de profits ou pas, il était essentiel pour moi que cette première partie de l'épreuve soit invitante à souhait et réglée au quart de tour. Plusieurs défis de logistique se sont présentés, mais ils ont été surmontés sans trop de mal. Aux dires de Pénélope, notre indéfectible baromètre, notre première édition était à la hauteur.

Juliette et Zac font leur apparition devant moi, au beau milieu de mes rêveries. Leur excitation de faire partie de l'aventure est à un stade tellement avancé qu'ils sont aussi adorables qu'agaçants. Il faut dire que, quand je suis en situation de compétition – contre les autres ou moi-même –, mon niveau de patience est carrément nul. Philippe et sa grippe d'homme risquent de ne rien arranger.

À lui voir la mine lorsqu'il met le pied dans la salle de bains devenue un sauna, je ne tarde pas à comprendre que le suppositoire n'a pas encore eu l'effet escompté. Mon homme a besoin d'une bonne dose de caféine et, à bien y penser, moi aussi. Les enfants continuent de tourbillonner autour de nous sans faire ce qu'on leur demande, c'est-à-dire vaquer à leurs occupations de base comme s'habiller et faire leur lit. La mèche aussi longue que moi, Philippe aboie:

— Juliette, Zac, bougez-vous sinon j'vous coupe les ongles trop court!

Plus surpris qu'apeurés, tous les deux déguerpissent néanmoins à toute vitesse dans leurs quartiers.

— C'est quoi, ça? je lui demande, les yeux écarquillés, aussi étonnée que les enfants par cette drôle de menace.

— La première chose qui m'est passée par la tête! me dit-il en haussant les épaules.

Amusée, je descends à la cuisine pour tenter d'avaler un déjeuner léger et facile à digérer. Il a été convenu que je partirais tôt et que Philippe viendrait me rejoindre avec Juliette et Zac un peu plus tard. Ils seront tous les trois au départ, à mi-chemin puis à la fin du parcours. Leur mandat est clair: me donner du soutien moral, me transmettre toute l'énergie possible pour que j'aille au bout de mon défi.

Ma famille, celle de Philippe et mes amis seront également au rendez-vous. Plus tard cet après-midi, Annabelle et Roxane se mesureront à l'épreuve des dix kilomètres, alors que les hommes – Julien et M. Thomas inclus – soutiendront toute la ribambelle d'enfants pour le deux kilomètres familial, ouvert à tous et pas seulement aux femmes. J'ai tenté de convaincre Rosalie d'y participer. En vain.

En échange de son non catégorique, je lui ai fait promettre un don en temps et en argent. Chose promise, chose due. Pas plus tard qu'hier, elle a consacré sa journée à l'événement et m'a remis en soirée deux chèques, dont un considérable du magazine *Glam*, signé par Jacob. Ce dernier lui avait expressément demandé de me le remettre en mains propres, en prenant soin de me souhaiter un succès à la hauteur de la personne que je suis. Ouf! Si je m'attendais à ça! J'étais un peu sous le choc.

Plus bouleversant encore, Alice avait promis qu'elle ferait tout pour assister à La course en rose bonbon, et elle tenait parole. Comme une battante. Une inspiration. Celle par qui tout ceci a commencé il y a quelques mois. Accompagnée de Rosalie et de Charles, son fidèle compagnon, ma maman chérie sera aux premières loges, au départ comme à l'arrivée.

Comme si de petites ailes venaient de me pousser, je monte à l'étage dans un élan pour revêtir mon «kit de course», que j'ai mis un temps fou à choisir plus tôt cette semaine. Naturellement, il me fallait être bien ET lookée. Avec le regard approbateur que me font les yeux fatigués de Philippe, je suis rassurée sur mon choix.

L'heure du départ a sonné et le câlin de famille qui suit me fait monter les larmes aux yeux. Ça va être beau tantôt!

— Bonne course, maman! Oublie pas les trucs que j't'ai donnés pour courir plus vite! me lance Zac en levant ses petits pouces dodus vers le ciel.

— T'es la meilleure maman coureuse du monde entier! me dit Juliette en me couvrant de bisous.

— Tu vas faire un tabac, Gab! Bonne course et amuse-toi! Je suis vraiment fier de toi… conclut Philippe avec un clin d'œil amoureux et encourageant.

Je quitte la maison sur ces mots, en emportant avec moi l'image énergisante de ma petite famille qui, du pas de la porte, me fait de grands signes de la main.

* * *

Même s'il y a du monde tout autour, je suis seule dans ma bulle. L'excitation s'entremêle avec le doute qui me ronge et me pousse une dernière fois à me demander dans quelle galère je me suis embarquée, pour quelle raison exactement je m'impose cette lente torture. Depuis mes étirements, je trépigne de nervosité et d'impatience. Ça doit faire, quoi, trois ou quatre fois que je vais aux toilettes!

Du haut de son podium situé à la ligne de départ, Pénélope est aux commandes de l'animation et nous prépare au coup d'envoi.

Entourée de quelques personnalités qui prennent part au défi, ma directrice de course est résolument « crinquée » et « crinquante » avec ses décomptes fréquents et ses phrases de motivation – en plus des miennes, apprises par cœur au cours des dernières semaines. Partout où je regarde, les gens sont beaux et respirent la santé, la forme.

Plus que deux minutes. L'ambiance est survoltée. Tout mon corps s'emballe, et ma fréquence cardiaque grimpe outrageusement. Des larmes plein les yeux, je cherche désespérément mon chum et mes enfants pour un dernier transfert d'énergie. Je les aperçois enfin, perchés sur le talus de la piste cyclable. Dès que nos regards se croisent, ils se mettent à gesticuler tout en brandissant la première d'une série d'affiches bricolées la veille, dans le plus grand des secrets. Pleine de soleils et de fleurs, elle se lit comme suit : « *Go*, maman, *go*! On t'aime pour toute ta vie! » *Cute*. Je leur agite deux pouces en l'air bien sentis avant de m'essuyer les yeux et de me recentrer sur moi-même. Il ne reste plus que quelques secondes avant le premier pas de ma quête.

* * *

Me voilà presque à mi-chemin et mon temps se porte bien, ma tête et mon corps aussi. Côté météo, il y a juste le vent qu'il faut pour courir sans souffrir du froid ou de la chaleur. Je me félicite pour ma *playlist*, édition spéciale demi-marathon. Juliette et moi y avons consacré plusieurs heures de plaisir et ça valait le coup. Philippe s'est grassement moqué de notre trame sonore tout droit sortie d'une boîte de nuit, mais nous l'avons envoyé paître. Je me vois bien mal courir avec son genre de musique au ralenti.

Si tout se passe comme prévu, ma tribu entière sera au tournant de la courbe. Ce que j'ai hâte de les voir! Pénélope a martelé je ne sais combien de fois l'importance de la force du mental et du soutien moral. Elle avait bien raison! Un tas de gens se sont massés en bordure du parcours pour nous encourager à grands coups de cris, d'applaudissements, de clochettes et même de crécelles – un peu intense, mais bon. C'est très touchant et enivrant. Mais ça ne suffit pas. J'ai un besoin viscéral de voir mon monde m'envoyer une immense dose d'énergie et d'amour.

Ma musique est à *off* et mes yeux passent en mode radar. S'il fallait qu'on se manque dans cette marée humaine et ce paysage défilant à vive allure! Les hurlements délirants de Juliette et Zac me parviennent bientôt et leurs silhouettes apparaissent à travers tous ces visages connus et bien-aimés. Mes chatons tiennent haut une nouvelle affiche dessinée à gros traits sur laquelle on peut lire: «Ma maman court plus vite que la tienne!»

Je pouffe de rire en volant vers toute la bande pour taper dans la main de la tonne d'enfants positionnés en rang d'oignons, les miens en tête du peloton. Sans m'arrêter – même si je prendrais bien une petite pause de rien du tout –, je leur jette un regard court, mais un long sourire – avalant du même coup quelques gouttes salées de sueur qui perlent sur mon visage écarlate si ce n'est violacé. En m'éloignant à contrecœur, j'entends encore l'écho de leurs encouragements, et le souvenir de leurs visages illuminés, celui d'Alice surtout, me donne envie de foncer vers le fil d'arrivée à grands pas de courage et de détermination. Comme maman.

* * *

Kilomètre dix-huit. Il m'en reste encore un peu plus de trois. J'aurais envie d'aller me coucher en boule sur le bord du chemin. Pour l'amour du ciel, il fallait être cinglée pas à peu près pour me donner toute cette misère! En suivant mon plan d'entraînement avec rigueur, j'ai fait plusieurs longues courses d'une bonne quinzaine de kilomètres, mais je ne suis jamais allée au-delà de dix-sept. Je me suis convaincue que ça irait de soi le jour de l'événement. Grande championne, où avais-tu la tête, bon sang!

Je ne sais pas ce que je donnerais pour apercevoir à nouveau l'affiche rigolote de mes enfants, leurs bouilles encourageantes, celle de Philippe, d'Alice, de tous les autres, finalement. C'était quoi déjà, ces belles phrases de motivation? On dirait bien que j'ai un trou de mémoire. Allez, Gab, un petit effort, un dernier coup de cœur. Si c'était facile, tout le monde le ferait.

Sous des rayons plus ardents avec le temps et les kilomètres qui passent, mon look longuement réfléchi se détériore à vue d'œil. À vrai dire, en plus d'être bourgogne foncé, je suis parfaitement détrempée. Mon genou est comme neuf, mais mes cuisses me donnent l'impression de peser deux tonnes chacune. Malgré tout, mon *pace* tient la route. Le bruit des pas autour de moi se fait rassurant et inspirant.

* * *

Je le vois. Enfin. Le fil d'arrivée que je visualise avec ardeur depuis plus de trois kilomètres. À mesure que j'avance, le brouhaha de la foule en délire s'amplifie. Envahie d'une soudaine bousculade d'émotions, je me sens propulsée par le même second souffle qu'à Miami. Puis mon petit monde m'apparaît juste là, dans le soleil de midi, beuglant et sautillant de joie comme un troupeau agité. Je leur passe fièrement – mais péniblement – sous le nez vers la ligne qui marque la fin du parcours, la conclusion de ma quête.

Le dernier pas de course de mon premier demi-marathon est magique. Je suis complètement emportée par la fierté d'avoir relevé le défi de courir vingt et un virgule un kilomètres en moins de deux heures – une heure cinquante-six minutes et trente-deux secondes précisément –, un temps très enviable pour une première. Avec juste ce qu'il faut d'entêtement et de détermination, j'ai repoussé les limites de mon corps. À cet instant précis, les longs mois d'entraînement à la dure prennent tout leur sens. Des larmes coulent sur mes joues fardées par l'effort.

Assise dans l'ombre d'un arbre, maman, splendide et radieuse, est la première personne que je vois en marchant non sans mal vers la foule qui attend son héroïne de course. Une boule d'émotions m'étreint de plus belle, me forçant à sourire pour cacher mon trouble. Dans un geste spontané, je cours embrasser Alice sans dire un mot, mais mes yeux humides – et les siens – en disent long. Elle me glisse finalement à l'oreille à quel point elle est fière de moi et de ma journée.

Puis, tour à tour, le reste du clan L'Italien me saute dessus, me faisant presque tomber à la renverse. Cette fois, Juliette et Zac se fichent totalement de mon piètre état. C'est si bon de les sentir contre moi. Je vois dans leurs regards de l'amour véritable et de l'admiration débordante, et je me dis que ça doit être ça, le bonheur avec un grand B.

Bras dessus bras dessous – les pauvres! –, nous bavardons gaiement en direction du bord de l'eau, où je compte bien m'affaler de tout mon long. Maintenant que je suis à nouveau « parlable », je salue et j'embrasse un paquet de gens sur notre passage. Je suis ravie de constater que l'événement dans son ensemble a l'air de rouler rondement.

— Prêtes pour votre dix, les filles? je demande en regardant Annabelle et surtout Roxane.

— On ne peut plus prête! s'exclame notre sportive nationale.

— Pas trop le choix, j'ai de la pression! répond la recrue, boudeuse, en jetant un regard assassin à son homme, qui ne l'écoute même plus tellement il a dû l'entendre radoter.

Je me retourne vers notre relève de demain.

— Et vous, les enfants, est-ce que vous vous sentez d'attaque pour le deux kilomètres de tantôt?

— Ouiiiii! crient-ils en chœur, courant déjà dans tous les sens.

— Gardez-vous des forces pour cet après-midi! ne manque pas de rappeler gentiment mamie Cookie.

Je consulte ma montre GPS.

— Hein! Déjà passé midi! Y a plus une minute à perdre si je veux aller au quartier général du comité et voir les deux prochaines courses. Maman, Rose, voulez-vous venir avec moi à la maison? J'ai désespérément besoin d'une douche.

— Bonne idée! déclare ma sœur en me faisant comprendre de façon subtile qu'Alice a grand besoin d'une pause.

— À plus tard, mes chatons! Je reviens juste à temps pour le deux, j'ajoute à l'intention de Philippe, qui me fait un vague signe de tête signifiant qu'il n'a pas saisi un traître mot de mon intervention.

Sophie accourt derrière nous. À notre hauteur, elle est déjà haletante. *Oh boy*, ma comptable préférée est meilleure avec les chiffres qu'avec l'activité physique!

— Attendez, les filles, je vais vous prendre en photo, vous êtes tellement belles, toutes les trois.

* * *

— J'ai vraiment couru vite, maman! Plus vite que toi, j'pense.

Je souris à mon fils.

— Ah bon, tu crois ça ?

— Oui, mais pour une fille, t'étais super bonne, toi aussi.

Pardon ? Je choisis de ne pas relever ce commentaire on ne peut plus déplacé. Disons qu'il a de la chance de n'être qu'un gamin. N'importe quel adulte aurait su de quel bois je me chauffe.

— Tu t'es bien amusé, alors ?

— Mets-en ! J'avais encore plein d'énergie, j'aurais pu courir cinq kilomètres. J'veux le faire l'année prochaine !

Jouant le jeu, j'ouvre de grands yeux impressionnés.

— Pour vrai ? On verra, mon chaton.

Cinq kilomètres à six ans, c'est un peu *too much*. De toute façon, je ne me fais pas trop de bile, Juliette m'a déjà fait le même coup. Dès le premier tour du quartier à la course, elle a abandonné le projet, réalisant vite que ce n'était pas si simple. N'empêche, si ça peut leur donner le goût du sport et du dépassement de soi, mon exploit est d'autant plus payant.

— Bonne nuit, dors bien, dis-je en l'embrassant sur le front.

— Bonne nuit, maman, je t'aime pour toute ta vie.

Ça me rappelle l'affiche tant appréciée ce matin. Attendrie par les paroles de mon fils, je rejoins Juliette dans sa chambre. Elle lit un roman sous les couvertures. Belle image.

— C'est bon, ton livre ?

— Très ! Mamie Alice a fait un bon choix.

Elle marque une pause avant de reprendre, hésitante :

— Elle va pas bien, mamie, hein ?

Je soupire.

— Disons qu'elle est très, très fatiguée, plus qu'avant, et elle doit se reposer beaucoup. Mais ses médicaments lui font du bien.

Le regard triste, ma fille se laisse caresser la joue.

— Il faut dormir maintenant.

— Merci pour la belle journée, maman.

— Oui, une belle journée inspirante. Bonne nuit, chouette fillette. Bravo encore pour ta course.

Frappée d'une petite fatigue tout à coup, je regagne le salon, où m'attend Philippe.

— Comment va ma supercoureuse ?

— Superépuisée !

— Satisfaite de ton événement ?

— Tellement ! On a même dépassé les mille inscriptions ! Et t'as vu l'argent amassé pour la cause ? Alice était vraiment touchée.

— Je sais, c'est fou ! À quand la deuxième édition ?

— Oh, je suis pas rendue là dans ma tête ! J'aimerais ça, mais on verra.

— Les participants en redemandent, en tout cas, conclut-il avec sa voix rauque de rocker fini.

Sereine, je me blottis contre mon homme et sa grippe. Je vais sans doute être courbaturée des jours durant, mais je ne me suis jamais sentie aussi bien dans mon corps et dans mon esprit. L'effet qu'a eu cette course sur moi est presque miraculeux. Une chose est sûre, que mon événement revienne ou pas, je n'en suis pas à mon dernier demi-marathon.

L'idée de renouer avec la Miamimania me sourit également. Je pourrais y emmener Philippe et les enfants, en faire de petites vacances improvisées. Qui sait, mon chéri pourrait y prendre goût, lui qui a adoré son expérience du deux kilomètres familial. Et ça se comprend ! De toutes les grandeurs, de toutes les couleurs, les participants étaient si beaux à voir.

Quant à mes amies coureuses du dix, elles s'en sont très bien tirées. Annabelle a fait un temps plutôt impressionnant pour une grande première. Mieux, elle a eu la piqûre, et Louis a envie de suivre ses pas. Il en va autrement de Roxane qui, malgré tout, en a surpris plus d'un.

— Je vous le dis tout de suite, j'ai pas eu de *fun* ! C'est l'orgueil qui m'a tenue jusqu'au bout. L'an prochain, je ferai tout le bénévolat que tu veux, Gab, mais pas ça ! a-t-elle martelé, pince-sans-rire.

Le plus beau dans l'histoire, c'est que La course en rose bonbon a réuni tous mes êtres chers, d'une façon ou d'une autre. Ils se sont laissé porter par ce projet d'abord fou, mais de plus en plus accrocheur et rassembleur. Chacun y a laissé sa marque, a fait une différence, si petite soit-elle. Ratissant plus large que prévu, ma quête est désormais derrière moi et me laisse en quelque sorte en deuil.

19

Les eaux troubles

En ce matin post-course, mes deux amours d'enfants ont manigancé ensemble afin de me préparer un déjeuner au lit, sans l'habituelle et précieuse complicité de leur père. J'ai donc droit à une banane non épluchée, un café filtre très sucré et un journal incomplet. On me somme de faire la grasse matinée aussi longtemps que ça me chante. Je l'avais bien dit que ma course avait eu un effet miraculeux !

Alors que je sirote mon sucre au café en épluchant ma banane et mon quotidien le plus délicatement possible – Philippe ronronne près de moi –, Juliette débarque dans la chambre, mon iPhone contre elle.

— Ton téléphone a sonné, maman. C'est marraine Rosalie.

Mon cœur s'affole et se met à battre la chamade. À cette heure, il y a quelque chose qui ne va pas.

— Qu'est-ce qui se passe, Rose ?

— Je suis en direction de l'hôpital, maman se sent pas très bien.

— Qu'est-ce qu'elle a ? je rugis en bondissant hors du lit pour attraper le premier vêtement qui me tombe sous la main.

— Ses douleurs au dos sont plus intenses que jamais. Elle est pliée en deux depuis les petites heures du matin.

— Tu aurais dû m'appeler avant !

Philippe se réveille en sursaut. Juliette se met à pleurer. Moi, je suis en mode panique. Zac ne tarde pas à nous rejoindre et sanglote lui aussi, sans savoir pourquoi.

— Julien est au courant ? Et papa ?

— Oui, ils nous retrouvent tous les deux là-bas.

— J'arrive !

— C'est Alice ? me chuchote Philippe, manifestement aux prises avec une vilaine extinction de voix.

— Oui... Son dos la fait souffrir atrocement. Rosalie la conduit d'urgence à l'hôpital.

Terrifiée par les idées qui me passent par la tête, je résume tant bien que mal la situation tout en m'habillant à la hâte. J'ai l'air de la chienne à Jacques, mais je m'en contrefous.

— Faut que j'y aille! Je vous tiens au courant!

Je dépose un bisou très approximatif sur la tête de chacun et fonce en trombe dans l'escalier.

* * *

Le verdict est tombé. La violente crise de douleur d'Alice provient d'un écrasement vertébral causé par une métastase. À peine arrivée à l'hôpital, elle se faisait déjà transférer aux soins palliatifs pour une période indéterminée, ce qui ne présage rien de bon pour l'avenir. Complètement anéantie, je tente par tous les moyens de rester forte et de retenir mes larmes. Papa s'est muré dans un silence troublant tandis que Rosalie a attrapé la rage, on dirait bien. La seule à trouver les mots pour nous remonter le moral, c'est maman.

Toujours aussi insupportable, le mal qui l'habite nécessite l'utilisation de morphine sous-cutanée, jumelée à d'autres antidouleurs pour calmer sa souffrance. Officiellement retiré du cas d'Alice en raison du changement d'unité, Julien poursuit toutefois son dévouement envers elle et la famille. Armé de toute sa patience, il répond à nos bombardements de questions en vulgarisant du mieux qu'il peut, sans nous ménager. Bien malgré lui, ses propos se font peu rassurants.

Assise dans la salle d'attente à boire un café infect tout en fixant bêtement le vide de la pièce, je ne peux m'empêcher de penser que, cette fois, le hasard a bien fait les choses. Alice a pu voir la course. À moins que ce soit elle qui, avec l'aide de je ne sais quelle force de la nature, ait attendu de me voir franchir le fil d'arrivée avant de laisser glisser son corps dans les bas-fonds de la maladie. Je ne sais pas. Je ne sais plus. Je veux juste ma maman comme avant.

Juliette aussi aimerait retrouver sa mamie d'autrefois. Quand elle est passée à l'hôpital cet après-midi, elle a piqué une de ces crises. En voyant Alice dans cet état, elle est sortie de la chambre comme une flèche et s'est mise à courir en criant qu'elle savait tout, en pleurant à chaudes larmes. Je me doutais bien que ma fille était simplement une bombe à retardement. Que, tôt ou tard, elle éclaterait en mille morceaux. J'ai essayé de la réconforter, mais là encore, c'est maman qui a réussi à la calmer en la berçant comme quand elle était petite. J'ai quitté la pièce, incapable d'en supporter davantage.

Ce soir, j'ai choisi de rester auprès d'elle. Rosalie aussi. Il s'agit de sa première nuit dans cette unité qui n'a rien de joyeux. Pas question de la laisser seule avec sa peine et sa solitude. Nous regarderons ensemble la tonne de magazines dont elle raffole, que mes trois amies ont eu la gentillesse de nous apporter plus tôt aujourd'hui. À deux, nous lui tiendrons compagnie quand elle sera éveillée, et la main quand elle dormira.

* * *

Même si la vie de maman s'effrite au fil des jours, la mienne continue. Mon événement étant déjà de l'histoire ancienne, je poursuis néanmoins mon entraînement à raison de trois sorties par semaine minimum. La course a un réel effet libérateur, presque spirituel, sur moi. J'en ai désormais besoin pour passer à travers mes journées. L'énergie que j'y mets me revient au centuple. Et, quand Annabelle m'accompagne, c'est l'euphorie. D'autant plus que je suis en mesure de lui piquer une petite jasette comme si de rien n'était, chose que je croyais impossible au début.

À m'écouter parler, on dirait presque que je suis sous l'emprise du «gourou des coureurs fous», mais il n'en est rien. Je suis simplement devenue accro, voilà.

Sous mes yeux, tout le bureau s'active à faire avancer les projets de la semaine. Moi, je viens de rentrer après un saut à l'hôpital. C'est mon pain quotidien depuis qu'Alice a élu domicile aux soins palliatifs. *Idem* pour mon père et ma sœur, qui a annulé tous ses contrats afin de rester auprès de maman. Loin de son Scott, Rosalie passe la voir tous les matins avec moi avant le boulot. Ensemble, nous l'aidons à faire sa toilette.

Aussi fière qu'avant, maman tient mordicus à se laver, se coiffer et se maquiller chaque jour. Typique d'elle, cette coquetterie nous touche profondément. Il n'y a pas une journée qui passe sans que nous lui apportions un parfum, une crème, un accessoire, n'importe quoi pour l'aider à se sentir belle. Parfois, je me risque même à boucler ses cheveux qui ont repoussé, sans l'aide de Rosalie – Dieu merci, j'ai fini par perfectionner ma technique.

Bien entendu, ma boîte de courriels foisonne de contenu allant de non pertinent à ultra-urgent. Après quelques débordements dans la dernière année, mon personnel est bien averti. Pas question de nous mettre en copie, moi et la planète entière, pour des bagatelles afin de pouvoir distribuer le blâme, au besoin, parmi toutes les copies conformes.

Je ne m'intéresse pas non plus à la confirmation de présence des employés au traditionnel barbecue du vendredi ni à la sorte de saucisse qu'ils ont choisie. Il y a tout de même des limites au partage d'information! Cela étant dit, certaines personnes – que je ne nommerai pas – rechutent encore lamentablement.

— Gabrielle, c'est l'heure du lunch et je descends au café d'en bas. As-tu besoin de quelque chose? me demande ma toujours serviable Béatrice.

Je consulte ma nouvelle montre – résultat concret d'une *overdose* d'émotions à gérer – en m'étirant. Le nez dans mes messages tous azimuts, je n'ai pas vu le temps passer – pour faire changement.

— *My God*, déjà! C'est gentil, mais ça va aller. Je vais descendre plus tard grignoter un sandwich.

— Promets-moi que t'oublieras pas de manger, cette fois.

Je souris à cette idée. Il est vrai que j'ai complètement loupé quelques repas ces dernières semaines, trop occupée à me sur-spécialiser dans le multitâche.

— Promis!

À peine sortie, Béatrice refait surface dans mon bureau, visiblement agitée.

— Oui, Béa? dis-je, un brin agacée d'être à nouveau interrompue.

— Y a un type à l'accueil qui demande à te voir. Il a pas voulu dire son nom.

— Ah bon… Donne-moi une minute et j'y vais.

Pourvu qu'il ne s'agisse pas d'un de ces fournisseurs que je viens de virer dans le cadre d'une opération de nettoyage en profondeur. Il me prend une envie d'aiguiser sa patience. Je me ravise aussitôt. Qui sait, je suis peut-être sur le point de rencontrer un client au potentiel – et au portefeuille – inestimable.

Puis, alors que j'engloutis à la hâte le fond de ma tasse refroidie, je le vois. L'image me semble tellement irréelle que je bondis de ma chaise dans un battement de cils, renversant du coup quelques gouttes de café froid sur mon chemisier blanc. Je croyais rêver, mais non. Jacob, mon Jacob, traverse sans se presser l'agence déserte jusqu'à moi, en me fixant, l'œil rieur.

Mon cœur cesse de battre. Ou bat à tout rompre. Un peu des deux, finalement. Suspendue dans un monde parallèle, je ne le quitte pas des yeux, les pieds scotchés au sol, incapable de bouger. Il entre dans mon bureau et ferme la porte derrière lui. Cette fois, il ne fait pas de doute que le cœur va me sortir de la poitrine.

— J'ai la tête dure, n'est-ce pas ? me dit-il simplement.

— Je savais pas qu'il existait un modèle pire que moi, j'articule avec un sourire.

— J'ai su pour ta mère… *Can I give you a hug?*

En guise de réponse, je fonce vers lui pour me perdre dans ses bras et son parfum qui ravive tous mes souvenirs. Jacob me caresse le dos et les joues, où quelques larmes coulent doucement. Elles ont un goût salé de joie et de peine entremêlées.

Il se dégage pour me regarder.

— T'es encore plus belle que dans mon souvenir, *sweetie* Gaby.

— Toi, t'as pas changé, toujours aussi charmeur et troublant.

Un sourire, charmeur et troublant, se dessine sur son visage basané.

— As-tu le temps de venir luncher avec moi ?

— Qu'est-ce que t'en penses ? je rétorque, avec des yeux de biche empruntés à Roxane.

Gab, qu'est-ce qui te prend ? Tu avais tout réglé dans ta tête. Tu as beau aimer la course, arrête de courir après le trouble ! Oh, et puis après, ce n'est qu'un dîner, et je sais me tenir !

Nous quittons le bureau à pied sous le regard interrogateur de Béatrice qui, bien entendu, a retardé sa pause-repas pourtant imminente tout à l'heure, histoire d'être certaine de ne rien manquer. Non, mais quelle fouineuse de première classe ! Les ragots ne vont pas tarder à faire le tour de l'agence. Chassant cette onde négative, je me tourne vers Jacob, qui est vraiment, mais alors là, vraiment dans le coup avec ses vêtements tout droit sortis des pages mode de son magazine.

— Alors, qu'est-ce qui t'amène?

— Toi.

— Moi?

— Oui, toi. Et ta maman.

— Rosalie t'a raconté…

— Je voulais venir avant, bien avant, mais ta sœur était totalement contre. Il faut que ça reste entre nous. Elle me le pardonnerait pas.

Sans trop savoir pourquoi, je me sens soulagée d'apprendre que Rosalie a cessé de jeter de l'huile sur le feu. Qu'elle a fini par prendre véritablement conscience de mon déchirement.

Je le rassure aussitôt:

— C'est notre secret.

Comme tous les autres, ai-je envie d'ajouter.

— Ça se passe comment avec ta mère?

— Bof, tu sais… C'est un jour à la fois. L'espoir a disparu depuis un bout. On essaie de prendre tout ce qui passe, de profiter de chaque petit bonheur. La… la fin approche…

Ma voix se brise. Jacob prend ma main et la serre très fort.

En silence, nous prenons place dans le petit bistro BCBG que j'ai choisi, davantage pour sa cote de popularité nulle auprès de mon entourage que pour sa carte des vins. Bonne sélection ou pas, j'ai besoin d'un verre de rouge sur-le-champ! Sans me demander mon avis, Jacob commande exactement celui que je préfère sur cette liste. Comment s'y prend-il pour y parvenir à tout coup?

— Parle-moi de toi, c'est sûrement plus gai, je reprends avec un sourire forcé.

— Très occupé avec le magazine. De nombreux changements sur le plan du contenu et de la facture visuelle. Rosalie m'a donné un bon coup de main, d'ailleurs. Et toi, le boulot? La course? J'ai pensé à toi, tu sais…

Un immense frisson me parcourt l'échine. Jamais je n'aurais imaginé qu'après tout ce temps, toute cette distance que j'ai installée entre nous, Jacob penserait toujours – et souvent – à moi.

Il faut dire que, moi non plus, je n'ai rien oublié et qu'il m'arrive encore de songer à lui. Chaque fois, les souvenirs sont doux et délicieux. Le revoir me fait beaucoup de bien, même si mon choix est clair depuis longtemps. Seulement voilà, si j'avais su qu'il me rendrait visite, oh! que je me serais fringuée autrement! Dans ce chemisier – taché de surcroît –, j'ai l'air d'une bonne sœur!

Tout en essayant de gérer l'effet qu'il a sur moi, je lui raconte *La course en rose bonbon*. L'entraînement, la blessure, l'organisation, les coulisses, les hauts comme les bas. Jacob me regarde et m'écoute avec l'intensité que je lui connais. Et il n'a pas perdu un iota de charme et d'assurance. Le regarder me fixer de cette façon est à la fois apaisant et déstabilisant.

— Wow, tu me donnes presque envie de me mettre au jogging, m'avoue-t-il lorsque je termine mon récit.

— Pourquoi pas?

— J'y ai déjà pensé. Ça me changerait des murs du gym!

— Courir à New York est tellement trippant en plus! je m'exclame en écarquillant les yeux.

— C'est vrai, t'as couru dans Central Park, malgré ton lendemain de veille.

— J'étais un peu découragée avant de partir, mais une fois là-bas, j'me trouvais *so cool*!

Nous sourions avant de lever notre verre.

— À toi, Gabrielle.

Cette façon qu'il a de prononcer mon prénom!

— À nous deux.

Nous avalons une gorgée sans nous quitter des yeux. Une onde électrisante pleine de non-dits passe entre nous. Puis Jacob se racle la gorge avant de prendre la parole:

— *I have something to tell you.*

Son air sérieux n'est pas particulièrement rassurant.

— Je t'écoute.

Sans un mot, il me tend la photo d'un enfant d'environ trois ans. En empoignant le cliché pour mieux voir, je constate qu'il s'agit d'un petit garçon aux boucles d'or.

— Qui est-ce? je demande, avec une pointe d'étonnement dans la voix.

— Je te présente Matteo.

— Mais encore ?

— J'ai une petite amie, Gabrielle. Matteo est son fils.

Mon cœur se serre instantanément. Je sais, c'est ridicule. Mais c'est comme ça, j'éprouve un léger pincement à cette idée.

— Ohhh ! Je… Ravie pour toi… C'est super !

« C'est super ! » *Come on*, Gab. Ça fait au moins quinze ans que cette expression ne fait plus partie de ton vocabulaire ! On dirait Juliette ou Zac en pleine discussion de fond avec leurs camarades.

— Je t'avais promis de trouver ma quête à moi. Voilà. J'ai trouvé la femme et l'homme de ma vie.

— Je… je suis vraiment contente pour toi. Tu le mérites, Jacob.

Un brin de nostalgie palpable continue de me trahir. Lisant dans mes pensées, Jacob s'approche et me touche avec douceur. Ses mains sont brûlantes, son regard aussi.

— Toi, tu es toi, et tu restes avec moi. Ici et là.

Il désigne sa tête et son cœur puis reprend :

— Et souviens-toi, je t'ai donné rendez-vous dans une autre vie.

Je souris en le regardant tendrement. Il a raison au fond. C'est tout ce qui est permis entre nous.

Le choc encaissé, je le laisse me raconter son histoire avec Raffaella, cette Italienne qui lui a été présentée, à tout hasard, par son père. Je suis persuadée que Jacob évite de l'encenser, mais je ne suis pas dupe. Il est clair qu'elle est parfaite et je me demande si je la déteste déjà. Le petit Matteo, par contre, est trop mignon pour lui en vouloir, et Jacob en est fou.

Nous pourrions bavarder ainsi des heures durant, mais mon iPhone me rappelle cruellement à l'ordre depuis un moment. À regret, nous empruntons, main dans la main, les chemins moins fréquentés qui mènent à l'agence. Si ça se trouve, Béatrice nous observe depuis la fenêtre de son bureau.

À quelques pas de l'entrée, à l'ombre des rayons et des regards, Jacob s'arrête et s'approche lentement de moi, plongeant son regard dans le mien. Moi, je ne le quitte pas des yeux jusqu'à ce qu'il me plaque au mur, contre lui, pour m'embrasser. D'abord en douceur puis avec fougue. Envoûtée, je me laisse emporter par cet amour impossible mais délicieux. Nous demeurons enlacés un moment, homme ! Je vous avoue qu'à un moment donné j'y croyais plus, à cette foutue quête.

— On te l'avait bien dit que tu finirais par trouver ton Jacob à toi, lui rappelle Annabelle.

Je sursaute malgré moi. Est-ce qu'on peut laisser Jacob et ma conscience tranquilles ? Mais elles ont cent pour cent raison. Depuis le début, j'ai un faible pour Julien Champagne, le doc bien-aimé qui, parfois, me fait penser à mon flirt new-yorkais.

— Oui, c'est l'homme de ma vie… ET BIENTÔT LE PÈRE DE MON BÉBÉ ! s'écrie Roxane, visiblement aux anges.

Il n'en fallait pas plus pour déclencher une cacophonie généralisée. Tour à tour, nous lui sautons au cou, ravies pour elle. Maintenant que je sais, je perçois une énergie nouvelle, qui n'a rien à voir avec l'alcool, se dégager de mon amie enceinte de douze semaines déjà. Elle sera parfaite, Julien aussi. Sa vie sexuelle va en prendre un coup, mais elle l'apprendra bien assez tôt. Je lui laisse le plaisir de la découverte, entre deux nuits blanches !

En observant mes amies babiller joyeusement, je ne peux m'empêcher de penser que le destin prend une douce revanche. C'est le cycle de la vie, en fait. Une personne meurt. Une autre naît. Et ainsi de suite.

— Gab, ça va, ma poule ? s'inquiète Roxane, qui retombe soudain de son petit nuage.

— T'inquiète, je vais bien… Tu vas être maman, c'est fou ! Bon, je sais que tu veux un enfant en santé, mais on jase là, t'aimerais une fille ou un garçon ?

— Ce sera un garçon, j'en mettrais ma main au feu ! Et j'ai déjà trouvé son prénom. Il va s'appeler Ulysse ! annonce fièrement Roxane.

— Quoi ?

— Tu me niaises ?

— C'est pas sérieux, ça ?

Roxane glousse, nous laissant croire qu'elle se paie notre tête.

— Je suis TRÈS sérieuse ! Julien est pas encore au courant, mais je sais comment le faire changer d'idée au besoin, précise-t-elle avec un regard coquin, qui entraîne une nouvelle fois l'hilarité générale.

Les rires et délires de ce soir me font du bien. Depuis qu'Alice est au pays des merveilles, je n'ai guère le cœur à la fête. Je pleure souvent et beaucoup. Heureusement que mon Philoup est là. Il n'est jamais bien loin, toujours prêt à m'aider à me relever. J'ai vraiment l'homme de la situation, l'homme de ma vie à mes côtés.

Il y a aussi papa, de qui je me sens plus proche que jamais. De retour dans sa jungle, Rosalie ne dépasse pas deux jours consécutifs sans me donner des nouvelles. Parfois, nous ne faisons que sangloter au téléphone. Tous ensemble, nous combattons la peine et le deuil du mieux que nous pouvons. Hélas, la recette miracle n'existe pas. Le temps se chargera d'apaiser la douleur sans jamais l'effacer complètement. Un autre signe du cycle de la vie.

Il n'y a pas une journée qui passe sans que je reçoive un poignant témoignage de réconfort et de sympathie. Tout mon monde m'a inondée d'affection profonde, d'une façon ou d'une autre. M. Thomas, Pénélope, Chloé, les copines d'Alice, l'agence et le gym en entier. Seul Jacob est resté silencieux, mais je lui en suis reconnaissante. Un nouveau pacte nous unit et il le respecte à la lettre. On dirait que je l'aime encore plus pour ça.

Dans la dernière année, j'ai vécu plus que mon lot de petits et grands malheurs. Je pourrais en vouloir à la vie. Mais cette vie-là, elle est belle et bonne pour moi. Je suis entourée de gens doués pour le bonheur, que j'aime et qui m'aiment. Mes enfants sont heureux et en santé. J'ai un boulot de rêve, des amies d'exception.

Au fond, je suis moi aussi au pays des merveilles. Et la vie est courte, une fête qui ne dure pas assez longtemps. Il faut continuer de la vivre au pas de course.

Sereine tout à coup, je souris au ciel puis détourne mon regard vers mes chipies d'amies, à qui j'ai envie de dire « je t'aime ». Ma nouvelle quête débute ce soir.

Remerciements

À mon chum, Louky, qui croit en mes idées, mes folies, mes rêves, mais surtout en moi, depuis toujours. Merci aussi d'avoir été mon premier lecteur.

À mes filles, Léa et Zoé, merci pour toutes ces fois où vous avez laissé maman écrire n'importe où, n'importe quand. Je sais que vous êtes fières de moi, mais pas autant que moi je le suis de vous.

À mes parents, Gérald et Claudette, ma sœur Vé, mes frères Just et Oli, que j'aime à l'infini et au pluriel. Vous êtes si précieux dans ma vie. Merci d'avoir suivi mon histoire sans la lire.

À mon club de lecture trié sur le volet, Kath, Marie et Mel, mes amies chéries. Merci d'avoir lu et aimé, dès le premier chapitre, le petit monde de Gabrielle. Vous m'avez donné des ailes, le courage d'aller au bout de mon rêve.

À toutes mes amies, mes poules, que j'aime d'amour. Merci de faire partie de ma vie, d'être toujours là quand ça compte.

À Johanne, toi dont la foi en moi me porte depuis la nuit des temps. Merci d'avoir toujours le mot juste. Merci aussi d'avoir raffolé de Gabrielle et de Jacob.

À Isa, ma tendre amie d'enfance, merci pour ton regard de médecin sur la vie d'Alice et toutes les attentions qui ont suivi.

À Julie, adorable Julie, merci d'être arrivée au bon moment et d'avoir fait la différence quelque part.

À Denis (Therrien), président-directeur général de Courir à Québec, merci pour votre temps et vos bons conseils sur la planète course et ses événements.

À Marie-Eve, mon éditrice bien-aimée, qui est tombée sous le charme de mon histoire, et à toute l'équipe du Groupe Librex. Merci pour votre talent et votre complicité.

À tous les autres, famille et amis, merci d'avoir suivi mes pas depuis le début de ma quête, celle de trouver mon marathon à moi, avec l'écriture d'un roman. Chacun à votre façon, vous faites partie de l'histoire de ma vie.

le souffle court, le cœur battant. Puis Jacob se détache de moi pour mieux me regarder. Irrésistible dans le vent et le soleil, il s'appuie nonchalamment sur la brique et me chuchote :

— Je crois que c'est l'heure des adieux.

— Oui, ça ressemble à ça, dis-je dans un murmure.

— C'était bon de te revoir, Gabrielle. Vraiment.

Je hoche la tête en soupirant. De regret et de remords. De joie et de peine.

— Merci d'être venu, ça m'a fait du bien de te voir.

— *I will miss you.*

— Moi aussi.

— Tu crois qu'on se reverra ?

— Tu crois que ce serait raisonnable ?

— Je crois pas, non.

— On a déjà une belle vie, tous les deux. Essayons de pas passer à côté de celle-là.

— Tu restes ici et là, *remember*, répète-t-il en désignant sa tête et son cœur.

Pour toute réponse, je lui souris. Jacob esquisse aussi un demi-sourire, qui dessine des rides minuscules au coin de ses yeux ravageurs. En me fixant toujours aussi intensément, il dépose un dernier baiser sur ma bouche avant de reculer de quelques pas. Puis il me fait un petit signe de la main et disparaît derrière le mur.

Un grand sentiment de vide et de bien-être à la fois m'envahit. Je reste là quelques minutes à revoir le fil de mes souvenirs avec Jacob. Celui que j'aimerai toujours. À ma façon. En secret.

* * *

La pénombre de la chambre m'enveloppe complètement. Au chevet de maman depuis quelques heures, je la regarde dormir d'un sommeil agité en me berçant comme une petite vieille. Son état se détériore à vue d'œil à cause de ce mal qui ne lui laisse aucun répit. Je donnerais n'importe quoi pour lui offrir quelques-unes de mes années à moi. Elle arrive encore à marcher, à mettre le nez dehors même, mais passe le plus clair de son temps au lit.

Mon regard se pose sur les murs ombragés et mes pensées me transportent dans le passé. À cette fameuse journée où j'ai mis le pied dans la chambre d'Alice, devenue méconnaissable tout à coup en raison d'une tonne d'autocollants, de photos encadrées et de déco partout. Puis j'ai aperçu mes trois fidèles amies qui se faisaient toutes petites au fond de la pièce.

Avec la complicité de Julien, elles s'étaient donné tout ce mal pour habiller joliment l'espace, à l'image d'Alice-la-top-designer. Elles avaient fait des miracles avec trois fois rien, recréant une véritable chambre enchantée, comme je me plaisais à l'appeler. C'est en voyant le cliché de maman, Rosalie et moi, croqué sur le vif par Sophie le jour de la course, que j'ai fondu en larmes, vivement ébranlée par tant de délicatesse. Tour à tour, elles m'ont prise dans leurs bras, tout aussi remuées que moi.

Bercée par ces doux souvenirs et ma pseudo-chaise berceuse, je songe également à Jacob. Il s'est déjà écoulé plus d'une semaine depuis sa visite qui m'a presque coûté un arrêt cardiaque. Personne, absolument personne, n'est au courant de nos troublantes retrouvailles. J'aurais toutes les raisons du monde de me sentir coupable, mais étonnamment, il n'en est rien. J'ai plutôt le sentiment d'être allée au bout de mon histoire avec lui. De savoir désormais qu'il fera toujours partie de moi sans faire partie de ma vie. J'ai ma quête, il a la sienne. Tout est bien qui finit bien. On se reverra peut-être dans une autre vie.

Le silence de la chambre enchantée, celui de maman aussi, m'angoisse brusquement. Frissonnante, je m'enroule dans une couverture prétendument chaude et réconfortante, à en croire le personnel de l'étage. Elle est plutôt froide, sans personnalité, pleine de moutons. De toute évidence, elle en a vu d'autres. Je vais me contenter de ma veste, tiens.

À cette heure, je devrais tomber de sommeil, mais je suis incapable de le trouver. Le cerveau en mode turbo, je trouve le moment bien choisi pour écrire enfin à maman. Ce sera ma lettre d'adieux, sans censure, avec tous ces mots qui ne viendraient pas naturellement devant elle. Il y a tant de choses à dire, à raconter, mais je sais que je n'y arriverai guère sans me réfugier dans l'écriture, et je me déteste pour ça. Je me demande aussi si Alice la lira devant moi ou pas.

Aujourd'hui est un jour triste. Très triste. Alice a été victime d'une aussi vilaine que soudaine embolie pulmonaire, ce qui lui a causé une défaillance cardiaque. Depuis, sa respiration est sifflante, sa poitrine douloureuse et sa tension en chute libre. Nous y voilà. L'heure a sonné. Toute la famille est appelée à son chevet. Pincez-moi, je rêve. Je vis un véritable cauchemar. Je cherche désespérément le matin.

Ils accourent tous les uns après les autres, la mort dans l'âme. Charles, Rosalie, Scott, Philippe. Les enfants sont à la maison, sous les bons soins de la petite voisine. Il est hors de question qu'ils voient leur mamie dans cet état et qu'ils en gardent un mauvais souvenir. Déjà que c'est passablement insupportable pour moi, je peux imaginer à quel point les enfants seraient marqués par cet au revoir déchirant.

Rassemblés autour d'une Alice souffrante et presque méconnaissable, nous serrons sa main, lui caressons les cheveux et le visage sans répit. Une immense boule logée dans la gorge, chacun raconte sa petite histoire, un souvenir heureux. Je n'ose plus bouger, de peur de passer à côté de quelque chose. Un mot, un regard, un sourire. Les derniers.

Profitant d'un bref tête-à-tête, je lui tends finalement ma lettre, qu'elle choisit de lire en silence. Pendant sa lecture, de lourdes larmes roulent sur ses joues creuses alors que je suis secouée de violents tremblements. Puis, contre toute attente, elle me remet de jolies enveloppes adressées à Juliette, à Zac, et aussi à moi. Je lirai la mienne plus tard, je n'en ai pas la force maintenant.

Le temps s'égrène peu à peu, les sédatifs pour alléger la souffrance de maman l'engourdissent de plus en plus. Ses yeux se sont refermés sur ses sanglots et ne s'ouvrent plus. Nous restons là à veiller sur elle, en silence et dans une douleur indescriptible. C'est la fin, l'inévitable conclusion, le triomphe du mal. Ma maman s'en va tranquillement, nous quitte tout en douceur pour toujours.

* * *

— J'ai même pas été capable de lui dire à quel point je l'aimais, combien j'étais fière d'elle ! je hurle de désespoir.

Dans un petit salon de l'hôpital, je fais les cent pas devant mes trois amies impuissantes.

— Vous vous rendez compte ? Je me trouve tellement lâche ! je poursuis sans ménagement.

— Tu lui as écrit une lettre touchante, Gab, c'est l'essentiel, tente de me rassurer Roxane, le visage ravagé de chagrin.

Je ne l'écoute pas et continue d'arpenter rageusement la pièce.

— Je peux dire vingt fois à mes enfants que je les aime dans une journée, mais ma mère, par exemple...

— Alice a compris ta façon à toi de lui parler, me coupe Sophie en essuyant une larme du revers de la main.

Annabelle acquiesce mais se tait, incapable de parler.

Anéantie, je me laisse tomber lourdement dans un fauteuil qui aurait besoin d'un bon rembourrage. Les filles s'approchent et me consolent en silence. Les mots n'ont aucun sens pour le moment. La douleur est si vive, presque insoutenable.

Réunissant le peu d'énergie qu'il me reste, je murmure avec conviction :

— Comment ça se fait qu'on est pas capables de se dire qu'on s'aime, les filles ? Hein, comment ça se fait ?

— On se le dit des fois, réussit à articuler Annabelle.

— On se l'écrit, mais on le dit jamais. JAMAIS.

— T'as raison, Gab. Moi la première, j'ai de la misère à dire les vraies affaires, confie Sophie, repentante.

— *Idem* pour moi, sauf peut-être quand je suis « cocktail », mais ça veut pas dire que je le pense pas. Au contraire, vous êtes tellement importantes dans ma vie, s'étrangle Roxane dans un élan d'émotions non provoqué par l'alcool.

— On pourrait en faire une nouvelle quête pour la prochaine année, qu'est-ce que vous en dites ? propose Sophie.

Pfft ! Ça, à côté d'un demi-marathon, c'est de la petite bière ! À travers nos larmes et notre mascara défraîchi, nous adoptons à l'unisson cette belle idée. Dieu que je les aime, mes chipies d'amies !

Notre engagement collectif est abruptement interrompu par Philippe et les enfants qui viennent rendre une dernière visite à leur mamie endormie. À leur vue, mon cœur se serre encore plus.

En les rejoignant pour les coller contre moi, je me dis que les prochaines heures ne seront pas moins éprouvantes.

* * *

Sous les couvertures, je repasse en boucle les grandes épreuves de la journée. Après le départ de maman, le plus difficile a très certainement été d'expliquer la mort à Juliette et Zac avec des mots d'enfants. J'ai lu une tonne de trucs à ce sujet, mais je n'ai pas eu beaucoup d'occasions de les mettre en pratique à ce jour. Secondée par Philippe, j'ai dû rassembler tout mon courage afin d'aller au bout de mon histoire.

J'ai raconté que leur mamie s'était envolée vers le ciel pour devenir une étoile, belle et lumineuse, qui veillerait sur nous pour toujours. Que, là où elle était, elle n'avait plus de bobo nulle part et qu'elle riait tout le temps.

— Elle est partie sans nous dire au revoir ? s'est désolée Juliette.

— Juju, elle voulait le faire, mais son gros bobo est arrivé vite et elle a pas eu le temps, ai-je menti, gonflée de remords. Et puis elle vous a écrit des belles lettres d'amour, à Zac et à toi…

Est-ce que j'aurais dû prévoir un moment plus tôt aujourd'hui pour les adieux de mes enfants à leur mamie chérie ? Le doute me ronge tout à coup. En même temps, ça s'est déroulé si vite…

— Est-ce qu'on va pouvoir la voir si on s'ennuie ? m'a demandé Zac, plein d'espoir.

— Moi, j'ai déjà lu dans mes livres qu'on peut décrocher des étoiles. On pourrait le faire avec celle de mamie et la garder avec nous ? a spontanément ajouté Juliette.

— Non, mes chatons, mamie reviendra pas. Elle reste dans nos cœurs et prend soin de nous, du haut des nuages.

À partir de là, Philippe a pris le relais, me sentant sur le bord de l'éclatement. Démesurément reconnaissante de pouvoir compter sur la précieuse présence de mon homme, je les ai laissés sur cette note pour tenter de ramasser en cachette quelques miettes de mon cœur brisé.

20

Alice au pays des merveilles

Il y a un an presque jour pour jour, j'étais assise à la même table, enfilant gaiement les chaudières de vin et observant avec tendresse mes amies de tous les temps. Si la scène se donne des airs familiers, de l'eau a coulé sous les ponts depuis, et l'heure est aux bilans.

— Moi, je lève mon verre à notre amie Gabrielle, celle qui est derrière cette super idée de quête, déclare Sophie, un peu beaucoup pompette.

— À Gaaaaab ! s'exclament en chœur Roxane et Annabelle, qui me semblent, elles aussi, ivres de plaisir et d'alcool.

— *Cheeeeers !* je leur réponds en simulant la même énergie. On s'en est plutôt bien tirées, non ?

Un tour de table s'amorce avec Annabelle.

— VRAIMENT ! Toi, Gab, joggeuse accomplie, *check* ! Demimarathon avec un temps wow, *check* ! Pis moi, ben vous le savez, je suis retombée dans les bras de Louis. On s'entraîne même à la course régulièrement ensemble. Mon accident de parcours était un passage obligé, je pense. Maintenant, j'apprécie ce que j'ai pis je l'entretiens.

Pendant une microseconde, je songe à Jacob.

— Un peu comme l'amitié, au fond. Regardez-nous, si on est toujours ensemble, c'est qu'on a fait en sorte d'entretenir nos liens, de multiplier les occasions de garder contact.

— D'accord avec toi, Rox. De mon côté, les filles, je suis pas mal fière de mon bénévolat cette année. Surtout de La course en rose bonbon, fait Sophie avec un clin d'œil à mon intention. J'ai pas chômé, mais j'ai trippé fort.

— Je te comprends. Je le vis un peu avec notre famille-jumelle, je partage aussitôt. On reçoit autant qu'on donne.

Les autres approuvent avant que Roxane reprenne la parole :

— Pour ma part, les chipies, c'est mission accomplie aussi. Je suis follement, éperdument, complètement amoureuse de mon

347 *Whoever does not love*

Basically, there are two kinds of law:
    law as the way things ought to be,
    for example, No Trespassing,
    and law as the way things are,
    for example, the law of gravity.
God's law has traditionally been spelled out
    as a law of the first kind,
    a compendium of do's and don'ts;
But do's and don'ts are in fact the work of moralists,
    to keep us from each other's throats.

God's law is the work of God
    and comes under the second category,
    a statement of the way things are.
It is summed up in eight words in 1 John 3:14:
    'Whoever does not love remains in death.'

Like it or not, that's how it is.
If you don't believe it, you can always test it,
    as you can test the law of gravity
    by walking out of a tenth storey window.

F. BUECHNER

348 *Put hatred to sleep* (*Genesis 21-22*)

Ishmael, my brother,
how long shall we fight each other?

My brother from times bygone,
my brother – Hagar's son,
my brother, the wandering one.

One angel was sent to us both,
one angel watched over our growth –
there in the wilderness, death threatening
    through thirst,
I a sacrifice on the altar, Sarah's first.

Ishmael, my brother, hear my plea:
it was the angel who tied thee to me . . .

Time is running out, put hatred to sleep.
shoulder to shoulder, let's water our sheep.

SHIN SHALOM (B. 1904)

349 *Poisonous hatred*

I was angry with my friend: I told my wrath, my wrath did end.
I was angry with my foe: I told it not, my wrath did grow.
And I watered it in fears, night and morning with my tears,
And I sunned it with my smiles, and with soft deceitful wiles,
And it grew both day and night, till it bore an apple bright,
And my foe beheld it shine, and he knew that it was mine,
And into my garden stole, when the night had veiled the pole,
And took the fruit, and ate it, whole;
In the morning, glad I see, my foe outstretched beneath the tree.

WILLIAM BLAKE (1757-1827)

350 *Love or law?*

The Christian ethic can never honestly be presented as law
plus love, or law qualified by love, *however much safer that
would be*. There is no question that law has its place, but that
place is at the boundaries, and not at the centre. This was the
revolution which Jesus represented for the Pharisees. His
teaching was not a reform of legalism but its death . . .

A faithful Jew stayed as close as possible to the observance
of the law even when he had to depart from it. Jesus stayed
as close as possible to the fulfilment of human need, no matter
how wide of the law this led him.

And this, of course, as the Scribes well saw, is terribly dangerous doctrine. It needs its checks and balances: it cries aloud
for letters to the church press . . . and exhortations to return
to 'the Law of God' as the foundation of moral life.

But this is what the New Testament refuses to allow us to
do . . . The ten commandments are not the basis of Christian

morals, on which an ethic of love goes on to build. Of course the commandment of love does not contradict or relieve men of the obligations of the old; it summarises them and immeasurably deepens them. In fact in the Sermon on the Mount Jesus takes several of them, pointing through them and beyond to the unconditional claim of God upon man and of person upon person they were framed to safeguard. But in the process he destroys them *as law* . . .

The deeper one's concerns for persons, the more effectively one wants to see love buttressed by law. But if law usurps the place of love because it is safer, that safety is the safety of death . . .

The Sermon on the Mount does not say in advance, 'This is what in every circumstance or in any circumstance you must do', but, 'This is the kind of things which at any moment, if you are open to the absolute unconditional will of God, the Kingdom, or love, can demand of you.' It is 'relevant' not because it solves our moral problems (that is the kind of relevance we are always asking for), but because it transforms us (and that is the kind of relevance we don't ask for, but which in the end is what changes us and the world). In other words, Jesus' purpose was not to order the fruit, but to make the tree good (Matthew 12:33).

J. A. T. ROBINSON (1919-1983)

351 *A close thing*

Two farmers, Ibrahim and Yussef, needed to go to Damascus for supplies. Yussef was anxious about leaving his sick mother for such a long time, so Ibrahim offered to take Yussef's camel along with his own camel, and do the shopping for both of them.

Before Ibrahim set off with the two camels, Yussef anxiously demanded an assurance that his own camel would be well looked after; it wasn't used to being away from his master for days on end. Ibrahim assured Yussef he would treat his camel exactly like his own.

The days passed. Again and again Yussef would walk up to the brow of the hill to see if Ibrahim was on his way back. Then eventually he saw the three figures, a man leading two camels. But as they came closer, he noticed that one of the camels was looking far more weary and dejected than the other. To his horror, he realised it was his own camel.

'What's gone wrong?' he worriedly asked Ibrahim, when he eventually arrived. 'Why is your camel so much sprightlier than mine?'

'I have no idea', replied Ibrahim.

'Did you feed him?'

'Of course, he had exactly the same food as my camel.'

'Did you water him?'

'Of course, he drank exactly the same amount as my camel.'

'Did you rest him?'

'Of course, every night they both lay down together, and I lay down between them. But I have to confess that as we all went to sleep, I put my head closer to my camel than to yours.'

AN ARAB STORY

352 *Vague good will*

One can always find warm hearts
who, in a glow of emotion,
would like to make the whole world happy,
but who have never attempted the sober experiment
of bringing a real blessing to a single human being.
It is easy to revel enthusiastically
in one's love of man,
but it is more difficult to do good to someone
solely because he is a human being.
When we are approached by a human being
demanding his right,
we cannot replace definite ethical action
by mere vague good will.
How often has the mere love of one's neighbour
been able to compromise and hold its peace!

LEO BAECK (1873-1956)

353 No longer enemies

In '41 Mama took us back to Moscow. There I saw our enemies for the first time. If my memory is right, nearly twenty thousand German war prisoners were to be marched in a single column through the streets of Moscow.

The pavements swarmed with onlookers, cordoned off by soldiers and police. The crowd were mostly women – Russian women with hands roughened by hard work, lips untouched by lipstick and thin hunched shoulders which had borne half the burden of the war. Every one of them must have had a father, a brother or a son killed by the Germans.

They gazed with hatred in the direction from which the column was to appear.

At last we saw it. The generals marched at the head, massive chins stuck out, lips folded disdainfully, their whole demeanour meant to show superiority over their plebeian victors. 'They smell of eau-de-cologne, the bastards,' someone in the crowd said with hatred. The women were clenching their fists. The soldiers and policemen had all they could do to hold them back.

All at once something happened to them. They saw German soldiers, thin, unshaven, wearing dirty, bloodstained bandages, hobbling on crutches or leaning on the shoulders of their comrades; the soldiers walked with their heads down.

The street became dead silent – the only sound was the shuffling of boots and the thumping of crutches.

Then I saw an elderly woman in broken-down boots push herself forward and touch a policeman's shoulder, saying, 'Let me through.' There must have been something about her that made him step aside.

She went up to the column, took from inside her coat something wrapped in a coloured handkerchief and unfolded it. It was a crust of black bread. She pushed it awkwardly into the pocket of a soldier, so exhausted that he was tottering on his feet. And now suddenly from every side women were running towards the soldiers, pushing into their hands bread, cigarettes, whatever they had.

The soldiers were no longer enemies. They were people.

YEVGENY YEVTUSHENKO (B. 1933)

354 *Levity of love*

No revolution will come in time
 to alter this man's life
 except the one
 surprise of being loved.
He has no interest in Civil Rights,
 neo-Marxism,
 psychiatry,
 or any kind of sex.
He has only twelve more hours to live,
 so never mind about
 a cure for cancer, smoking, leprosy
 or osteo-arthritis.
Over this dead loss to society
 you pour your precious ointment,
 call the bluff
 and laugh at the
Fat and clock-faced gravity
 of our economy.
 You wash the feet
 that will not walk tomorrow.
Come, levity of love,
 show him, show me,
 in this
 last step of time,
Eternity,
 leaping and capering.

SYDNEY CARTER (B. 1915)
FOR MOTHER TERESA

355 No Brotherly love

Before anyone ever thought of building a town there, Jerusalem was a cornfield owned and worked by two brothers, one of whom was single, and the other married, with several children. One autumn, when they had harvested the ripe grain, and stacked it in two equal heaps as agreed between them, the single brother got up at night saying, 'My brother has a wife and children to support, and needs more corn than I do.' So he quietly moved some of his sheaves to his brother's pile.

The married brother also woke up saying, 'My brother is all alone, without the comfort of wife and children, and needs more corn than I do.' So he quietly moved some of his sheaves to his brother's pile.

So the two stacks remained equal, and it is on that spot that the Temple now stands.

ARAB LEGEND

VII SINCERITY

356 The Gospel of Mark 9:43-48

If your hand should corrupt you, amputate!
Handicap is a better fate
than having two hands full of hell:
    O the worm undying, terrifying
    fire you cannot quell.

If your foot should corrupt you, chop it off!
Better to limp, though people scoff,
than to stride surefooted to hell:
    O the worm undying, terrifying
    fire you cannot quell.

If your eye should corrupt you, out with it!
Short sight's a greater benefit
than a clear-eyed vision of hell:
    O the worm undying, terrifying
    fire you cannot quell.

357 *In tune with God*

Non vox sed votum,
Non clamor sed amor,
Non cordula sed cor
Psallit in aure Dei.
Lingua consonet menti,
Et mens concordet Deo.

It is not the voice but the choice,
Not the clarity but the charity,
Not the harp but the heart
That makes music in the ear of God.
Let your tongue reflect your thoughts,
And your thoughts be in tune with God.

16TH CENTURY INSCRIPTION IN THE CHURCH
OF SAN DAMIANO, ASSISI
TRS. H.J.R.

358 Witness to truth

May my life be one link in a chain of goodness.
As I say the prayers of my fathers,
help me to remember their devotion and faithfulness,
their joy and suffering, which are in every word.
Holiness is my heritage: may I be worthy of it.

May this tradition live in me, and pass from me
to generations I shall never know,
enriched by the truth that I have found
and the good deeds I have done.
So may I fulfill my task on earth, and receive my blessing.

And when the service ends and the prayers have ceased,
help me to bring their spirit into the world in which I live.
May I love God above all,
and my neighbour as myself,
and be a living witness to the truth that never changes.
Amen.

JEWISH SABBATH MORNING SERVICE

359 Priorities

The other day a Zambian dropped dead not a hundred yards from my front door. The pathologist said he'd died of hunger. In his shrunken stomach were a few leaves and what appeared to be a ball of grass. And nothing else.

That same day saw the arrival of my *Methodist Recorder*, an issue whose columns were electric with indignation, consternation, fever and fret at the postponement of the final report of the Anglican-Methodist Unity Commission . . . It took an ugly little man with a shrunken belly, whose total possessions, according to the police, were a pair of shorts, a ragged shirt and an empty Biro pen, to show me that this whole Union affair is the great Non-Event of recent British Church history . . .

So I have undergone something of a conversion on the question of Anglican-Methodist Union. Not from pro. to con. or vice versa. But to a sort of functional neutrality in that I don't give a damn which way the vote goes as long as we get the whole business out of the way and regain our sanity. Either side can buy my vote for a quid's donation to Oxfam . . .

I don't really care whether I end up in a Union Church or as a residual Methodist. I don't really care whether I am ordained, re-ordained, reconciled or commissioned by bishops, presidents, priests or presbyters. I don't care *where* they put the words of Absolution, so long as there is some point in the Service at which I can unload my conscience, over-burdened with the knowledge of what we have done to that little man with the shrunken belly in the name of Christ. Lenny Bruce cut to the heart of the matter in a single biting epigram. He said, 'I know in my heart, by pure logic, that any man who claims to be a leader of the Church is a hustler if he has two suits in a world in which most people have none' . . . The real obscenity, which should stick in our throats and choke us, is what we have done in Christ's name to degrade that little man with a shrunken stomach with all our pious concern and carefully doled out charity and fervent prayer and passionate assurances that we intend to get around to his plight when we have put our own house in order.

COLIN MORRIS

360 Commitment

Lord, make me a means of your peace.
Where there is hatred caused by fear and intolerance,
    let me sow love, in your gentleness.
Where there is vengefulness caused by injustice,
    let me sow forgiveness, which brings reconciliation.
Where there are doubts about the power of love
    over weapons in resolving conflicts,
      let me sow the faith that comes with knowing that you,
    who are mightier than all things, are love itself.
Where there is despair of being able to do anything
    to turn human hearts away from war,
    let me sow the hope that comes
    with realisation that we are not alone,
    for you are working with us and through us.
Where there is the darkness caused by the shadow of war,
    let me sow the light of your wisdom
    that illuminates for us the way of peace.
And where there is sadness caused by death
    in violence and conflicts,
    let me sow the joy of your promise
    of new and eternal life.

Father, we can do these things
   if you help us to realise
   that it is in giving them to others
   that we, in turn, receive them too,
   that it is in pardoning others
   who harm or upset us
   that we are pardoned by you.
And that it is in giving our whole lives to you,
   to be spent bringing your message of love and peace
   for all people, and not just our friends –
   in short, dying to ourselves,
   that we are given eternal life in your kingdom.

PRAYER OF ST FRANCIS
EXPANDED BY PAX CHRISTI USA

361 Clear sight

I set a riddle to the rulers of the land:
Is your God's Law dearer than a man's right hand?
Would you be sons of God or sons of man?
And don't you hear the children, for they understand?
   Let's play a game:
   let's pretend their ox has fallen lame,
   let's see if God's Law remains the same.

I set a riddle as I hung on a tree,
as I stretched out my arms across eternity,
as I drew the whole world in from the ends of the sea,
and I gave it to the children who were following me.
   Let's play a game:
   let's pretend that love is each man's name,
   let's see if the world remains the same.

Here's a riddle of the fire, that is the strength of the
   weak,
the wealth of the poor and the power of the meek,
that the blind can see, of which the dumb can speak,
and a fire only found in the children who will seek.
   Let's play a game:
   you're the ring of roses, I'm the flame,
   just to bring this fire was why I came.

MALCOLM STEWART

362 God's diary, 10 January 510 BC

A genius has appeared in India, full of My Spirit.
He illustrates perfectly
the fact that My word has always been heard
by all the nations of the earth,
and My light enlightened
everyone coming into My world.
But there are few who have become
as enlightened as My son Siddhartha Gautama.
I'm particularly intrigued by the fact
that his approach to Me is so different
from the Jewish approach
that he seems at times to be saying the very opposite.
But he knows, as few do,
that in religious matters in particular,
there are many truths, not one.
To insist that I'm not to be thought of as an object,
whether of knowledge or of love,
he has taken to calling Me 'The Void, The Emptiness'.
I like this.

I liked it still more
when his disciples recently expressed concern
that what he taught
was not to be found in the Holy Books.
'Then put it in,' he said.
'But some of the things you say
contradict what the Books say.'
'Then change the Books.'
I could do with more people of such insight.
And with such a sense of the sacred.
And with such compassion for My world.

H.J.R.

VIII PEACEMAKING

363 The Book of Isaiah 52:7-10

How welcome on the mountains are the feet of those
who bring the news of peace,
who bring the gospel of salvation to Jerusalem:
'Our God reigns!'

The watchmen raise their voices in a shout of joy
as they see the Lord;
they see the Lord returning to Jerusalem:
Our God reigns!

Break into song, you ruins of Jerusalem,
the Lord has brought us peace;
the ends of all the earth have seen his saving power:
Our God reigns!

364 *In the same embrace*

I came to the Holy Land to give, and behold I was overwhelmed by what I received. I came to enrich and purify, and behold I was the one to be enriched and purified.

I loved the family of the Lord. His family are both the Jews and the Arabs. I held the Muslim, the Druze, the Jew, the Christian, everyone, believer and unbeliever, in the same embrace. How I yearned to hold them to my heart and show them all how they can live together, love together, and see the radiance of God in each other's face.

Was that not the vision of Christ in the Gospel? The divine beauty in each race needed only the opportunity to mingle, embrace and dance together, and the more we did this, the more permanent the situation became. Christ was not wrong: 'If you love as I have loved' the world will be a heaven. The Holy Land of Israel will, some day, be that heaven.

Cultures, all cultures, Jewish and Christian and Muslim, are of God. People, all people, are holy, sacred and good. But people, all people, of all cultures and all religions, always need 'conversion'. Conversion is openness, understanding, respect, even awe in the presence of each other, and forgiveness. This is the conversion preached by the Gospel.

So I tried to identify with Jews and Arabs. It is possible! Anyone who opens his heart to them can see in each other's face the face of God. They have the warmth of a mother's womb. If only we could create a little more understanding. Understanding wipes out suspicion. Love will flower and bloom.

ARCHBISHOP JOSEPH RAYA

365 The uniforms they wear

The humble, the gentle, the merciful, the just,
the devout and loyal souls all belong to one religion;
and when death takes away the masks,
they will recognise each other,
even though the different uniforms they wear here
makes them look like strangers.

WILLIAM PENN (1644-1718)

366 The difference

For Methodists,
   what is allowed is allowed,
   and what is not allowed is not allowed.
For Anglicans,
   what is allowed is allowed,
   and what is not allowed is also allowed.
For Roman Catholics,
   what is not allowed is not allowed,
   and what is allowed is also not allowed.

ANON

367 *Being nice*

The English are so nice,
so awfully nice;
they are the nicest people in the world.

And what's more, they're very nice about being nice,
about your being nice as well!
If you're *not* nice they soon make you feel it.

Americans and French and Germans and so on,
they're all very well,
but they're not *really* nice, you know.
They're not nice in *our* sense of the word, are they now?

That's why one doesn't have to take them seriously.
We must be nice to them, of course,
of course, naturally –
But it doesn't really matter what you say to them,
they don't really understand. . . .
Just be nice, you know! Oh, *fairly* nice,
not *too* nice of course, they take advantage;
but nice enough, just nice enough
to let them feel they're not *quite* as nice as they might be.

D. H. LAWRENCE (1885-1930)

368 *What song do you sing?*

There is one who sings the song of his own soul,
and in his soul he finds everything,
full spiritual satisfaction.

And there is one who sings the song of the people.
For he does not find the circle of his private soul
wide enough, and so goes beyond it,
reaching for more powerful heights.
And he unites himself with the soul of the community,
sings its songs, suffers with its sorrows,
and rejoices in its hopes . . .

And there is one whose soul lifts beyond
the limitations of his community,
to sing the song of mankind.
His spirit expands to include
the glory of the human image and its dreams . . .

And there is one who lifts beyond this level,
until he becomes one with all creation
and all creatures and all the worlds.
And with all of them he sings a song . . .

And this is the song of holiness,
the song of God.

RABBI KOOK, CHIEF RABBI OF PALESTINE (1865-1935)

369 *The non-believer*

Jesus was once taken to a football match. At the first goal he cheered wildly and threw his hat in the air. When the other side equalised, he again went wild with delight. A man behind him asked, 'Which side are you on?'

'Neither', he replied, 'I'm just enjoying the game.'

'What are you?' the man asked. 'An atheist or something?'

ANON

370 *Fundamentally decent men*

Somewhere in a university town in the United States there lives a brilliant research chemist . . . I would make an inspired guess that he is a decent, kindly man, because most people are. It was his technical virtuosity which made possible the addition of an extra ingredient to napalm so that the burning jelly would stick with greater tenacity to human skin, defying the efforts of its victim or doctors to scrape it off until it had done its disfiguring work.

No doubt, every morning before that brilliant man set off for his laboratory, he would fondly kiss the skin of his children without making any conscious mental connection between that simple fatherly act and the complex chemistry in which he was totally absorbed – otherwise he would have gone stark, staring mad. It makes no sense whatever to call that man sinful, except to the extent we are all sinful. It may be true that at some point he must accept moral responsibility for the uses to which his research is put. Yet the ultimate infamy which produces wards full of children roasting alive in war-zones, issues from an infinite series of decisions taken by fundamentally decent men, any one of whom would cut off his arm rather than do direct violence to a child.

COLIN MORRIS

371 *Five ways to kill a man*

There are many cumbersome ways to kill a man:
You can make him carry a plank of wood
to the top of a hill and nail him to it. To do this
properly you require a crowd of people
wearing sandals, a cock that crows, a cloak
to dissect, a sponge, some vinegar and one
man to hammer the nails home.

Or you can take a length of steel,
shaped and chased in a traditional way,
and attempt to pierce the metal cage he wears.
But for this you need white horses,
English trees, men with bows and arrows,
at least two flags, a prince and a
castle to hold your banquet in.

Dispensing with nobility, you may, if the wind
allows, blow gas at him. But then you need
a mile of mud sliced through with ditches,
not to mention black boots, bomb craters,
more mud, a plague of rats, a dozen songs
and some round hats made of steel.

In an age of aeroplanes, you may fly
miles above your victim and dispose of him
by pressing one small switch. All you then
require is an ocean to separate you, two
systems of government, a nation's scientists,
several factories, a psychopath and
land that no one needs for several years.

These are, as I began, cumbersome ways
to kill a man. Simpler, direct, and much more neat
is to see that he is living somewhere in the middle
of the twentieth century, and leave him there.

EDWIN BROCK

372 *Helpless tears*

Just a little rain falling all around,
the grass lifts its head to the heavenly sound,
just a little rain, just a little rain,
what have they done to the rain?

Just a little boy standing in the rain,
the gentle rain that falls for years.
And the grass is gone, the boy disappears,
and rain keeps falling like helpless tears,
and what have they done to the rain?

Just a little breeze out of the sky,
the leaves pat their hands as the breeze blows by,
just a little breeze with some smoke in its eye,
what have they done to the rain?

MALVINA REYNOLDS

IX Persecution

373 *The Prophet Jeremiah 20:14-18 and 1:9*

Cursed be the morn,
the morn when I was born,
soft stranger to the earth;
no benediction
on the day of that affliction
called my birth.

Cursed be the man,
the man who quickly ran
to my father, and thus cried:
'Your wife's had a boy,
my tale is of nothing but joy',
for he lied.

No joy did I bring,
that wrinkled nurseling thing,
my wretched father's son;
cursed be the mite
who should have brought only delight:
he brought none.

Great God, tell me why,
tell me why I did not die
when they severed my birth cord?
Why make me survive,
in my sorrows more dead than alive?
Tell me, Lord.

Then my God replied:
'Jeremiah, if you had died,
my own word would have died too.
My word is your child:
to mother it, gentle or wild,
I chose you.'

TRS. PETER DE ROSA (B. 1932)

374 Psalm 22 (21)

My God my God why have you abandoned me?
I am only a mockery of a man
    a disgrace to the people
They ridicule me in all their newspapers

Armoured tanks surround me
I am at machine gun point
    encircled by barbed wire
    by electrified barbed wire.
All day long they call my name from the rolls
They tattooed a number on me
They have photographed me among the barbed wire
all of my bones have been counted as in an X-ray
They have stripped me of all identity
They have brought me to the gas chamber
and divided among them my clothes and my shoes

I cry out begging for morphine and no one hears me
I cry out in the straitjacket
I cry out all night in the asylum of mad men
in the ward of terminal patients

in the quarantine of the contagiously sick
in the halls of the old people's home
I squirm in my own sweat in the psychiatric clinic
I suffocate in the oxygen tent
I weep in the police station
in the army stockade
   in the torture chamber
   in the orphanage
I am contaminated with radioactivity
   and fearing infection no one comes near me

Yet I will speak of you to my brothers
I will praise you in the meetings of our people
My hymns will resound in the midst of this great people
The poor will sit down to a banquet
Our people will celebrate a great feast
This new generation soon to be born

TRS. ERNESTO CARDENAL (B. 1915)

375 *Stand fast*

But if you live the time
that no man will give you good counsel,
nor no man will give you good example;
when you shall see virtue punished
and vice rewarded;
if you will then stand fast
and firmly stick to God,
upon pain of my life,
though you be but half good,
God will allow you for whole good.

ST THOMAS MORE (1478-1535)

376 *I might have been the persecutor*

O Lord, I beseech you,
make me thankful for the grace you have given me.
As for those who persecute me,
in the name of religion,
thinking they are doing your will,
pardon them, in your mercy.
For if you had revealed to them
what you have revealed to me,
they would not be acting as they are.
And if you had hidden from me
what you have hidden from them,
I might have been the persecutor instead of the persecuted.
Glory to you in all you do.
Glory to you in all you will.

PRAYER OF AL-HALLAJ AL-MANSUR

377 God's suffering people

I saw under the altar the souls of those who had been slain for the word of God and for the witness they had borne; they cried out with a loud voice, 'O Sovereign Lord, holy and true, how long wilt thou judge and avenge our blood on those who dwell on the earth?' Then they were each given a white robe and told to rest a little longer, until the number of their fellow servants and their brethren should be complete, who were to be killed as they themselves had been.
(Revelation 6:9-11)

It is for judgment that God's suffering people pray when they cry, 'How long, Lord?' Most commentaries condemn this prayer thunderously and immediately. This is not Christian, they say; it is a nullification of the teaching of Jesus . . . People who do not know what oppression and suffering is react strangely to the language of the Bible. The truth is that God *is* the God of the poor and the oppressed. Although they do not count for much in the eyes of the powerful and the rich, their blood *is* precious in God's sight. Because they are powerless, God will take up their cause and redeem them from oppression and violence. The oppressed do not see any dichotomy between God's love and God's justice . . . God takes up the cause of the poor and the oppressed precisely because in this world their voices are not heard – not even by those who call themselves Christians. God even has to take up the cause of the poor *against* 'Christians'. Christians who enjoy the fruits of injustice without a murmur, who remain silent as the defenceless are slaughtered, dare not become indignant when the suffering people of God echo the prayer of the psalms and pray for deliverance and judgment. In the midst of indescribable pain and appalling indifference, this prayer – and the certainty of God's loving response – has become our sustenance. Even as the dictators of this world rise up to issue a new threat, we know: 'The Lord reigns.'

How God does it is for God to decide. That God *shall* do it
is our faith and joy.

ALLAN BOESAK (B. 1945)

378 *For my fellow Jews*

When I visit great cathedrals,
graven images delight and frighten me,
tourist of holy sites as many
of my generation, inhabited by
a people I no longer live with.
But always I am glad that there,
in these lofty, not always friendly places,
David, Isaiah, thin-lipped Jeremiah
and the first Joseph appear,
in painted stone or many-coloured glass,
their strong Judaic faces
modelled by compatriots perhaps, or
gentiles who looked the part, royal,
prophetic, wise and singularly
unusurious. Art, though not wholly adequate,
consoles an inherited grief, and somewhere
amongst the alien guttering candles
and incenseful entreaties
a *kaddish* becomes possible.

Perfervid in panes of molten glass
Jews, smitten with light, burn
most graciously, or swathed
in corn-gold stone hold an oblique dignity.
Stone wrought by craftsmen at their height

does not melt away, like candle-wax,
or cakes of holocaustic soap
this century crafted also in Europe.

When I visit great cathedrals
I am baffled by stacked candles
which do not smell like a *menorah*
and the inexplicable priest who has failed
to put on skull cap and *tallith*
to maintain his stand there.

kaddish   – prayer for the dead
menorah – seven-branched candelabrum used at feast of
                 lights and symbolically, to represent Jewish
                 struggle.
tallith   – prayer-shawl

NADINE BRUMMER

379 *Do unto others*

As soon as I had said it I was sorry. By using the German
word I had tried to humiliate him. My desire to humiliate
this young man was causing me to feel guilty, and yet at the
same time I asked myself why I should feel hurt for wanting
to hurt the German.

Then it occurred to me that this was the argument of the SS:
to hurt, to kill the Jew is not a sin; it is an act of delousing. The
feelings I was experiencing were not my own feelings, but
theirs. I felt confused. I was doing to him what they had done
to me. I was persecuting an innocent man whose only sin was
that he happened to be born in Germany.

EUGENE HEIMLER (B. 1922)

380 *Umbrian frescoes*

The walls appeal – those conical breasts
offered to Christ bambini,
and angels swinging with great cheerfulness.

They corner most scenes. Naive wings
worn formally as extra limbs,
make you believe in them as facts

you wish could happen now; until that Pietà
and that small angel witnessing, who acts
quite humanly, lifts both hands to his head,

warding off an agonising sound.
You almost hear the long drawn-out Christ,
and feel his white pelt weighing down

the woman's accurate lap. You realise
the helplessness of angels, and that your own
full-grown frightened hands are fluttering

like nervous wings. Should they go or stay?
Brings cups of tea or wipe the sweat away?
Or turn the volume down?

NADINE BRUMMER

X SOME COLLECTS BASED ON THE BEATITUDES

381 Lord God,
your kingdom is here
hidden and close to us –
someone to care for
and people to live for.
Your will is done on earth
everywhere where people
live and die for each other.
We pray therefore
that we may gradually
accomplish this from day to day,
and thus come to know your name,
and find you,
our Father for ever.

HUUB OOSTERHUIS

382 God, you are merciful to us
in all our doings, good and bad.
You do not insist on your right
but acquit us
and accept us.
Everything is possible with you.
Give us the spirit to follow you,
make us merciful to each other
so that the world may know
who you are:
nothing but love, our Father,
God.

HUUB OOSTERHUIS

383 Lord God,
your constant love of humanity
has been handed down to us
in human words.
In this way you are our God and Father.
We pray that we may eagerly listen
to the words of your gospel,
and in this way be with you heart and soul
in the fellowship of the Holy Spirit.

HUUB OOSTERHUIS

384 God our Father,
we have sinned against you
in thought, word and deed:
we have not loved you with all our heart;
we have not loved our neighbour as ourselves.
But you have kept faith with us.
Have mercy on us;
strip us of all that is un-Christian,
and help us live up to our calling,
through Jesus Christ, our Lord.

CONTEMPORARY PRAYERS ED. CARYL MICKLEM

385 Mighty God,
we lift up our hearts to you
in gratitude for your love to us.
Take our lives –
our work and our leisure,
the ordinary things of life and the special things,
the sadness and joy we know and have known.
Accept, we pray, our praise and thanksgiving
as we offer our very selves to you
in worship and adoration,
through Jesus Christ, our Lord.

CONTEMPORARY PRAYERS ED. CARYL MICKLEM

386   Let us remember God, everlastingly great,
utterly loving, wholly to be trusted.
And because God knows us through and through,
because God loves us better than we love ourselves,
because we need not pretend to him, and cannot,
let us quietly acknowledge our need
of his forgiveness and renewal.
God, have mercy on me,
sinner that I am.

CONTEMPORARY PRAYERS ED. CARYL MICKLEM

387   We pray for reconciliation between religions.
May those who profess one faith
no longer suspect and misrepresent
those who profess another.
May good be recognised wherever it exists.
May all people hold to truth as they see it,
and bear witness to it,
but with goodwill and respect.
And may the Christ who came to reconcile
Jew and Gentile, slave and freeman into one body,
continue to break down the walls which divide us.

MORE CONTEMPORARY PRAYERS ED. CARYL MICKLEM

388   You have created us to live in peace
but still man lifts his hand against his brother.
We try to make amends, but our efforts
to establish peace by force do not work out.
As nations we need you to forgive us, O God,
and to teach us new ways of peace.
O God, let each man be his brother's keeper
through Jesus Christ, our Lord.

MORE CONTEMPORARY PRAYERS ED. CARYL MICKLEM

389 Heavenly Father,
on our own we know that we are weak and timid:
but your promises, coming to us from Christ,
give us strength and courage.
He has named the devil, put him in his place,
and exposed the final weakness of evil.
He has said, 'Yes, there is truth;
there is grace; there is goodness.'
He has made us see where we stand,
and what we must do,
and we are surprised at the quiet strength within,
which gives us the courage that does not fail.
We give you thanks,
through Jesus Christ, our Lord.

MORE CONTEMPORARY PRAYERS ED. CARYL MICKLEM

PART THREE

The Holy Days

A – HOLINESS

390-399

390 *Blest are you*

Blest are you whose hands are empty:
You have room for God's abundance.
Come, inherit God's own Kingdom.

Blest are you who long for justice:
You will get your heart's desiring.
Come, inherit God's own Kingdom.

Blest are you whose ways are peaceful:
You are truly God's own children.
Come, inherit God's own Kingdom.

Blest are you when people hate you:
You will share the throne of Jesus.
Come, inherit God's own Kingdom.

MATTHEW 5:3-10

391 *A sign of love*

In a society whose ideals are power, possession and pleasure,
I pray that I may be a sign
of what it really means to love.
I will do my best to be a sign
that Christ Jesus alone is the Lord of history,
that he is present here in our midst,
and that he is capable of inspiring love
mightier than our instincts,
mightier than death itself.
My own desire is to lead a life in the following of Christ,
he who was poor and chaste and obedient to the will of his
　　Father.
I wish to live for him alone and his saving work,
as his disciple.
I promise our Lord that I will be faithful,
in sickness and in health,
in youth and old age,
in tranquillity and persecution,
in joy and in sorrow.
I promise to do my best
to share in his incarnation among the poorest of the poor,
and to imitate his poverty and solidarity with them
in their struggle for freedom.
This is my hope and desire:
to share in his evangelising mission among human beings,
concentrating all the powers of my will and affections
on him and on all my sisters and brothers,
and living in continual quest of the Father's will:
in his word, in the Church,
in the signs of the times, and in the poor.

SILVIA ARRIOLA (MARTYRED 1981)
VOWS TAKEN BEFORE ARCHBISHOP ROMERO OF SAN SALVADOR

392 The Church's paradise

Perhaps the reason why the standard of holiness among us
    is so low,
why our attainments are so poor,
our view of the truth so dim,
our belief so unreal,
our general notions so artificial and external, is this,
that we dare not trust each other with the secret of our hearts.
We have each the same secret, and we keep it to ourselves,
and we fear that as a cause of estrangement,
which really would be a bond of union.
We do not probe the wounds of our nature thoroughly;
we do not lay the foundation of our religious profession
in the ground of our inner man;
we make clean the outside of things;
we are amiable and friendly to each other in words and deeds,
but our love is not enlarged,
our bowels of affection are straightened
and we fear to let the intercourse begin at the root;
and in consequence our religion, viewed as a social system,
is hollow. The presence of Christ is not in it . . .
Persons think themselves isolated in the world;
they think no one ever felt as they feel.
They do not dare to expose their feelings,
lest they should find that no one understands them.
And thus they suffer to wither and decay
what was destined in God's purpose to adorn the Church's
    paradise
with beauty and sweetness . . .
They deny themselves the means they possess
of at once imparting instruction and gaining comfort.

JOHN HENRY NEWMAN (1801-1890)

393 *A living Gospel*

One good man, one man who does not
put on his religion once a week with his Sunday coat,
but wears it for his working dress,
and lets the thought of God grow into him,
and through and through him,
till everything he says and does becomes religious,
that man is worth a thousand sermons –
he is a living Gospel –
he is the image of God.
And men see his good works,
and admire them in spite of themselves,
and see that they are Godlike,
and that God's grace is no dream,
but that the Holy Spirit is still among men,
and that all nobleness and manliness
is his gift, his stamp, his picture:
and so they get a glimpse of God again
in his saints and heroes,
and glorify their Father who is in heaven.

CHARLES KINGSLEY (1819-1875)

394 *Paradoxes of grace*

The saints were not born as isolated phenomena,
but as kneaded and pressed into a common mould and feature:
into the communion of saints.
And the saint, as a member of the Church,
may be defined as one in whom the double operation
of knowledge and love of Jesus Christ
has shown most gloriously.
It is the saint who knows Christ most accurately:
precisely because that knowledge, a gift of grace,
has passed over instantaneously to love:
knowledge and love have been pressed by the anguish of life
into a single living ferment.
With grace enlightening their minds and wills,
humanity finds in them a new possibility . . .
Because they know human life,
they go without danger into any area of life.

In the Church the paradoxes of grace are commonplace:
the unlettered saint confounding the doctors:
the doctor upon the scaffold:
the man or woman of extraordinary social talent
finding fulfilment in contemplative obscurity:
the contemplative leading a crusade,
the child confounding the tyrant,
the old man singing a song in the fire of martyrdom,
the mystic sitting down with princes,
the prince in the hairshirt,
the hermit returning to set the kingdom aright.
In all of them a divine principle has come to flower:
an inner logic is directing things to a divine outcome:
in all of them the Church is mediating Jesus in time,
is still bringing forth, with a truly divine fecundity,
the sons and daughters who bear Christ into the world.

DAN BERRIGAN

395 *A host of liberators*

All liberators, all healers are sent by God; they liberate and heal through the power of the eternal given to them.

Who are these healers? Where are these saviours? The first answer is: They are *here*; they are *you*. Each of us has liberating and healing power over someone to whom you are a priest. We are all called to be priests to each other; and if priests, also physicians, counsellors, liberators.

There are innumerable degrees and kinds of saving grace. There are many people whom the evil one has enslaved so mightily that the saving power which may work through them has almost disappeared. On the other hand there are the great saving figures in whom large parts of mankind have experienced a lasting power of liberating and healing from generation to generation. Most of us are in between.

And then there is the one Saviour in whom Christianity sees the saving grace without limits, the decisive victory over the demonic powers, the tearing down of the wall of guilt which separates us from the eternal, the healer who brings to light a new reality in man and his world.

But if we call him the Saviour we must remember that *God* is the saviour *through* him, and that there are a host of liberators and healers, including ourselves, through whom the divine salvation works in all mankind. God does not leave the world at any place, in any time, without saviours – without healing power.

PAUL TILLICH (1886-1965)

396 *What is a saint?*

I'm set on fire by who Zorba is
and how he reacts to life, Lord.
He lives life. He beholds the earth,
smells and feels it, and finds it good.
I suppose he's no saint. I'm not sure, Jesus,
what it means to be a saint right now.
(I don't think it means to act 'saintly'.
I'm afraid that kind of thing
is why people are bored with 'religion'.)
I mean, Zorba is human, Lord,
and he does good and bad things, human things.
But he seems to love life, bounces back from disasters,
meets other people's needs, and gets involved
in their lives and all of life that comes his way.
Isn't life, for Zorba,
something to be celebrated as being holy?

Do you yourself, Jesus, label some things in life as 'holy',
and others as 'profane'?
I don't think you do,
but so many people who call themselves Christians
seem to ignore you completely when they set up
their blue laws and censorship boards.
Zorba's dance of life
is a wonderful dialogue with you, Jesus.
Teach me to dance too,
or at least to be free with you,
and to understand how newness of life and renewal
are stronger than death.

NIKOS KAZANTZAKIS (1883-1957)

397 *Becoming a saint*

A disciple asked the Master what was the first requirement
for becoming a saint.
'You must be prepared to be ridiculed, ignored and starving
until you are forty-five.'
'What will happen when I'm forty-five?'
'You'll have got used to it.'

ANTHONY DE MELLO SJ (1931-1987)

398 *God and his saints:*
A Christian reflection

Day of wrath! O Day of mourning!
See fulfilled the prophets' warning!
Heav'n and earth in ashes burning!

O, what fear man's bosom rendeth
When from heav'n the Judge descendeth,
on whose sentence all dependeth.

When the Judge his seat attaineth,
And each hidden deed arraigneth,
Nothing unavenged remaineth.

THOMAS OF CELANO (D. 1255)
DIES IRAE, TRS. W. J. IRONS (1812-1883)

399 *A Jewish reflection*

At the Last Judgement,
God will bring you into his presence one by one,
and there he will tell you
what your life was really about.
Then you will understand
the good you did and the bad.
And the good you did will be your heaven,
and the bad your hell.
And then God will forgive you.

SAYINGS OF THE HASIDIM

B – SAINTS' DAYS

400-486

400 *Calendar*

January	6	Epiphany
	7	Baptism of Christ
	25	Paul
	28	Thomas Aquinas
February	2	Presentation
March	17	Patrick
	19	Joseph
	24	Gabriel
	25	Annunciation
April	25	Mark Evangelist
May	4	English Martyrs
	30	Joan of Arc
	31	Visitation
June		Corpus Christi
	9	Columba
	16	Richard of Chichester
	24	John Baptist
	29	Peter
July	3	Thomas Apostle
	6	Thomas More
	11	Benedict
	22	Mary Magdalene
	31	Ignatius Loyola
August	6	Transfiguration
	8	Dominic
	15	Mary
	28	Augustine of Hippo

September	14	Holy Cross
	21	Matthew Evangelist
	29	Michael and all Angels
October	4	Francis of Assisi
	15	Teresa of Avila
	17	Ignatius of Antioch
	18	Luke Evangelist
November	1	All Saints
	2	Faithful Departed
December	7	Ambrose
	25	Christmas
	26	Stephen
	27	John Evangelist
	28	Holy Innocents
	29	Thomas of Canterbury

401 *January 6: Epiphany*

The off'rings of the Eastern kings of old
Unto our Lord were incense, myrrh and gold;
Incense because a God; gold as a king;
and myrrh as to a dying man they bring.
Instead of incense (Blessed Lord) if we
Can send a sigh or fervent prayer to thee,
Instead of myrrh if we can but provide
Tears that from penitential eyes do slide,
And though we have no gold, if for our part
We can present thee with a broken heart,
Thou wilt accept: and say those Eastern kings
Did not present thee with more precious things.

NATHANIEL WANLEY

402 *Jewish Madonna*

From the moment they were engaged
she looked at her man, remembering
the command to be fruitful,
and wondered what it would be like
making a child with Joseph
who was good with his hands.
She had not reckoned on the Angel,
but she did not laugh at all,
not like some when good news came,
strange conceptions, out of the blue,
of impossible children.

In the months to come she wished,
whilst shelling the peas,
that her body could pop like a pod,
and God could make childbirth easy.
She'd heard the cries of women being delivered
as if they were undergoing a crucifixion.
But when it began, her waters broke with his name
and she clenched her teeth on his name,
when his head was crowned.
She felt glad at the birth of her son
under a star, of David's line.
Except when the gifts appeared.

She could swear that he focused his eyes
in a way too early for babies.
When his hand touched the coffer of myrrh
he cried, as if something was pricking his palm.
He wrinkled his nose at her
when the incense was laid at his feet
unlit in its silver boat,
as if he sensed smoke, acrid and wrong,
like a paschal lamb left too long on the fire,
like a holocaust.

And the glint of the magi's gold
seemed to appal him;
his inarticulate fist went to his mouth
as if an imagined tooth troubled his mind.
Later, she said that he came
with the look of someone who'd seen
a black hole at the heart of the world
before he entered her womb,
and that she wished she had disobeyed
the imperative Angel,
not trusted the span of his wings;
for a minute, that is,
until she put the child to her breast.
He knew how to suck like a lamb
with all the vigour of Spring.

NADINE BRUMMER

403 *Displaying the glory of God*

One of the gospel pages traditionally read out on the feast of the Epiphany is the story of the marriage at Cana. That too (along with the story of the Magi and of Jesus' Baptism) is an *epiphaneia* – an advertisement which displays to the world what God is like.

The story goes that one of the first things that Jesus did as he began his public life was to attend a village wedding, where they were toasting the bride and groom with such conviction that the wine ran out. Embarrassing. Jesus' mother urged him to do something about the situation. He replied, 'The Hour for displaying the Glory of God is not yet.' That would come when he died. Nonetheless he did do something, and presumably the point of the story is that what he did was a kind of foretaste of that Hour, a first instalment of the Glory of God.

He told them to fill six huge stone jars with water. And before they knew what had happened it was wine, all 120 gallons of it. That's 600 litres. A lot of wine. The storyteller adds that it was vintage stuff, the best they'd ever tasted.

How literally did the gospel writer mean us to take that story? Who knows. What is certain is that he presents Jesus as someone able to transform things wondrously. Not just the elements but people's lives. Not just water into wine, but tasteless lives into intoxicating ones, and hell into heaven. The Hour when he would do that most conclusively was on Calvary, when the way he died gave people such a new understanding of God that it totally transformed their lives. That story comes on the last page of the gospel. This story, on the first page, is a kind of foretaste of it. It is an Epiphany, a displaying of God in the life of Christ.

There is no way of knowing whether Jesus actually did change water into wine at Cana in Galilee. But there is a way of knowing whether Jesus actually changes your life. Christians think he does. That's why they continue to tell this story. They are convinced that in this man's life, and especially in his death, a marriage took place between God and the human race. They are convinced that this event transformed the world – the old into the new, the incomplete into the complete, the ineffectual into the effectual, the imperfect into the perfect, the weary and worn into the living and life-giving, like water into wine. In this man's life, God was displayed as the transformer of people's lives, filling them with a fullness and joy they had never before experienced.

H.J.R.

404 January 7: Baptism of Christ

The gospels tell us that Jesus began his public life by going down to the river Jordan to be baptised, along with countless other Jews, and that as he emerged the skies opened and a voice from heaven proclaimed, 'This is my beloved Son, in whom I am well pleased.'

The ceremony of baptism, in those days, consisted of ducking people in the river, as if they were being drowned, and then pulling them out like survivors from a shipwreck. Why did people do such a strange thing? Because they wanted to express their awareness that they were sinners, standing at a great distance from God, and longing to be close to God. They were acknowledging that they needed saving, and couldn't do anything to save themselves. So they committed themselves, as it were, into the hands of God, and trusted him to rescue them out of the waters of distress, and acknowledge them as his sons and daughters, his own dear children.

Do we find it odd to see Jesus in the midst of this company of sinners? The gospels don't. All four of them make the baptism of Jesus their lead story. He stands alongside the rest of sinners and says, 'I'm one of you, a long way from our Father in heaven, and needing to be saved.'

And when he had experienced the full distance he stood from God, and died the death we all have to die (the death that the living God can't die) – it was then that God finally rescued him. The waters of distress finally closed over his head in the grave. And it's from that that he was raised by God, with the greeting, '*Now* you are my beloved Son, in whom I am well pleased.' Jesus' baptism was a kind of dress rehearsal of his death and resurrection, when he finally revealed God as the Saver of the human race.

What a shame that so many people think of Jesus as someone coming to us from another world – a heavenly being who only looked like a man, but was really more like an angel, not needing to be saved at all. The gospels proclaim loudly that this is not so. Jesus is like the rest of us poor banished children of Adam and Eve. He entered our world as we do, a helpless babe crying out for love. He lived his life as we do, conscious that we stand a long way from God, in desperate need of salvation.

And that is good news. If it was only people from outer space whom God could call his Son, that would be bad news. Jesus showed that it is people like us, in a situation of need, that God saves, and cries out to us, 'Come home, my child.' In Jesus we see what God is really like. Jesus' baptism stands out like an advertisement. It is an Epiphany of the God who is the lover of humankind.

H.J.R.

405 *January 25: Paul*

Lead us, great teacher Paul, in wisdom's ways,
And lift our hearts with thine to heaven's high throne,
Till faith beholds the clear meridian blaze,
And, sun-like, in the soul reigns charity alone.

ELPIS, WIFE OF BOETHIUS (480-524)
TRS. E. CASWALL (1814-1878)

406 *The mountain*

Wrong question, Paul! 'Who am *I*, Lord?'
is what you should have asked.
And the answer, surely, 'Somebody
whom it is easy for us to kick against.'

There were some matters you were dead right
about. For instance, I like you
on love. But marriage – I would have thought
too many had been burned in that fire
for your contrast to hold.

Still, you are the mountain
the teaching of the carpenter of Nazareth
congealed into. The theologians
have walked round you for centuries
and none of them scaled you. Your letters remain
unanswered, but survive the recipients
of them. And we, pottering among the foothills
of their logic, find ourselves staring
across deep crevasses at conclusions at which
the living Jesus would not willingly have arrived.

R. S. THOMAS (B. 1913)
COVENANTERS

407 Jailbird

A parish needing a new incumbent advertised for applications through its Parish Council. A letter was eventually received from an applicant who set out his qualifications:

'I am regarded as a powerful preacher, and I have had some success as a writer. I am said to be a good organiser, and I have been a leader in most of the places to which I have gone. I have to admit that I have never preached in the same place for more than three years at a time, and that in some places I have had to leave because my work caused riots. The fact is, I have not got on too well with the religious leaders in many of the towns where I have preached. Some of them have attacked me, and even taken me to court. As a result I have been in jail four or five times, though not because of any real crime. My health is none too good, but I still manage to get a good deal done, though I am fifty years old. I have regularly worked at a trade to help me pay my way. If I can be of any use in your parish, I shall do my best for you.'

The letter was read out to the Parish Council. They all felt it must be some sort of a joke. How could they seriously consider an application from such a sickly, half-time, trouble-making ex jailbird? In any case he was far too old. Who was he? The secretary looked at the bottom of the letter. 'The Apostle Paul.'

UNKNOWN

408 *January 28: Thomas Aquinas*

O thou our reminder of Christ crucified,
living bread, the life of us for whom he died,
lend this life to me then; feed and feast my mind,
there be thou the sweetness man was meant to find.

Jesu, whom I look at shrouded here below,
I beseech thee send me what I long for so,
some day to gaze on thee face to face in light
and be blest for ever with thy glory's sight.

ADORO TE DEVOTE
PRAYER OF ST THOMAS AQUINAS (1227-1274)
TRS. GERARD MANLEY HOPKINS (1844-1889)

409 *February 2: Presentation or Candlemas*

The feast we celebrate today is the last feast of Christmas;
the candles which we use are a symbol to remind ourselves
that Christ came to give us light and life.
The relation between light and life is felt most keenly
in the darkness of night, and during the dull days of winter.
Even in those parts of the world which are rich enough
to turn night into day with the flick of a switch,
darkness remains a threat and light a blessing.
When we pray for the dead we pray
that 'perpetual light might shine upon them',
that they will have life eternal in the radiance of heaven.

We may be good these days at lighting up our homes
    and streets,
but we have been less successful in combating
the interior darkness of sin, depression and despair.
It is that which gives enduring meaning to today's feast;
if we walk in the light of Christ all will be well with us,
however difficult the path we tread.

Simeon's prayer became the night prayer of the Church.
The *Nunc Dimittis* is among the most beautiful of all prayers;
to have had our way illuminated and depart in peace at the
    end of it,
is the fulfilment of a life lived in the service of God –
what more could we pray for as night falls?

MONICA LAWLOR

410 *March 17: Patrick*

I bind unto myself today
the power of God to hold and lead:
his eye to watch, his might to say,
his ear to hearken to my need,
the wisdom of my God to teach,
his hand to guide, his shield to ward,
the word of God to give me speech,
his heavenly host to be my guard.

Christ be with me, Christ within me,
Christ behind me, Christ before me,
Christ beside me, Christ to win me,
Christ to comfort and restore me,
Christ beneath me, Christ above me,
Christ in quiet, Christ in danger,
Christ in hearts of all that love me,
Christ in mouth of friend and stranger.

BREASTPLATE OF ST PATRICK (5TH CENTURY)

411 March 19: Joseph

He who grew up
with wood around
ran with infant feet on sawdust ground
who in childhood played
with wooden toys made by a caring father
yet with youthful hand
learnt to whittle wood
shaping pieces to his own command.

What dreadful irony
decreed that wood should be
his instrument of death
and could it be
that Joseph once embraced
that traitor tree?

At the very end
did wood become his enemy or friend?
Did splinters stab his arms
when outstretched
for the nailing of his palms?
Or did familiarity
carve comfort even then
evoking honest kindly men
ladles or the mother's chair
and a working carpenter?

Peggy Poole

412 March 24: Gabriel

The angel Gabriel from heaven came,
his wings as drifted snow, his eyes as flame.
'All hail,' said he, 'thou lowly maiden Mary,
most highly favoured lady!' Gloria!

'For know, a blessed Mother thou shalt be,
all generations laud and honour thee;
thy Son shall be Emmanuel, by seers foretold,
most highly favoured lady!' Gloria!

Then gentle Mary meekly bowed her head,
'To me be as it pleaseth God,' she said;
'My soul shall laud and magnify his holy name.'
'Most highly favoured lady!' Gloria!

Of her, Emmanuel, the Christ, was born
in Bethlehem, all on a Christmas morn;
and Christian folk throughout the world will ever say:
'Most highly favoured lady!' Gloria!

ANGELUS AD VIRGINEM
ANON (14TH CENTURY)
TRS. SABINE BARING-GOULD (1834-1924)

413 *March 25: Annunciation*

Her morning of mornings was when one flew to bring
Some news that changed her cottage into a queen's
Palace; the table she worked at shone like gold,
And in the orchard it is suddenly spring,
All bird and blossom and fresh-painted green.
What was it the grand visitor foretold
Which made earth heaven for a village Mary?
He was saying something about a Saviour Prince,
But she only heard him say, 'You will bear a child',
And that was why the spring came. Angels carry
Such tidings often enough, but never since
To one who in such blissful ignorance smiled.

C. DAY LEWIS (1904-1972)
ON LEONARDO'S ANNUNCIATION

414 *In her heart, new loving*

Nothing will ease the pain to come
Though now she sits in ecstasy
And lets it have its way with her.
The angel's shadow in the room
Is lightly lifted as if he
Had never terrified her there.

The furniture again returns
To its old simple state. She can
Take comfort from the things she knows
Though in her heart new loving burns,
Something she never gave to man
Or god before, and this god grows

Most like a man. She wonders how
To pray at all, what thanks to give
And whom to give them to. 'Alone
To all men's eyes I now must go,'
She thinks, 'And by myself must live
With a strange child that is my own.'

So from her ecstasy she moves
And turns to human things at last
(Announcing angels set aside).
It is a human child she loves
Though a god stirs beneath her breast
And great salvations grip her side.

ELIZABETH JENNINGS

415 Mary's 'yes'

Lord, I am afraid to say 'yes'.
I am afraid of putting my hand in yours, for you hold on to it.
I am afraid of meeting your eyes, for you can win me.
I am afraid of your demands, for you are a jealous God . . .

Say 'yes'.
I need your 'yes' as I needed Mary's 'yes' to come to earth.
For it is I who must do your work,
I who must live in your family,
I who must be in your neighbourhood, and not you.
For it is my look that penetrates, and not yours,
my words that carry weight, and not yours.
my life that transforms, and not yours.
Give all to me, abandon all to me.
I need your 'yes' to be united with you and to come down
*   to earth.*
I need your 'yes' to continue saving the world.

O Lord, I am afraid of your demands, but who can resist you?
That your Kingdom may come and not mine,
that your will may be done and not mine,
Help me to say 'yes'.

MICHEL QUOIST (B. 1918)

416 Collect for the Annunciation

Pour forth, we beseech thee O Lord,
thy grace into our hearts,
that we to whom the incarnation of Christ thy Son
was made known by the message of an angel,
may by his passion and cross
be brought to the glory of his resurrection.

ROMAN MISSAL

417 April 25: Mark the Evangelist

In the first part of (Mark's) gospel healings predominate.
And if we did not know what was still to come, we might say,
What sort of religion is this? It is a medicine, apparently, for
securing health and sanity. But if science can do more for
men than faith and miracle, science is the better medicine,
and supernatural grace may retire from the field.

But we have no sooner formulated our objection than the
scene changes. He who had healed the paralysed foot and
restored the withered hand, he who had opened the eyes of
the blind begins to say, 'If your hand is your undoing, cut it off
and cast it from you. Off with the offending foot, out with
the covetous eye; make sure of everlasting life, however the
pursuit of it may maim or limit you in this present world.'
He who had raised the dead before, now calls for martyrs.
'Take up your cross,' he says, 'and go with me to die.'

Ah, we say, this may be terrible, but this is religion; Christ
is calling for heroes. It is not, after all, 'What can we get out
of God?' that was only a beginning, a religion for children.

Now it is, 'What can we do for God?' This is the religion of adults. Let us turn the page, and read the story of their finest hour.

We turn it, and what do we read?

Amen I say to thee, before the cock crows twice thou shalt thrice deny me.

He came and found them sleeping.

They all forsook him and fled.

Peter began to curse and to swear, I know not the man.

And they went out quickly and ran from the tomb, gripped by an ecstasy of terror, and said nothing to anyone, for they were afraid (the very last words of St Mark's authentic text).

Shall we reduce St Mark's Gospel to three lines?

God gives you everything.

Give everything to God.

You can't.

True, there is a fourth line: Christ will make you able, for he has risen from the dead. But this is almost overshadowed in St Mark's gospel by the emphasis on self-distrust. St Mark seems even more afraid that his readers will trust themselves than that they will distrust Christ's risen power.

AUSTIN FARRER

418 Under-standing the Cross

It is interesting that when Mark tells the story of Peter's famous profession of faith ('You are the Christ', 8:29), he interleaves it, unlike the other evangelists, with stories of the deaf being given their hearing (7:35) and the blind recovering their sight (8:22, 10:52). He even makes the comment that the blind have some difficulty in seeing – they can hardly distinguish people from trees (8:24), not unlike the disciples whom Jesus has to ask five times whether their sense of hearing and sight has totally left them (8:17-21). The result is that when Peter triumphantly announces, 'Now I see, you really are the long-awaited Messiah' – and Jesus asks him whether he realises this means crucifixion and death, and Peter replies, 'Never!' – Jesus has to say, 'You're still completely deaf and blind, aren't you!' (8:33).

How difficult it is to grasp who Jesus really is, Mark warns us. How easily we go on and on misunderstanding what it means to be the Son of God.

Mark insists that people must not come to a conclusion about Jesus too quickly. There is a mystery about him. He is an enigma and a puzzle. In the kind of world we live in, no one can be a son of God without getting a good hiding, Jesus first and his disciples next. Jesus' passion and death are not some unfortunate accident: they are the very meaning of his life. Jesus is Son of God not in spite of his death but because of it. If he had *not* suffered and died, that would have proved he was not Son of God.

This means, says Mark, that until you get to the point in Jesus' life where he suffers and dies, you must keep quiet, because you've not really grasped who he is. You'd have your own interpretation of the title 'Son of God', thinking it means something like Teacher or Miracle Worker or King, and never dreaming the title might mean trouble. And that would be such a misunderstanding that Jesus would repudiate you as he did Peter. Nobody understands who Jesus is until he *stands under* the cross. It is not until then that you can say, with the centurion, 'Yes, this is the Son of God.'

Mark's gospel asks us whether, as disciples of Jesus, we can really see and hear what God is saying in his life. Do we really want God to open our eyes and ears, or does that scare us? Do we really want to be disciples of Jesus, knowing that it means being ready to shoulder the cross? Even his best friends can get it wrong.

H.J.R.

419 May 4: English martyrs

We praise thee, Lord, for all the martyred throng,
Those who by fire and sword or suffering long
Laid down their lives, but would not yield to wrong;
For those who fought to keep the faith secure,
For all whose hearts were selfless, strong and pure,
For those whose courage taught us to endure;
For fiery spirits, held and God-controlled,
For gentle natures by his power made bold,
For all whose gracious lives God's love retold;
Thanks be to thee, O Lord, for saints unknown,
Who by obedience to thy word have shown
That thou didst call and mark them for thine own.

BISHOP R. HEBER (1783-1826)

420 *The honourablest death*

Most Dear and Loving Mother,
Seeing that by the severity of the laws, by the wickedness of our times, and by God's holy ordinance and appointment, my days in this life are cut off, of duty and conscience I am bound (being far from you in body but in spirit very near you) not only to crave your daily blessing, but also to write these few words unto you . . .

I had meant this spring to have seen you, if God had granted me my health and liberty, but now never shall I see you . . . Alas! sweet Mother, why do you weep? Why do you lament? Why do you take so heavily my honourable death . . . Perhaps you will say, I weep not so much for your death as I do for that you are hanged, drawn and quartered. My Sweet Mother, it is the favourablest, honourablest, and happiest death that ever could have chanced to me.

I die not for knavery, but for verity; I die not for treason, but for religion; I die not for any ill demeanour or offence committed, but only for my faith, for my conscience, for my priesthood, for my blessed Saviour Jesus Christ; and, to tell you truth, if I had ten thousand lives, I am bound to lose them all rather than to break my faith, to lose my soul, to offend my God.

We are not made to eat, drink, sleep, to go bravely, to feed daintily, to live in this wretched vale continually; but to serve God, to please God, to fear God, and to keep his commandments; which when we cannot be suffered to do, then rather must we choose to lose our lives than to desire our lives.

BLESSED WILLIAM HART (D. 1583)
FROM A LETTER TO HIS MOTHER

421 *Suffering with God*

The righteous suffer in this world in a way that the unrighteous do not. The righteous suffer because of many things that for others seem simply natural and unavoidable. The righteous suffer because of unrighteousness, because of the senselessness and absurdity of events in the world. . . . The world says: That is how it is, always will be and must be. The righteous say: It ought not to be so; it is against God. This is how one recognises the righteous, by their suffering in just this way. They bring, as it were, the consciousness of God into the world; hence they suffer as God suffers in this world.

The Psalmist assures us that the Lord delivers the righteous. Of course, God's deliverance is not to be found in every experience of human suffering. But in the suffering of the righteous God's help is always there, because they are suffering with God. God is always present with them. The righteous know that God allows them to suffer so, in order that they may learn to love God for God's own sake. In suffering, the righteous find God. That is their deliverance. Find God in your suffering and you will find deliverance!

The answer of the righteous to the sufferings which the world causes them is to bless (1 Peter 3:9). That was the answer of God to the world which nailed Christ to the cross: blessing. . . . The world would have no hope if this were not so. The world lives and has its future by means of the blessing of God and of the righteous. . . . It is in this way that we respond to the world which causes us such suffering. We do not forsake it, cast it out, despise or condemn it. Instead, we recall it to God, we give it hope, we lay our hands upon it and say: God's blessing come upon you; may God renew you; be blessed dear world, for you belong to your creator and redeemer.

We have received God's blessing in our happiness and in our suffering. And those who have been blessed cannot help but pass this blessing on to others. Yes, wherever we are, we must ourselves be a blessing. The renewal of the world, which seems so impossible, becomes possible in the blessing of God.

DIETRICH BONHOEFFER (1906-1945)
MEDITATION FROM TEGEL PRISON,
JUNE 1944

422 May 30: Joan of Arc

Do not think you can frighten me
by telling me that I am alone.
France is alone; and God is alone;
and what is my loneliness
before the loneliness of my country and my God?
I see now that the loneliness of God is his strength:
what would he be if he listened to your jealous little
    counsels?
Well, my loneliness shall by my strength too;
it is better to be alone with God;
his friendship will not fail me,
nor his counsel, nor his love.
In his strength I will dare, and dare, and dare,
until I die.

BERNARD SHAW (1856-1950)
ST JOAN

423 May 31: Visitation

My heart is bubbling over with joy;
with God it is good to be a woman.
From now on let all people proclaim:
it is a wonderful gift to be.
The one in whom power truly rests
has lifted us up to praise.
God's goodness shall fall like a shower
on the trusting of every age.
The disregarded have been raised up:
the pompous and powerful shall fall.
God has feasted the empty-bellied,
and the rich have discovered their void.
God has made good the word
given at the dawn of time.

LUKE 1:46-55
TRS. PHOEBE WILLETTS

424 *Magnificat*

Sing we a song of high revolt!
Make great the Lord, his name exalt!
Sing we the song that Mary sang,
of God at war with human wrong.

Sing we of him who deeply cares,
and still with us our burden bears.
He who with strength the proud disowns
brings down the mighty from their thrones.

By him the poor are lifted up;
he satisfies with bread and cup
the hungry folk of many lands;
the rich must go with empty hands.

He calls us to revolt and fight
with him for what is just and right,
to sing and live Magnificat
in crowded street and council flat.

FRED KAAN

425 *June: Corpus Christi*

Father, you have given us Jesus Christ
who is the true bread from heaven.
He is the manna of the new covenant
which came down from heaven
and gives life to the world.
Jesus said,
'I am the bread of life;
he who comes to me will not hunger,
and he who believes in me will never thirst.'
Father, deepen my faith in Christ
so he may fill me with eternal life
and raise me up on the last day.
Feed me with Christ's own body and blood,
for unless I eat his flesh and drink his blood
I will not have life in me . . .
Father, let me live by Christ your Son
as he lives by you;
and then the Spirit of holiness
by whom you raised Jesus from the dead
will dwell in me as in his temple,
and he will raise me from the dead at judgement day.
Father, I thank you for inviting me to eat at your table,
so enabling me to taste for myself
that the Lord is very sweet.

PETER DE ROSA (B. 1932)

426 *Christ gives himself away*

Father, it is strange how often
the dearest things seem unfamiliar
the nearest things seem far away.
On Easter Day, Jesus was not recognised
when he walked with two of his disciples to Emmaus.
He spoke to them and listened to them;
and proved to them how necessary it was
for the Christ to suffer if he was to enter his glory.
He made them see that Calvary
was all of a piece with Moses and the prophets.
Inspired by his presence, the disciples pleaded with him,
'Stay with us, for night is coming on
and the day is almost spent.'
Christ incognito agreed and sat down with them at table.
He assumed the role of host:
he took the bread, said the blessing, broke it
and gave them a share of it.
It was through this everyday action that they knew him;
and immediately he vanished from their sight.
Father, once more Christ delivers himself
into his disciples' hands.
In the simple gesture of the breaking of the bread
he gives himself away;
and though we do not see him any more,
we believe he is always in our midst.
His Holy Spirit is a burning presence in our hearts;
and in our hands is broken and divided Bread.
Father, give us this food
that will sustain us on life's journey
and save us from being frightened
by the long and lonely night.

PETER DE ROSA (B. 1932)

427 *The mystery of love*

Come, dear Heart!
The fields are white to harvest: come and see
As in a glass the timeless mystery
Of love, whereby we feed
On God, our bread indeed.
Torn by the sickles, see him share the smart
Of travailing Creation: maimed, despised,
Yet by his lovers the more dearly prized
Because for us he lays his beauty down –
Last toll paid by Perfection for our loss!
Trace on these fields his everlasting Cross,
And o'er the stricken sheaves
   the Immortal Victim's crown.

EVELYN UNDERHILL (1875-1941)
CORPUS CHRISTI

428 *June 9: Columba*

Alone with none but thee, my God,
I journey on my way;
What need I fear when thou art near,
O King of night and day?
More safe am I within thy hand
Than if a host did round me stand.

PRAYER OF ST COLUMBA (521-597)

429 *Guiding star*

My dearest Lord,
be thou a bright flame before me,
be thou a guiding star above me,
be thou a smooth path beneath me,
be thou a kindly shepherd behind me,
today and ever more.

PRAYER OF ST COLUMBA (521-597)

430 *June 16: Richard of Chichester*

Thanks be to thee, Lord Jesus Christ,
for all the benefits and blessings which thou hast give to me,
for all the pains and insults which thou hast borne for me.
O most merciful Friend, Brother and Redeemer:
may I know thee more clearly,
love thee more dearly,
and follow thee more nearly.

PRAYER OF ST RICHARD (C. 1200-1253)

431 June 24: John the Baptist

When you open St Mark's gospel, you find that John is
   defined as a voice that shouts in the wilderness.
He is not even called a prophet, or a messenger of God.
He has become so identified with the message,
he has become so one with the word he has to proclaim to
   people,
that one can no longer see him behind the message,
hear the tune of his voice behind the thundering witness
of God's own spirit speaking through him.

Too often when *we* bring a message, people perceive us,
because we are not sufficiently identified with what we have
   to say.
In order to be identified, we must so read the Gospel,
make it so much ourselves, and ourselves so much the Gospel,
that when we speak from within it, in its name,
it should be simply the Gospel that speaks,
and we should be like a voice – God's voice.

ANTHONY BLOOM (B. 1914)

432 *Warning of disaster*

John the Baptist was the only man in that society who impressed Jesus. Here was the voice of God warning his people of an impending disaster and calling for a change of heart in each and every individual. Jesus believed this and joined in with those who were determined to do something about it. He was baptised by John.

Jesus may not have agreed with John in every detail. . . . But the very fact of his baptism by John is conclusive proof of his acceptance of John's basic prophecy: Israel is heading for an unprecedented catastrophe. And in choosing to believe this prophecy, Jesus immediately shows himself to be in basic disagreement with all those who reject John and his baptism: the Zealots, Pharisees, Essenes, Sadducees, scribes and apocalyptic writers. . . .

In several of the texts that have come down to us, Jesus is far more explicit than John about what the impending disaster would entail – the destruction of Jerusalem by the Romans. . . . It was John the Baptist who first foresaw the disaster, although we do not know what exactly he envisaged. Jesus agreed with John, and reading the signs of the times saw quite clearly that Israel was on a collision course with Rome. Both Jesus and John, like the prophets of the Old Testament, expressed this imminent disaster in terms of a divine judgement. . . .

John's reaction to the coming catastrophe was negative. He tried to avert it, or save some at least from it. Jesus' reaction was positive. It was the moment of truth. The threat of imminent disaster was a unique opportunity for the kingdom to come. In the face of total destruction Jesus saw his opportunity for appealing for an immediate and radical change: 'Unless you change, you will all be destroyed.' If you do change, if you do come to believe, the kingdom will come instead of the catastrophe.

ALBERT NOLAN OP (B. 1934)
JESUS BEFORE CHRISTIANITY

433 Shouting the truth

Enough! I've kept quiet long enough,
and now I'm going to shout the truth.
I'm fed up with politicians, priests and multinationals!
Stop leading us down fifth-rate byways not even marked on
    a map!
Only a ten-lane highway is good enough for God –
straight as a die, straight to the point, no deceiving the people.
Politicians! Most of you are gangsters and corrupt.
The ordinary people despise your double dealing.
You have turned the God-created science of politics
into a trough of swill fit only for pigs.
Where is truth? And justice? And compassion for the poor?
Priests! Prelates! Preachers of eternal truth!
Weak straws blowing around in the wind!
Luxurious living and private medical insurances
in a world where two out of three go to bed hungry!
Have you made a career out of the most sublime of vocations?
Put all the crap of your lives on a bonfire and burn it – now!
Stockbrokers, bankers, house-owners without a mortgage –
get rid of your excess and share what you have with the poor!
Your riches are like concrete blocks around your necks:
they'll be the death of you!
Armed Forces, Police, Prison Officers –
yours is a dangerous vocation!
Resist the temptation to take pleasure in violence.
Be in the front line of the genuine peace marches,
marching with the people, not against them.
Don't trade in your consciences for a quiet life and fat
    pensions!
Everyone, stop deceiving yourselves, and ask where you're
    going.
It is the height of idiocy to keep repeating, 'I'm a son of
    Abraham',
'I'm more Catholic than the Pope', 'I'm a socialist for ever'.
No, no, no!

If God wanted to, he could make the streets of Soho
holier than a Trappist monastery – but that's not the point.
You must change! He *loves* you! He *wants* you to change!
Get in the water. Get wet. Move upstream. Go against the
   current.
Be different! Be free! Be you!
Signed, John Baptist.

Luke 3:1-18
That's My Boy by Jose Luis Cortes (b. 1945)
trs. John Medcalf

434 June 29: Peter

Will you not let God manage his own business?
He was a carpenter, and knows his trade
better perhaps than we do, having had
some centuries of experience; nor will he,
like a bad workman, blame the tools wherewith
he builds his City of Zion here on earth.
For God founded his Church, not upon John,
the loved disciple, that lay so close to his heart
and knew his mind – not upon John, but Peter;
Peter the liar, Peter the coward, Peter
the rock, the common man. John was all gold,
and gold is rare; the work might wait while God
ransacked the corners of the earth to find
another John; but Peter is the stone
whereof the world is made.

Dorothy Sayers (1893-1957)

435 *Weaker than he thought*

When Jesus said, 'You will all fall away',
Peter said, 'The rest may fall away, but I will not.'
And Jesus replied:
'Peter, this very night before cockcrow,
three times you will deny me.'
'No, Lord,' cried Peter, 'I would die with you
but I will not deny you.'
Then he who had lifted his head and boasted like a cock
nodded and slept three times in Gethsemane . . .
Soon afterwards, in the courtyard,
Peter denied his Master three times
at the taunt of a serving maid . . .
and he went out and wept bitterly.
Father, teach me, through Peter's humiliation,
to realise I am always weaker than I think.
Give me the light and strength of your Spirit
to resist temptation
to repent like Peter immediately I fall
and to know that Christ whom I repeatedly deny
is always looking at me
ready to forgive me
unto seventy times seven.

PETER DE ROSA (B. 1932)

436 *The betrayer forgiven*

There's something magnificent about the way the Bible is so open and frank about its heroes. Most religious groups have taken good care to present a very hygienic portrait of their leaders. And if these leaders ever let them down in times of crisis, you'd hardly suspect it from the official documents. Yet Jews and Christians haven't been afraid to be more honest (at least, once upon a time!).

In both the Jewish and the Christian Bible, the religious leaders are again and again shown up in all their human weakness. Jacob the cheat and trickster. David the adulterer and murderer. Solomon the sensual weakling who couldn't hold his people together. The kings of Israel almost universally condemned for 'doing that which was evil in the sight of the Lord'. Even the people of Israel as a whole have their faults listed and their weaknesses exposed, in a way you or I wouldn't care to do for our own family.

And it's the same in the New Testament. The Apostles are invariably said to have been so stupid that they didn't understand what Jesus was saying. Thomas is so lacking in faith that he asks for Jesus' fingerprints, as it were, before he'll commit himself. And even Peter, the acknowledged leader of the Christian community, so loud in promises, and so poor in performance. In the long run, says the gospel, he didn't do any better than Judas himself. He betrayed Jesus just as deeply.

I find it encouraging that the Bible tells us stories like that. They're true to life. I can recognise myself in them. The good news is that people like that are forgiven.

Even Peter. Indeed, Peter's forgiveness is central to the gospel story. In a way, the whole gospel is based on his experience of being forgiven, in spite of his failure. And that gives me hope and encouragement. And I need to be encouraged like that. I need to be assured that God loves me, not because I'm godly, but because he is.

H.J.R.

437 *Bitter night*

Bitter was the night,
Thought the cock would crow for ever.
Bitter was the night before the break of day.

Saw you passing by,
Told them all I didn't know you.
Bitter was the night before the break of day.

Told them all a lie,
And I told it three times over
Bitter was the night before the break of day.

What did Judas do?
Sold him for a bag of silver.
Bitter was the night before the break of day.

What did Judas do?
Hanged himself upon an alder.
Bitter was the night before the break of day.

Bitter was the night.
Thought there'd never be a morning.
Bitter was the night before the break of day.

Bitter was the night.
Thought the cock would crow for ever.
Bitter was the night before the break of day.

SYDNEY CARTER (B. 1915)

438 On this rock

Heavenly Father,
help us, like Peter,
to trust you enough to obey you;
to follow though this will be to fail you;
to persist, that after our humiliation
we may hear you come again to bid us follow,
and our faith be then of rock that Satan cannot shift.

CONTEMPORARY PRAYERS
ED. CARYL MICKLEM (B. 1925)

439 July 3: Thomas the Apostle

Poor Thomas! Because of the brilliant story with which John brings his gospel to an end (20:24-29), he has become the Doubting Thomas, the eternal archetype of all disbelievers and sceptics. Even when he is finally forced to his knees he is not congratulated, but still being told off. 'You say you now believe, Thomas, because you've seen me. Alright. But you've got to understand that, fortunate as you are, those who believe without seeing me are more fortunate still.'

I've never met anyone who believes this to be so. Try it out. Ask people which they would prefer, actually to see and touch the risen Christ, or 'only' to believe? They'll all choose the first. For them seeing is believing. What on earth could John mean by saying that it is the second group, those who 'only' believe, who are the more fortunate?

He means that, in the deepest sense, only those who believe can 'see'. In the dramatic story, Thomas's seeing and touching obviously *feel* more real. But that is only because it is a dramatic story, not a video recording. In actual reality, no one can be in contact with the risen Christ until he believes that Jesus is alive. Do we imagine that Pilate, or Herod, or Caiaphas could have 'seen' him?

And why would people believe that Jesus is still alive after his death? Because they have experienced him as alive in the midst of the Christian community.

That goes for disciples of the first century as well as for those of the twenty-first. Believing is seeing.

H.J.R.

440 *July 6: Thomas More*

O God,
who when the blessed martyr Thomas
had to choose between the allurements of the world
and the pains of imprisonment and death,
didst give him strength to embrace thy cross
with a cheerful and resolute spirit;
we pray thee grant that we too,
thanks to his intercession and example,
may fight manfully for faith and right,
and be found worthy to make a joyful entrance
into everlasting bliss.

ROMAN MISSAL

441 *July 11: Benedict*

O gracious and holy Father,
give us wisdom to perceive you,
intelligence to understand you,
diligence to seek you,
patience to wait for you,
eyes to behold you,
a heart to meditate upon you,
and a life to proclaim you;
through the power of the Spirit
of Jesus Christ our Lord.

PRAYER OF ST BENEDICT (480-547)

442 *Temper all things*

The leader of a community should temper all things,
so that the strong may still have something to work for,
and the weak may not give up hope . . .
The saying is that monks ought not to drink wine.
But since today no monk believes this,
let us at least drink in moderation.

FROM THE RULE OF ST BENEDICT (480-547)

443 *Man of prayer*

The story goes that, while he was journeying on horseback,
St Benedict met a peasant walking along the road.
'Alright for some!' said the peasant.
'Why don't I become a man of prayer,
and do all my travelling on a horse?'
'You think praying is easy?' asked Benedict. 'If you can say
the Lord's Prayer without any distraction, this horse is yours.'
'Done', said the surprised peasant.
Closing his eyes and folding his hands, he began to pray aloud:
'Our Father, who art in heaven, hallowed be thy name.
Thy kingdom come . . .'
Suddenly he stopped and looked up.
'Does that include the saddle as well?'

444 *July 22: Mary Magdalene*

You can swallow your wine at a gulp.
or make it last for an evening.
You can be busy with your body
and empty in your mind.

It is easier to feed a hungry man
than to satisfy your soul.
Easier to fill your days with busy nothings,
than to recognise your need.

Easy, it is easy to eke out your perfume
day by day,
and let the wind snatch the smell into nothing.
Easier still to keep the stopper in the jar
all your life.

It is easy to make people angry
by being yourself;
by smashing the jar.

Yet I have anointed my beloved,
I have touched his skin with my hair
and his soul with my soul.
I have filled a house with fragrance.

I have lived for an hour.
The fragrance lingers for ever.

ELAINE MILLER

445 Judas and Mary

Said Judas to Mary, 'Now what will you do
with your ointment so rich and so rare?'
'I'll pour it all over the feet of my Lord,
and I'll wipe it away with my hair.'

'O Mary, O Mary, O think of the poor –
this ointment, it could have been sold;
and think of the blankets and think of the bread
you could buy with the silver and gold.'

'Tomorrow, tomorrow I'll think of the poor,
tomorrow,' she said, 'Not today;
for dearer than all of the poor in the world
is my love who is going away.'

Said Jesus to Mary, 'Your love is so deep,
today you may do as you will;
tomorrow, you say, I am going away,
but my body I leave with you still.'

'The poor of the world are my body,' he said;
'to the end of the world they shall be.
The bread and the blankets you give to the poor
you'll know you have given to me.'

'My body will hang on the cross of the world,
tomorrow,' he said, 'not today;
and Martha and Mary will find me again,
and wash all the sorrow away.'

SYDNEY CARTER (B. 1915)

446 *July 31: Ignatius of Loyola*

Teach us, good Lord,
to serve you as you deserve,
to give and not to count the cost,
to fight and not to heed the wounds,
to toil and not to seek for rest,
to work and not demand reward,
save that of knowing that we do your will,
through Jesus Christ our Lord.

PRAYER OF ST IGNATIUS (1491-1556)

447 *August 6: Transfiguration*

Father, I thank you for this gospel story
which illustrates so well Christ's sovereignty.
I believe, Lord, that in everything he says and does
he lights up and fulfils the law and the prophets;
and it is enough now to listen to him.
For Jesus is your Christ,
even though death and dereliction
are waiting for him in Jerusalem.
It will be dark there,
and on another hill, shaped like a skull,
two other men will be beside him.
From his unclothed body no light will radiate;
and even you, Father, will be silent,
except for the one word you will be saying to us
in the tremendous love of Jesus crucified.

PETER DE ROSA (B. 1932)

448 *August 8: Dominic*

Those who govern their passions are the masters of
    the world.
They must either rule them, or be ruled by them.
It is better to be the hammer than the anvil.

FROM THE RULE OF ST DOMINIC (1170-1221)

449 *August 15: Mary*

Virgin born, we bow before thee:
Blessed was the womb that bore thee;
Mary, Maid and Mother mild,
Blessed was she in her Child.
Blessed was the breast that fed thee;
Blessed was the hand that led thee;
Blessed was the parent's eye
That watched thy slumbering infancy.
Blessed she, by all creation,
Who brought forth the world's Salvation,
And blessed they – for ever blest –
Who love thee most and serve thee best.

BISHOP R. HEBER (1783-1826)

450 *Quene of paradys*

Of on that is so fayr and bright
   Velut maris stella,
Brighter than the day is light
   Parens et puella;
Ic crie to thee, thou see to me,
Levedy, preye thi Sone for me
   Tam pia
That ic mote come to thee,
   Maria.

Al this worlde was for-lore
   Eva peccatrice
Tyl our Lorde was y-bore
   De te genetrice;
With ave it went away
Thuster nyth, and comz the day
   Salutis;
The welle springeth ut of the
   Virtutis.

Levedy, flour of alle thing
   Rosa sine spina,
Thu bere Jhesu, hevene king
   Gratia divina;
Of alle thu ber'st the pris,
Levedy, quene of paradys
   Electa;
Mayde milde, moder es
   Effecta.

MEDIEVAL HYMN TO MARY
ANON

451 Regina Coeli

Queen of heaven, shout for joy,
The one you bore and raised as a boy
Has been raised from the dead, just as he said.
Pray with us to God our Father.

REGINA COELI, LAETARE
TRS. H.J.R.

452 Loveliest

Hail, O Queen of heaven enthroned!
Hail, by angels mistress owned,
Root of Jesse! Gate of morn!
Whence the world's true light was born.
Glorious Virgin, joy to thee,
Loveliest whom in heaven they see.
Fairest thou, where all are fair!
Plead with Christ our sins to spare.

AVE REGINA COELORUM

453 Christ's face reflected

First look with care
on her fair face:
what thou wilt see
will thee prepare
to see Christ's face
most gracefully
reflected there.

DANTE (1265-1321)
PARADISO 32, 85
TRS. PETER DE ROSA (B. 1932)

454 *That mother*

Sing of a girl in the ripening wheat,
flowers in her hand, the sun in her hair;
all the world will run to her feet
for the child that mother will bear.

Sing of a girl that the angels surround,
dust in her hands, and straw in her hair;
kings and their crowns will fall to the ground
before the child that mother will bear.

Sing of a girl on a hillside alone,
blood on her hand and grey in her hair;
sing of a body broken and torn,
oh, the child that mother will bear.

Sing of a girl a new man will meet,
hand in his hand, the wind in her hair;
joy will rise as golden as wheat
with the child that mother will bear.

Sing of a girl in a circle of love,
fire on her head, the light in her hair;
sing of the hearts the Spirit will move
to love the child that mother will bear.

Sing of a girl who will never grow old,
joy in her eyes, and gold in her hair;
through the ages men will be told
of the child that mother will bear.

DAMIAN LUNDY (1944-1996)

455 *The baker-woman*

The baker-woman in her humble lodge
received the grain of wheat from God;
for nine whole months the grain she stored:
'Behold the handmaid of the Lord.'
Make us the bread, Mary, we need to be fed.

The baker-woman took the road which led
to Bethlehem, the House of Bread;
to knead the bread she laboured through the night,
and brought it forth about midnight.
Bake us the bread, Mary, we need to be fed.

She baked the bread for thirty years
by the fire of her love and the salt of her tears,
by the warmth of a heart so tender and bright,
and the bread was golden-brown and white.
Bring us the bread, Mary, we need to be fed.

After thirty years the bread was done;
it was taken to the town by her only son,
the soft white bread to be given free
to the hungry people of Galilee.
Give us the bread, Mary, we need to be fed.

For thirty coins the bread was sold,
and a thousand teeth, so cold, so cold,
tore it to pieces on a Friday noon,
when the sun turned black, and red the moon.
Break us the bread, Mary, we need to be fed.

But when she saw the bread so white,
the living bread she had made at night,
devoured as wolves might devour a sheep,
the baker-woman began to weep.
Weep for the bread, Mary, we need to be fed.

But the baker-woman's only son
appeared to his friends when three days had run,
on the road which to Emmaus led,
and they knew him in the breaking of bread.
Lift up your head, Mary, for now we are fed.

MARIE NOEL
TRS. H.J.R.

456 *August 28: Augustine of Hippo*

O thou who art the light of the minds that know thee,
the life of the souls that love thee,
and the strength of the wills that serve thee:
help us to know thee that we may truly love thee,
and so to love thee that we may fully serve thee,
whom to serve is perfect freedom.
Amen.

PRAYER OF ST AUGUSTINE OF HIPPO (354-430)

457 Rooted in love

If you really love, then when you love
you are really doing what you like.
When you keep quiet, do it out of love;
when you cry out, do it out of love;
when you correct someone, do it out of love;
when you forgive someone, do it out of love,
Let your life be utterly rooted in love:
from this root, nothing but good can grow.

ST AUGUSTINE (354-430)

458 Your reverence

You must forgive me if I do not treat every one of your words as Gospel. I must confess to your reverence that it is only to the canonical books of Scripture that I have learnt to give this sort of respect and honour. It is of these alone that I firmly believe the authors were completely free from error. So if I come across anything in these writings which seems to contradict the truth, I simply have to conclude either that my text is corrupt, or that it's a bad translation of the original, or that I've misunderstood it. But as for other writings, however holy or learned their authors, I do not accept what they say merely on their say-so.

And I presume, brother, that you agree with me on this. I presume you would wish to make a distinction between your writings and those of the Prophets and Apostles, whom it would be unthinkable to accuse of error.

LETTER TO JEROME, 82, 1
TRS. H.J.R.

459 September 14: Holy Cross

My song is love unknown;
My Saviour's love to me;
Love to the loveless shown,
That they might lovely be.
O who am I,
That for my sake
My Lord should take
Frail flesh and die?

Sometimes they strew his way,
And sweet his praises sing;
Resounding all the day,
Hosannas to their king.
Then: Crucify!
Is all their breath
And for his death
They thirst and cry.

They rise and needs will have
My dear Lord made away;
A murderer they save,
The Prince of Life they slay.
Yet cheerful he
To suffering goes
That he his foes
From thence might free.

Here might I stay and sing,
No story so divine;
Never was love, dear King,
Never was grief like thine.
This is my Friend,
In whose sweet praise
I all my days
Could gladly spend.

SAMUEL CROSSMAN (1624-1683)

460 *Dearly God bought me*

Look on thy God: Christ hidden in our flesh.
A bitter word, the cross, and bitter sight:
hard rind without, to hold the heart of heaven.
Yet sweet it is; for God upon that tree
did offer up his life: upon that rood
my Life hung, that my life might stand in God.
Christ, what am I to give thee for my life?
Unless take from thy hands the cup they hold,
to cleanse me with the precious draught of death.
What shall I do? My body to be burned?
Make myself vile? The debt's not paid out yet.
Whate'er I do, it is but I and thou,
and still do I come short, still must thou pay
my debts, O Christ; for debts thyself hadst none.
What love may balance thine? My Lord was found
in fashion like a slave, so that his slave
might find himself in fashion like his Lord.
Think you the bargain's hard, to have exchanged
the transient for the eternal, to have sold
earth to buy Heaven? More dearly God bought me.

PAULINUS OF NOLA (353-431)
VERBUM CRUCIS
TRS. HELEN WADDELL (1889-1965)

461 Outrage

He who hung the earth in the void
Hangs on a gibbet for all to see;
He who fixed the heavens in their place
Has been fixed and nailed to a tree.

Has there ever been such an outrage?
Has there ever been such a sin?
The King of the heavens violated
And crucified, stripped to the skin.

Even the sun turned away from the sight,
And day was turned into night.

MELITO OF SARDIS (2ND CENTURY)
HOMILY ON THE PASSION 96
TRS. H.J.R.

462 *The book of Isaiah 63:1-7*

Who is this who comes to us in triumph,
Clothed in royal garments dyed with blood,
Walking in the greatness of his glory,
Bearing in his hand the holy rood?

This is Christ the risen Lord, the Strong one,
He who trod the wine-press all alone;
Out of death he comes with life unending,
Seeking those he purchased for his own.

Great and wonderful is our Redeemer,
Christ the living one, the just and true,
Praise him with the Father and the Spirit,
Ever with us, making all things new.

TRS. WILLIAM HEREBERT

463 *September 21: Matthew the Evangelist*

The Blessed One passed before my house,
The house that belongs to a sinner;
I ran, he turned, he waited for me,
He waited for me, a sinner.
I said, 'O may I speak to you, my Lord?'
He said, 'Yes' to me, a sinner.
I said, 'O may I follow you, my Lord?'
He said, 'Yes' to me, a sinner.
I said, 'O may I stay with you, my Lord?'
And he said, 'Yes' to me, a sinner!

BUDDHIST POEM ADAPTED FOR MATTHEW 9:9
TRS. H.J.R.

464 *September 29: St Michael and All Angels*

Dear St Michael,
Heaven's glorious Commissioner of Police,
who once so neatly and successfully
cleared God's premises of all its undesirables,
look with kindly and professional eye
on our earthly Police Force.
Give us cool heads, stout hearts, hard punches,
an uncanny flair and an honest judgement.
Make us the terror of burglars,
the friends of children and law-abiding citizens,
kind to strangers, polite to bores,
strict with lawbreakers and impervious to bribery.
In trouble and riots
give us sheer muscle without temper;
at the police court
give us love for truth and evidence,
without any thought of promotion.
You know, dear St Michael,
from your experience with the Devil,
that the policeman's lot, whether in heaven or on earth,
is not always a happy one;
but your sense of duty which so surprised God,
your hard knocks which so surprised the Devil,
and your angelic self-control which so surprised both,
should be our inspiration.
Only make us as loyal to the law of God
as we are particular about the laws of the land.
And when we lay down our batons,
enrol us into your Heavenly Force,
when we shall be as proud to guard the throne of God
as we have been to guard the city.
Amen.

POLICEMAN'S PRAYER
FROM PROFESSIONAL PRAYERS BY REV A. GILLE

465 Bringing God into the world

Angels were 'born' out of the human need to speak of God
in human language, the language of poetry and symbolism,
a language which is able to visualise the invisible,
to exteriorise the inner voice,
to personify the mystery that lies at the heart of all things.
In essence, therefore, angels are a language about God,
    not themselves.
The most prominent name in the mythology of angels
    emphasises this:
the word Michael means literally 'Who is like God?',
in other words, 'Nothing takes the place of God,
    not even me.'

Of God, the language of angels says this:
that he is a reality to be adored and praised;
that he transcends all that is human with a majesty
beyond that of all earthly kings and rulers;
that he is nonetheless present among us, not distant from us,
knowing us and revealing himself to us, not hiding from us;
that his power and activity are exercised here on earth not
    in heaven;
that his power is to protect and support
and lead the human race to union with himself.
The task of an angel is not to keep God at a safe distance
but to bring him into the world.

To read something about angels
is to read something about God.
Angels never speak about themselves, only about God.
We do not know what angels are, only what they mean,
namely, the majesty and transcendence,
the protection and the revelation of God.
Stories about angels ensure that this truth
can not only be expressed but preserved
as they are handed on from one generation to the next.

H.J.R.

466 *October 4: Francis of Assisi*

Lord, make me an instrument of your peace.
Where there is hatred, let me sow love;
where there is injury, pardon;
where there is discord, unity;
where there is doubt, faith;
where there is despair, hope;
where there is darkness, light;
where there is sadness, joy.

PRAYER OF ST FRANCIS (1181-1226)

467 *Francis and Jesus*

In the looking glass of Francis
It's a young man that I see
And he's piping for the dancers
In the fields of Galilee.

Did you dance, and did you revel
Till the night became the day
Like the young man of Assisi?
Mark and Matthew never say.

In the looking glass of Francis
It's a young man that I see
And the Romans go a-riding
Through the fields of Galilee.

Were you always meek and gentle?
Francis longed to be a knight.
Did you never wonder whether
You should take the sword to fight?

In the looking glass of Francis
It's a young man that I see
And the lovers go a-laughing
Through the fields of Galilee.

Did you never love a woman
Like the young men of today
With your soul and with your body?
Mark and Matthew never say.

Mark and Matthew never tell me,
Luke and John are silent too
When I ask them for the story
Of the young man that was you.

In the looking glass of Francis
It's the young man that I see
And he's piping for the dancers
In the fields of Galilee.

SYDNEY CARTER (B. 1915)

468 *Laudato sii*

Laudato sii, o mi Signore
May you be praised, my Lord.

Yes, be praised in all your creatures,
Brother Sun and Sister Moon,
In the stars and in the wind,
Air and fire and flowing water.

For our sister, Mother Earth,
She who feeds us and sustains us,
For her fruits, her grass, her flowers,
For the mountains and the oceans.

Praise for those who spread forgiveness,
Those who share your peace with others,
Bearing trials and sickness bravely:
Even Sister Death won't harm them.

Praise to you, Father most holy,
Praise and thanks to you, Lord Jesus,
Praise to you, most holy Spirit,
Life and joy of all creation.

Laudato sii, o mi Signore
May you be praised, my Lord.

FRANCIS OF ASSISI (1181-1226)
TRS. DAMIAN LUNDY (1944-1996)

469 October 15: Teresa of Avila

Let nothing disturb you, nothing alarm you:
while all things fade away
God is unchanging.
Be patient
and you will gain everything:
for with God in your heart
nothing is lacking,
God meets your every need.

PRAYER OF ST TERESA (1515-1582)

470 As you will, not I

Govern all by your wisdom, O Lord,
so that my soul may always be serving you as you will,
and not as I choose.
Do not punish me, I implore you,
by granting that which I wish or ask,
if it offend your love,
which would always live in me.
Let me die to myself, that so I may serve you;
let me live to you who in yourself are the true life.
Amen.

ST TERESA OF AVILA

471 *October 17: Ignatius of Antioch*

The wild beasts will soon provide my way to God.
I am God's wheat, ready to be ground fine by lions' teeth
to become the purest bread for Christ.
Better still if the beasts leave no scrap of my flesh,
so that I need not be a burden to anyone after I fall asleep.
When there is no trace of my body left for the world to see,
then I shall truly be Jesus Christ's disciple . . .
Earthly longings have been crucified,
leaving only a murmur of living water that whispers within me,
'Come to the Father.'

LETTER TO THE ROMANS, 4-7
ST IGNATIUS OF ANTIOCH (D. 107)

472 *October 18: St Luke*

Dear St Luke,
doctor and medical adviser to St Paul,
guide my hand and my eye
for the sake of my patient.
Steady my nerves and my scalpel;
make muscles, veins, arteries and nerves
behave according to the book;
and keep an eye on the anaesthetist.
Save us all from lapses of memory,
fraying of tempers,
confusion of bottles and instruments,
miscounting of swabs and blunders of diagnosis.
If it is 'kill or cure', please cure,
If it is 'kill or maim', please maim,
but save my patient and my reputation.

SURGEON'S PRAYER
FROM PROFESSIONAL PRAYERS BY REV A. GILLE

473 *November 1: All Saints*

How mighty are the Sabbaths,
how mighty and how deep,
that the high courts of heaven
to everlasting keep.
What peace unto the weary,
what pride unto the strong,
when God to whom are all things
shall be all things to men.

But of the courts of heaven
and him who is the King,
the rest and the refreshing,
the joy that is therein,
let those that know it answer
who in that bliss have part,
if any word can utter
the fullness of the heart.

There Sabbath unto Sabbath
succeeds eternally,
the joy that has no ending
of souls in holiday.
And never shall the rapture
beyond all mortal ken
cease from the eternal chorus
that angels sing with men.

PETER ABELARD (1079-1142)
O QUANTA QUALIA
TRS. HELEN WADDELL (1889-1965)

474 For all the Saints

We thank you, God, for the saints of all ages;
for those who in times of darkness
kept the lamp of faith burning;
for the great souls who saw visions of larger truth
and dared to declare it;
for the multitude of quiet and gracious souls
whose presence has purified and sanctified the world;
and for those known and loved by us
who have passed from this earthly fellowship
into the fuller light of life with you.

ANON

475 God's own Jerusalem

Not throned above the skies,
Nor golden-walled afar,
But where Christ's two or three
In his name gathered are,
Be in the midst of them,
God's own Jerusalem.

F. T. PALGRAVE (1824-1897)
O THOU NOT MADE

476 *Those who live the Beatitudes*

We thank you, Lord, for those who knew that they were poor;
may the Kingdom of Heaven be always theirs:
John the Baptist, forerunner, prophet, yet much more than
     a prophet;
Francis of Assisi, brother to every creature under the sun;
Ignatius Loyola, prince of paupers, missionary extraordinaire;
John Bunyan, tinker, poet, prisoner for the Lord's sake.

We thank you, Lord, for those who mourned
while waiting for your Kingdom;
may they find consolation:
Jeremiah, lamenting, suffering prophet of the exile;
Mary of Magdala, whose tears prepared your corpse for a
     new life;
Dante Alighieri, whose ray of hope transcends the flame of Hell;
William Blake, visionary, artist longing to possess the infinite.

We thank you, Lord, for those of a gentle spirit;
may the earth be their possession:
Peter Abelard and Eloise, lovers of life, lovers of God;
Albert Schweitzer, of masterful mind yet serving spirit;
Simone Weil, waiting on God by waiting on men;
Good Pope John XXIII, humble champion of reform.

We thank you, Lord, for those who hungered and thirsted
     for what is right;
may they be satisfied:
Patrick, binding to Christ a nation disunited;
Thomas More, man of conscience, man for all seasons;
John Wesley, disturbing the peace of the complacent;
William Booth, General of God's Army.

We thank you, Lord, for those who showed mercy;
may mercy always be shown to them:
David, psalmist, who blessed your enemies;

Stephen, martyr, who forgave his executors;
Florence Nightingale, whose light shone in dark places.

We thank you, Lord, for those whose hearts were pure;
may they ever look on God:
George Fox, pulling down the pillars of the world;
John Newman, cardinal of great virtue;
William Temple, archbishop, workman for God.

We thank you, Lord, for peacemakers;
may they be called children of God:
Abraham Lincoln, dedicated liberator of the enslaved;
Mahatma Gandhi, undaunted apostle of non-violence;
Dag Hammarskjöld, untiring servant of the nations;
Abbé Paul Couturier, inspired father of unity.

We thank you, Lord, for those who suffered persecution
    for the cause of right:
may the Kingdom of Heaven be always theirs:
Peter, Paul, apostles, saints, victorious martyrs;
Thomas of Canterbury, tradesman's son, chancellor, archbishop;
Joan of Arc, Maid of Orleans, inspiration of armies;
Dietrich Bonhoeffer, philosopher, protester, prisoner.

With all these witnesses to faith around us like a cloud,
we pledge ourselves, with God's help,
to throw off every encumbrance, every sin to which we cling,
and run with resolution the race we have started.
We will never lose sight of Jesus,
on whom our faith depends from start to finish;
may he lead us on to share the perfection of his saints.
Amen.

BRIAN FROST AND DEREK WENSLEY

477 November 2: The Faithful Departed

Abide with me, fast falls the eventide;
The darkness deepens; Lord, with me abide;
When other helpers fail, and comforts flee,
Help of the helpless, O abide with me.

Swift to its close ebbs out life's little day;
Earth's joys grow dim, its glories pass away;
Change and decay in all around I see;
O thou that changest not, abide with me.

I fear no foe with thee at hand to bless;
Ills have no weight and tears no bitterness.
Where is death's sting? Where, grave, thy victory?
I triumph still if thou abide with me.

HENRY FRANCIS LYTE (1793-1847)

478 At my departing

God be in my head, and in my understanding;
God be in my eyes, and in my looking;
God be in my mouth, and in my speaking;
God be in my heart, and in my thinking;
God be at my end, and at my departing.

BOOK OF HOURS (1514)

479 Unclouded ending

O strength and stay upholding all creation,
Who ever dost thyself unmoved abide,
Yet day by day the light in due gradation
From hour to hour through all its changes guide,
Grant to life's day a calm unclouded ending,
An eve untouched by shadows of decay,
The brightness of a holy death-bed blending
With dawning glories of the eternal day.

PRAYER OF ST AMBROSE OF MILAN (339-397)
TRS. J. ELLERTON AND F. HART

480 By way of Kensal Green

My friends, we will not go again or ape an ancient rage,
Or stretch the folly of our youth to be the shame of age,
But walk with clearer eyes and ears this path that wandereth,
And see undrugged in evening light the decent inn of death;
For there is good news yet to hear and fine things to be seen,
Before we go to Paradise by way of Kensal Green.

G. K. CHESTERTON (1874-1936)
THE ROLLING ENGLISH ROAD

481 December 7: Ambrose

Now with the fast departing light,
Maker of all, we ask of thee,
Of thy great mercy, through the night
Our guardian and defence to be.
Far off let idle visions fly,
No phantom of the night molest,
Curb thou our raging enemy,
That we in chaste repose may rest.

PRAYER OF ST AMBROSE OF MILAN (339-397)
TRS. E. CASWALL (1814-1878)

482 December 26: Stephen

Grant, O Lord,
that in all our sufferings here upon earth
for the testimony of thy truth,
we may steadfastly look up to heaven,
and by faith behold the glory that shall be revealed;
and being filled with the holy Spirit,
may learn to love and bless our persecutors
by the example of thy first Martyr Saint Stephen,
who prayed for his murderers to thee, O blessed Jesus,
who standest at the right hand of God
to succour all those that suffer for thee,
our only Mediator and Advocate.
Amen.

COLLECT FOR ST STEPHEN'S DAY
BOOK OF COMMON PRAYER

483 December 27: John the Evangelist

I never thought to call down fire on such,
Or, as in wonderful and early days,
Pick up the scorpion, tread the serpent dumb;
But patient stated much of the Lord's life
Forgotten or misdelivered, and let it work:
Since much that at the first, in deed and word,
Lay simply and sufficiently exposed,
Had grown . . .
Of new significance and fresh result;
What first were guessed as points, I now knew stars,
And named them in the Gospel I have writ . . .
To me, that story – ay, that Life and Death
Of which I wrote 'it was' – to me, it is;
– Is, here and now: I apprehend nought else.

ROBERT BROWNING (1812-1889)
A DEATH IN A DESERT

484 *The First Epistle of John 1:1-4*

It was there from the beginning,
but it's now been spoken to us,
and we've heard it with our own ears,
and we've touched it with our hands:
    The Word, the Word of Life,
    The lifegiving Word, the Word about God.

We have seen it with our own eyes;
we want you to see it also;
it's the life which God is living,
and it's shone into our lives.
We have seen it, we have heard it,
and we want to share it with you:
it's the life we share with God
and with his own Son, Jesus Christ.
And we're writing this to tell you –
we want you to hear the good news,
we want you to share it with us,
so that our joy can be yours:
    The Word, the Word of Life,
    The lifegiving Word, the Word about God.

485 *December 28: Holy Innocents*

Listen to the wailing in Judea,
the cry of bitter lamentation!
It is Israel sobbing for her children,
and refusing to be comforted,
because not one is left.

But the Lord has this to say:
'Stop your tears and dry your eyes.
Amends will be made for your suffering;
there is hope for your future still:
your children will come back home . . .

The children of Israel remain my children,
dear to me and close to my heart.
Whatever their misfortune, I remember them,
and my heart is moved with compassion.
This is the word of the Lord.'

BOOK OF JEREMIAH 31:15-20

486 December 29: Thomas of Canterbury

We thank Thee for Thy mercies of blood,
　　for Thy redemption by blood.
For the blood of Thy martyrs and saints
Shall enrich the earth, shall create the holy places.

For wherever a saint has dwelt,
　　wherever a martyr has given his blood for the blood of Christ,
There is holy ground, and the sanctity shall not depart from it
Though armies trample over it,
　　though sightseers come with guide-books looking over it;

From where the western seas gnaw at the coast of Iona,
To the death in the desert,
　　the prayer in forgotten places by the broken imperial column,
From such ground springs that which forever renews the earth
Though it is forever denied. Therefore, O God, we thank Thee
Who hast given such blessing to Canterbury.

T. S. ELIOT (1888-1965)
MURDER IN THE CATHEDRAL

C – SOME COLLECTS FOR HOLY DAYS

487-497

487 O Almighty God,
   who hast knit together thine elect
   in one communion and fellowship,
   in the mystical body of thy Son Christ our Lord;
   grant us grace so to follow thy blessed Saints
   in all virtuous and godly living,
   that we may come to those unspeakable joys,
   which thou hast prepared
   for them that unfeignedly love thee;
   through Jesus Christ our Lord.
   Amen.

   COLLECT FOR ALL SAINTS' DAY
   BOOK OF COMMON PRAYER

488 O God of love,
   who hast given us a new commandment
   through thine only-begotten Son,
   that we should love one another,
   even as thou didst love us,
   the unworthy and the wandering,
   and gavest thy beloved Son
   for our life and salvation:
   we pray thee give us, thy servants,
   in all the time of our life on earth,
   a mind forgetful of past ill-will,
   a pure conscience, sincere thoughts,
   and a heart to love our brethren:
   for the sake of Jesus Christ thy Son,
   our Lord and Saviour.
   Amen.

   FROM THE COPTIC LITURGY OF ST CYRIL

489   Grant, O God,
       that the ears that have heard the voice of thy songs
       may be closed to the voice of clamour and dispute;
       that the eyes that have seen thy great love
       may also behold thy blessed hope;
       that the tongues which have sung thy praise
       may speak the truth;
       that the feet which have walked thy courts
       may walk in the region of light;
       that the bodies which have partaken of thy living
          Body
       may be restored to newness of life.
       Glory be to thee for thine unspeakable gift.

       FROM THE MALABAR LITURGY (5TH CENTURY)

490   Though our mouths were full of song as the sea,
       and our tongues of exultation
       as the multitude of its waves,
       and our lips of praise as the wide-extended firmament;
       though our eyes shone with the light
       like the sun and the moon,
       and our hands were spread forth
       like the eagles of heaven,
       we should still be unable to thank thee
       and to bless thy name,
       O Lord our God and God of our fathers,
       for one thousandth or one ten-thousandth part
       of the bounties which thou hast bestowed
       on our fathers and us.

       JEWISH PRAYER

491 Bless us, O Lord,
through your holy feasts,
and fill us with living joy
and peace in our hearts.
Bless us now and always,
and make us holy
as we obey your holy law.
Fill us with your goodness
and gladden our souls
with your salvation.
Purify our hearts
as we serve you in love and truth
and welcome with joy and gratitude
your holy festivals.

JEWISH PRAYER FOR FESTIVALS
TALMUD, BER. 9, 3

492 Grant peace, welfare, blessing, grace,
loving kindness and mercy to all mankind, O Lord.
Bless us, even all of us together,
with the light of thy countenance,
for it is thy light in dark times
which gives us blessings and mercy,
light and peace.
Give us the strength and courage
to reach out for these blessings
and to share them with our neighbour.
Blessed art thou, O Lord,
who blessest thy people at all times
and in every hour with thy peace.

JEWISH PRAYER

493 May we rid our hearts and minds
of greed, anger and delusion,
so that we become centres of peacefulness,
reaching out to others.
May those we meet
feel the sincerity of our intentions,
so that they may also radiate
the love which alone destroys hatred.
May every blessing rest upon those
who strive for understanding
between peoples of differing faiths and cultures,
and let us respect the ideas of others
whilst preserving what is good in our own traditions.
Peace to all beings, everywhere.

BUDDHIST PRAYER

494 O God, early in the morning I cry to you.
Help me to pray
and to concentrate my thoughts on you;
I cannot do this alone.
In me there is darkness,
but with you there is light;
I am lonely, but you do not leave me;
I am feeble in heart, but with you there is help;
I am restless, but with you there is peace.
In me there is bitterness, but with you there is
    patience;
I do not understand your ways,
but you know the way for me.

DIETRICH BONHOEFFER (1906-1945)
MORNING PRAYER, CHRISTMAS 1943

495   O God, we praise you
        for the multitudes of women, men,
        young people and children,
        who are seeking to be witnesses
        of peace, trust, and reconciliation
        throughout the world.
        In the footsteps of the holy witnesses
        of all the ages, from Mary and the apostles
        to the believers of today,
        grant us to prepare ourselves inwardly,
        day after day, to place our trust
        in the mystery of faith.

        BROTHER ROGER OF TAIZÉ

496   O Lord, open my eyes
        that I may see the need of others;
        open my ears that I may hear their cries;
        open my heart so that they need not be without
            succour.
        Let me not be afraid to defend the weak
        because of the anger of the strong,
        nor afraid to defend the poor
        because of the anger of the rich.
        Show me where love and hope and faith are needed,
        and use me to bring them to these places.
        Open my eyes and ears that I may, this coming day,
        be able to do some work of peace for thee.

        ALAN PATON (1903-1988)

497   Lord God,
we are not your peace in this world.
We are not your remedy and salvation
for people who are broken and divided,
because we are ourselves divided,
petty-minded and intransigent.
We betray your cause and spread confusion.
But you can give us the beginning of unity.
Make us at least see
the folly of our division.
Make us feel sorry for it
and no longer content to stay where we are.
Help us to think and act
in the light of your future,
your promise to make everything new.

HUUB OOSTERHUIS
YOUR WORD IS NEAR

D – BIDDING PRAYERS

498-500

498   I pray to you O Lord
        from all my heart.
        O Lord! I pray to you
        with fervour and zeal,
        for the sufferings of the humiliated;
        for the uncertainty of those who wait;
        for the non-return of the dead;
        for the helplessness of the dying;
        for the sadness of the misunderstood;
        for those who request in vain;
        for all those abused, scorned and disdained;
        for the silly, the wicked, the miserable;
        for those who hurry in pain to the nearest physician;
        for those who return from work
            with trembling and anguished hearts to their homes;
        for those who are roughly treated and pushed aside;
        for those who are hissed on the stage;
        for those who are clumsy, ugly, tiresome and dull;
        for the weak, the beaten, the oppressed;
        for those who cannot find rest during long
            sleepless nights;
        for those who are afraid of death;
        for those who wait in pharmacies;
        for those who have missed the train;
        for all the inhabitants of our earth
            and all their pains and troubles,
            their worries, sufferings, disappointments,
            all their griefs, afflictions, sorrows,
            longings, failures, defeats;
        for everything which is not joy,
            comfort, happiness, bliss . . .
        Let these shine for ever upon them
            with tender love and brightness,
        I pray to you O Lord most fervently –
        I pray to you O Lord from the depths of my heart.

JULJAN TUWIM (1894-1953)

499   That oppressed people and those who oppress them
          may free each other;
      That those who are handicapped and those
          who think they are not
          may help each other;
      That those who need someone to listen
          may touch the hearts of those who are too busy;
      That the homeless may bring joy
          to those who open their doors reluctantly;
      That the lonely may heal those
          who think they are self-sufficient;
      That the poor may melt the hearts of the rich;
      That seekers for truth may give life
          to those who are satisfied they have found it;
      That the dying who do not want to die
          may be comforted by those who find it hard to live;
      That the unloved may be allowed to unlock
          the hearts of those who cannot love;
      That prisoners may find true freedom
          and liberate others from fear;
      That those who sleep in the streets
          may share their gentleness
          with those who cannot understand them;
      That the hungry may tear the veil from the eyes
          of those who do not hunger after justice;
      That those who live without hope may cleanse the hearts
          of their brothers and sisters who are afraid to live.
      That the weak may confound the strong,
          and save them;
      That violence may be overtaken by compassion;
      That violence may be absorbed by men and women
          of peace;
      That we may all be healed;

      Give us the grace, good Lord
      to labour for these things that we pray for.

      THÉRÈSE VANIER

500   Lord God,
the story of your love for us makes us realise
that there are many others as well as ourselves
who need your help and your grace.
So we bring our prayers to you:

For those who suffer pain,
Lord, in your mercy, hear our prayer.

For those whose minds are disturbed,
or have never matured,
Lord, in your mercy, hear our prayer.

For those who have not had the opportunity
to realise their potentialities,
Lord, in your mercy, hear our prayer.

For those who are satisfied with something less
than the life for which they were made,
Lord, in your mercy, hear our prayer.

For those who know their guilt, their shallowness,
their need,
but do not know the good news brought by Jesus,
Lord, in your mercy, hear our prayer.

For those who know that they must shortly die,
Lord, in your mercy, hear our prayer.

For those who cannot wait to die,
Lord, in your mercy, hear our prayer.

Help us, who offer these prayers,
to take the sufferings of others upon ourselves,
and so, by your grace,
become the agents of your transforming love.

CONTEMPORARY PRAYERS
ED. CARYL MICKLEM (B. 1925)

INDEXES

Index of Scriptural Passages

Index of Authors, Translators (and Editors)

Index of Themes

Index of First Lines and Titles

Titles which are Scripture references are not included in this index; refer to the Index of Scriptural Passages

Acknowledgements

The publishers wish to thank all those who have given their permission to reproduce copyright material in this publication. The prayers listed below are in copyright and the addresses of the copyright owners are given at the end of this section.

5 © McCrimmon Publishing Co Ltd, taken from *Pilgrim to the Holy Land* by Donald Hilton.

7 © HarperCollins Publishers, taken from *The Violence of Love* by Oscar Romero.

9 © Control

10 © Copyright World Council of Churches, Geneva, taken from *Anybody Everybody*, WCC 1981.

11 © the Church Mission Society, taken from *Morning, Noon and Night*, 1976.

12 © The Friends of York Minister

13 © Ted Schmidt

14 © Ted Schmidt

16 © Oxford University Press, taken from the *Yattendon Hymnal*.

17 © Penguin UK, taken from *Diary of a Young Girl* by Anne Frank (definitive version trs. Susan Massotty).

18 © SCM Press Ltd, taken from *Contemporary Prayers for Public Worship*, ed. Caryl Micklem, 1967, p. 111.

22 © Peter De Rosa

23 © The Revd. James Badcock, taken from *Flowing Streams*, published by NCEC.

26 © 1968, 1974 Stainer & Bell, taken from *Green Print for Song*.

28 © Burns & Oates

32 © Control

33 © Control

34 © Control

35 © Control

36 © Sheed & Ward, taken from *Open Your Hearts* by Huub Oosterhuis, 1972.

37 © Control

38 © Control

39 © Control

43 © Control

44 © The Royal Literary Fund. Used by permission of A. P. Watt Ltd.

45 © W. S. Beattie

46 © National Christian Education Council, taken from *Prayers for the Church Community* by Donald Hilton.

47 © Ted Schmidt

49 © Edith L. Pierce, USA.

50 © Clare Richards

54 © Sheed & Ward, taken from *Prayers, Poems and Songs* by Huub Oosterhuis.

55 © Reform Synagogues of Great Britain, taken from *Forms of Prayer for Jewish Worship, Volume 1, Daily & Sabbath Prayer Book*, Reform Synagogues of Great Britain, London 1974.

56 © John Murray (Publishers) Ltd, taken from Collected Poems by John Betjeman.

58 © Visva-Bharati, Calcutta, taken from the *Gitanjali*.

59 © Peter De Rosa

60 © HarperCollins Publishers, taken from *The Violence of Love* by Oscar Romero.

61 © Control

62 © HarperCollins Publishers, taken from *The Violence of Love* by Oscar Romero.

66 © SCM Press Ltd, adapted from *Contemporary Prayers for Public Worship*, ed. Caryl Micklem, 1967, pp. 113-114.

68 © 1968, 1974 Stainer & Bell, taken from *Green Print for Song*.

69 © 1969 Stainer & Bell, taken from *The Two-way Clock*.

70 © SCM Press Ltd, taken from *Letters and Papers from Prison, the Enlarged Edition*, 1971, by Dietrich Bonhoeffer.

72 © Peter De Rosa

73 © Burns & Oates, taken from *The Church* by Shalom Ben-Chorin.

78 © The Thomas Merton Legacy Trust, New York

79 © World Council of Churches, taken from *This is True* by Allan Boesak.

80 © Hodder Headline plc, taken from *Up to Date* by Steve Turner.

82 © Control

83 © SCM Press Ltd, taken from *Contemporary Prayers for Public Worship*, ed. Caryl Micklem, 1967.

81 © Hodder Headline plc, taken from *Up to Date* by Steve Turner.

84 © Rev. David J Harding

86 © Control

87 © Control

88 © Control

89 © Sheed & Ward, taken from *Open Your Hearts* by Huub Oosterhuis, 1972.

90 © Control

91 © Control

92 © Control

93 © Control

94 © Control

95 © SCM Press Ltd, taken from *More Contemporary Prayers for Public Worship*, ed. Caryl Micklem, 1970, p. 44.

100 © The Catholic Institute for International Relations

101 © National Christian Education Council, taken from *Liturgy of Life* by Donald Hilton, 1991.

102 © HarperCollins Publishers, taken from *A Bible Prayer Book for Today* by Peter De Rosa.

103 © Reform Synagogues of Great Britain, taken from *Forms of Prayer for Jewish Worship, Volume 1, Daily & Sabbath Prayer Book*, Reform Synagogues of Great Britain, London 1974.

107 © Peter De Rosa

110 © Burns & Oates

111 © 1969 MCA Music Ltd

112 © SPCK, taken from *Christ in the Concrete City* by P. W Turner.

113 © National Christian Education Council, taken from *Liturgy of Life* by Donald Hilton, 1991.

114 © Peter De Rosa

117 © Gill & Macmillan, Dublin, taken from *Prayers of Life* by Michel Quoist.

118 © Constable Publishers, taken from *Peter Abelard* by Helen Waddell.

120 © 1960 Stainer & Bell

121 © 1965, 1969 Stainer & Bell, taken from *Songs of Sydney Carter, Book 3*.

123 © HarperCollins Publishers, taken from *A Bible Prayer Book for Today* by Peter De Rosa.

124 © The Executors of Alfred Noyes' Literary Estate. Used by permission of Hugh Noyes.

125 © Peter De Rosa

126 © Peter De Rosa

128 © Darton Longman & Todd, taken from *Jesus Before Christianity* by Albert Nolan, 1977.

129 © Norma Farber

131 © The Estate of C. Day Lewis, taken from *The Complete Poems of C. Day Lewis*, published by Sinclair Stevenson (1992) © Copyright 1992 in this edition The Estate of C. Day Lewis.

132 © Burns & Oates

134 © Darton Longman & Todd Ltd, taken from *Good Friday People* by Sheila Cassidy, 1991.

135 © HarperCollins Publishers, taken from A *Bible Prayer Book for Today* by Peter De Rosa.

136 © Control

138 © Burns & Oates

139 © HarperCollins Publishers, taken from *A Bible Prayer Book for Today* by Peter De Rosa.

140 © Control

141 © Darton Longman & Todd Ltd, taken from *Good Friday People* by Sheila Cassidy, 1991.

142 © Control

143 © Control

144 © Control

145 © Control

146 © Control

150 © Control

151 © Control

152 © 1928 Oxford University Press

154 © Mowbray (an imprint of Cassell plc) taken from *The First Easter: What Really Happened?* by H. J. Richards.

156 © Control

157 © SCM Press Ltd, adapted from *Letters and Papers from Prison, the Enlarged Edition*, by Dietrich Bonhoeffer, p. 336f, SCM Press Ltd, 1971.

158 © Macmillan Press Ltd, taken from *Readings in St. John's Gospel* by William Temple.

159 © Mrs Ruth Robinson

162 © Mrs P. E. Dale, taken from *New World: The Heart of the New Testament*, OUP 1967.

163 © Oxford University Press, taken from the *Yattendon Hymnal.*

164 © Peter De Rosa

165 © Control

166 © Darton Longman & Todd Ltd, taken from *Jesus Before Christianity* by Albert Nolan, 1977.

167 © HarperCollins Publishers, taken from *A Bible Prayer Book for Today* by Peter De Rosa.

168 © SCM Press Ltd, taken from *The Go-Between God* by John V. Taylor, 1972, p. 221.

169 © SCM Press Ltd, taken from *The Go-Between God* by John V. Taylor, 1972, p. 243.

171 © SPCK, taken from *All Desires Known* by Janet Morley.

172 © Editions du Seuil, Paris, taken from *Hymne de l'univers* by Pierre Teilhard de Chardin.

179 © The Estate of Martin Luther King, taken from

Strength to Love, published by Hodder & Stoughton Ltd. Used by permission of Laurence Pollinger Ltd, London.

180 © WARC, taken from *Against Torture, Studies from the World Alliance of Reformed Churches No. 8* (Geneva, WARC, 1987).

181 © Iona Community, taken from *Only One Way Left* by George MacLeod, 1956 (Wild Goose Publications).

182 © Faber and Faber, London, taken from *Choruses from the Rock* from *Collected Poems 1909-1962* by T. S. Eliot.

184 © The Thomas Merton Legacy Trust, New York.

185 © Sheed & Ward, taken from *Open Your Hearts* by Huub Oosterhuis, 1972.

186 © SCM Press Ltd, taken from *A Faith for This One World* by Lesslie Newbigin, 1961.

187 © The Estate of Frieda Lawrence Ravagli, taken from *Phoenix II* by D. J. Lawrence. Used by permission of Laurence Pollinger Ltd.

188 © The Revd. David Jenkins, taken from *The Word and the World*, United Reformed Church Prayer Handbook, 1986.

190 © 1974 Australian Catholic Bishops Conference, Melbourne.

191 © 1994 Stephen Dean. Used by permission of OCP Publications, Portland.

194 © Nadine Brummer

195 © Control

196 © Control

197 © Control

198 © Control

199 © SCM Press Ltd, adapted from *More Contemporary Prayers for Public Worship*, ed. Caryl Micklem, 1970, p. 62.

200 © Control

201 © Sheed & Ward, taken from *Open Your Hearts* by Huub Oosterhuis, 1972.

202 © Control

203 © Control

204 © SCM Press Ltd, taken from *Contemporary Prayers for Public Worship*, ed. Caryl Micklem, 1967, p. 131.

207 © McCrimmon Publishing Co Ltd, taken from *The Creed for Children*, trs. H. J. Richards.

208 © Sheed & Ward, taken from *The Christ*, trs. Piet Schoonenberg.

209 © Sheed & Ward, taken from *Open Your Hearts* by Huub Oosterhuis, 1972.

210 © Anne Lewis, printed in the *Epworth Review* January 1991. This creed forms the centre of an unpublished collection of poems *Dreams*

and Rhythms of Love
reflecting on ministry in the
inner city.

212 © Burns & Oates, taken
from *Psalms of Struggle and
Liberation* by Ernesto
Cardenal.

213 © Rev. Dr Colin Morris

216 © Michael Yeats, taken
from *The Collected Poems of
W. B. Yeats*. Used by
permission of A. P. Watt
Ltd.

218 © Control

220 © Faber and Faber,
London, taken from *Zorba
the Greek* by Nikos
Kazantzakis.

221 © SCM Press Ltd, taken
from *Exploration into God*
by J. A. T. Robinson, 1967,
p. 67ff.

223 © Random House UK Ltd,
taken from *Bruno's Dream*
by Iris Murdoch, published
by Chatto & Windus.

224 © SCM Press Ltd, taken
from *Letters and Papers
from Prison, the Enlarged
Edition*, 1971 by Dietrich
Bonhoeffer.

226 © Reform Synagogues of
Great Britain, taken from
*Forms of Prayer for Jewish
Worship, Volume 1, Daily &
Sabbath Prayer Book*,
Reform Synagogues of
Great Britain, London
1974.

232 © The Royal Literary Fund.
Used by permission of A. P.
Watt Ltd.

233 © SCM Press Ltd, taken
from *On Being the Church
in the World* by J. A. T.
Robinson, 1964, p. 132ff.

234 © Columba Press, taken
from *God's Diary* by H. J.
Richards, 1991.

235 © SCM Press Ltd, taken
from *Letters and Papers
from Prison, the Enlarged
Edition*, 1971, by Dietrich
Bonhoeffer.

236 © Editions du Seuil, Paris,
taken from *Incognito* by
Petru Dumitriu.

237 © Control

239 © The Ecologist, taken
from *The Ecologist*, 1974.

241 © Mrs P. E. Dale, taken
from *New World: The Heart
of the New Testament*, OUP
1967.

242 © Mrs Ruth Robinson

243 © Control

245 © 1963, 1969 Stainer & Bell,
taken from *Green Print for
Song*.

246 © Mowbray (an imprint of
Cassell plc) taken from *The
First Christmas: What Really
Happened?* by H. J.
Richards.

247 © Control

248 © Control

249 © McCrimmon Publishing Co Ltd, taken from *You Can't Climb a River* by Estelle White.

251 © Control

253 © Gujarat Sahitya Prakash, India, taken from *The Song of the Bird* by Anthony de Mello.

254 © Control

258 © Peter De Rosa

259 © Dimension Books Inc., NJ, taken from *The Face of God* by the Most Reverend Archbishop Joseph Raya.

260 © Crossroad Publishing Co., New York, adapted from *Consider Jesus* by Elizabeth A. Johnson, 1990.

261 © Peter De Rosa

262 © HarperCollins Publishers, taken from *On Being a Christian* by Hans Kung.

263 © Mowbray (an imprint of Cassell plc) taken from *The Miracles of Jesus* by H. J. Richards.

264 © Peter De Rosa

265 © Mrs P. E. Dale, taken from *New World: The Heart of the New Testament*, OUP 1967.

267 © Reform Synagogues of Great Britain, taken from *Forms of Prayer for Jewish Worship, Volume 1, Daily & Sabbath Prayer Book*, Reform Synagogues of Great Britain, London 1974.

268 © 1973 Epworth Press, taken from *The Hammer of the Lord* by Colin Morris. Used by permission of the Methodist Publishing House.

269 © Gujarat Sahitya Prakash, India, taken from *The Song of the Bird* by Anthony de Mello.

270 © 1969 Stainer & Bell, taken from *The Two-way Clock*.

273 © Control

274 © Control

275 © Control

277 © Burns & Oates, taken from *Psalms of Struggle and Liberation* by Ernesto Cardenal.

279 © Control

280 © Control

281 © Reform Synagogues of Great Britain, taken from *Forms of Prayer for Jewish Worship, Volume 1, Daily & Sabbath Prayer Book*, Reform Synagogues of Great Britain, London 1974.

282 © Columba Press, taken from *God's Diary* by H. J. Richards, 1991.

283 © 1971 Stainer & Bell

284 © Control

288 © Sheed & Ward, taken from *Open Your Hearts* by Huub Oosterhuis, 1972.

289 © Sheed & Ward, taken from *Open Your Hearts* by Huub Oosterhuis, 1972.

291 © SCM Press Ltd, taken from *More Contemporary Prayers for Public Worship*, ed. Caryl Micklem, 1970, p. 27.

292 © Burns & Oates, taken from *Thoughts in Solitude* by Thomas Merton.

295 © Geoffrey Chapman (an imprint of Cassell plc)

296 © Mowbray (an imprint of Cassell plc)

297 © Baptist Missionary Society

299 © Geoffrey Chapman (an imprint of Cassell plc)

301 © Control

303 © Burns & Oates, taken from *Psalms of Struggle and Liberation* by Ernesto Cardenal.

304 © World Council of Churches, Geneva, taken from *Anybody Everybody* by Huub Oosterhuis, 1981.

306 © Christian Aid (taken from a Christmas Leaflet, 1989).

307 © Peter De Rosa

308 © Orbis Books, New York, taken from *In the Parish of the Poor* by J. B. Aristide.

309 © Deutscher Taschenbuch Verlag, Germany, taken from Dorothee Sölle: *Gott im Müll* © 1992 Deutscher Taschenbuch Verlag, Munich. For the English edition: *Celebrating Resistance: The way of the cross in Latin America*, Chapter 'God in the trash' © 1993 Mowbray-Cassell, London.

310 © Control

313 © Timothy Dudley-Smith

315 © Professor Michael Goulder

316 © The Royal Literary Fund. Used by permission of A. P. Watt Ltd.

317 © The Royal Literary Fund. Used by permission of A. P. Watt Ltd.

319 © 1964 Schroder Music Co, USA. Assigned to TRO Essex Music Ltd, London. International copyright secured. All rights reserved. Used by permission.

322 © Control

323 © SCM Press Ltd, adapted from *Letters and Papers from Prison, the Enlarged Edition*, 1971, by Dietrich Bonhoeffer, p. 176.

325 © Professor Michael Goulder

327 © Edition du Seuil, Paris, taken from *Le Milieu Divin* by Pierre Teilhard de Chardin, trs. Barbara Wall.

329 © 1989 Lionel Blue, taken from *Blue Horizons* by Rabbi Lionel Blue, published by Hodder & Stoughton. Used by permission of Sheil Land Associates Ltd.

331 © Reform Synagogues of Great Britain, taken from *Forms of Prayer for Jewish Worship, Volume 1, Daily & Sabbath Prayer Book,* Reform Synagogues of Great Britain, London 1974.

333 © Rev. James Stringfellow

335 © Control

336 © Control

337 © The Catholic Herald (taken from the *Catholic Herald*, 1 October 1977).

338 © Copyright 1982 The Christian Conference of Asia

339 © Twenty-Third Publications, taken from *Memoirs and Memories* by Gary MacEoin.

341 © The Institute for Contextual Theology, South Africa, taken from the Kairos Document, p. 185.

346 © Constable Publishers, taken from *The Desert Fathers* by Helen Waddell.

347 © HarperCollins Publishers, taken from *Wishful Thinking* by F. Buechner.

348 © Control

350 © SCM Press Ltd, taken from *Christian Freedom in a Permissive Society* by J. A. T. Robinson, 1970.

352 © 1961 Leo Baeck. Used by permission of Schocken Books, distributed by Pantheon Books, a division of Random House, Inc., New York.

353 © E. P. Dutton & Co Inc., taken from *A Precocious Autobiography* by Yevgeny Yevtushenko, first published in the English language by E. P. Dutton & Co, New York. First published in Great Britain by Collins Harvill 1967. © in the English translation E. P. Dutton & Co. Inc. Used by permission of The Harvill Press, London.

354 © 1972 Stainer & Bell

358 © Reform Synagogues of Great Britain, taken from *Forms of Prayer for Jewish Worship, Volume 1, Daily & Sabbath Prayer Book,* Reform Synagogues of Great Britain, London 1974.

359 © 1968 Epworth Press, taken from *Include Me Out* by Colin Morris. Used by permission of the Methodist Publishing House.

360 © Control

361 © 1968 Stainer & Bell

362 © Columba Press, taken from *God's Diary* by H. J. Richards, 1991.

364 © Control

367 © The Estate of Frieda Lawrence Ravagli, taken from *The Complete Poems of D. H. Lawrence*. Used by permission of Laurence Pollinger Ltd.

368 © Control

370 © 1973 Epworth Press, taken from *The Hammer of the Lord* by Colin Morris. Used by permission of the Methodist Publishing House.

371 © Control

372 © 1963 Schroder Music Co, USA. Assigned to TRO Essex Music Ltd, London. International copyright secured. All rights reserved. Used by permission.

373 © Peter De Rosa

374 © Burns & Oates, taken from *Psalms of Struggle and Liberation* by Ernesto Cardenal.

377 © Westminster John Knox Press, USA, taken from *Comfort and Protest* by Alan Boesak.

378 © Nadine Brummer

379 © Control

380 © Nadine Brummer

381 © Control

382 © Control

383 © Control

384 © SCM Press Ltd, taken from *Contemporary Prayers for Public Worship*, ed. Caryl Micklem, 1967, p. 36.

385 © SCM Press Ltd, taken from *Contemporary Prayers for Public Worship*, ed. Caryl Micklem, 1967, p. 34.

386 © SCM Press Ltd, taken from *Contemporary Prayers for Public Worship*, ed. Caryl Micklem, 1967, p. 19.

387 © SCM Press Ltd, adapted from *More Contemporary Prayers for Public Worship*, ed. Caryl Micklem, 1970, p. 68.

388 © SCM Press Ltd, taken from *More Contemporary Prayers for Public Worship*, ed. Caryl Micklem, 1970, p. 20.

389 © SCM Press Ltd, taken from *More Contemporary Prayers for Public Worship*, ed. Caryl Micklem, 1970, p. 17.

391 © Orbis Books, New York, taken from *Faith of a People*, 1986

394 © HarperCollins Publishers, taken from *Uncommon Prayer*.

395 © SCM Press Ltd, taken from *The Eternal Now* by Paul Tillich, 1963.

396 © Faber and Faber, London, taken from *Zorba the Greek* by Nikos Kazantzakis.

402 © Nadine Brummer

406 © Mr R. S. Thomas

411 © HarperCollins Publishers, taken from *New Christian Poetry* by Dr Alwyn Marriage.

413 © The Estate of C. Day Lewis, taken from *The Complete Poems of C. Day Lewis*, published by Sinclair Stevenson (1992) © Copyright 1992 in this edition The Estate of C. Day Lewis.

414 © David Higham Associates, taken from *A Sense of the World* by Elizabeth Jennings, published by Carcanet.

415 © Gill & Macmillan, Dublin, taken from *Prayers of Life* by Michel Quoist.

417 © Control

421 © 1986 David Gracie. All rights reserved. Used by permission of Cowley Publications, USA.

422 © The Estate of Bernard Shaw. Used by permission of The Society of Authors.

423 © Alfred Willetts, based on Luke 1:46-55. Deaconess Phoebe Willetts (1917-1978).

424 © 1968 Stainer & Bell, taken from *The Hymn Texts of Fred Kaan*.

425 © HarperCollins Publishers, taken from *A Bible Prayer Book for Today* by Peter De Rosa.

426 © HarperCollins Publishers, taken from *A Bible Prayer Book for Today* by Peter De Rosa.

427 © Geoffrey Chapman (an imprint of Cassell plc)

431 © Darton Longman & Todd Ltd, taken from *God and Man* by Anthony Bloom, 1971.

432 © Darton Longman & Todd Ltd, taken from *Jesus Before Christianity* by Albert Nolan, 1977.

433 © Control

434 © David Higham Associates, taken from *The Zeal of Thy House* by Dorothy L Sayers.

435 © HarperCollins Publishers, taken from *A Bible Prayer Book for Today* by Peter De Rosa.

437 © 1964 Stainer & Bell, taken from *Green Print for Song*.

438 © SCM Press Ltd, taken from *Contemporary Prayers for Public Worship*, ed. Caryl Micklem, 1967, p. 60.

444 © HarperCollins Publishers, taken from *New Christian Poetry* by Dr Alwyn Marriage.

445 © 1964 Stainer & Bell, taken from *Songs of Sydney Carter Book 1*.

447 © HarperCollins Publishers, taken from *A Bible Prayer Book for Today* by Peter De Rosa.

453 © Peter De Rosa

460 © Constable Publishers, taken from *Mediaeval Latin Lyrics*, translated by Helen Waddell.

464 © Control

465 © Mowbray (an imprint of Cassell plc), taken from *The First Christmas: What Really Happened?* by H. J. Richards.

467 © 1980 Stainer & Bell, taken from *The Galliard Book of Carols*.

473 © Constable Publishers, taken from *Mediaeval Latin Lyrics*, translated by Helen Waddell.

472 © Control

474 © Stainer & Bell

480 © The Royal Literary Fund, taken from *The Rolling English Road* by G. K. Chesterton. Used by permission of A. P. Watt Ltd.

486 © Faber and Faber, London, taken from *Murder in the Cathedral* by T. S. Eliot.

494 © SCM Press Ltd, taken from *Letters and Papers from Prison, the Enlarged Edition*, 1971, by Dietrich Bonhoeffer, p. 139.

495 © Ateliers et Presses de Taizé

496 © Control

497 © Control

498 © Control

499 © The Tablet, London.

500 © SCM Press Ltd, adapted from *Contemporary Prayers for Public Worship*, ed. Caryl Micklem, 1967, p. 56f.

The following are all © Kevin Mayhew Ltd: 1, 2, 19, 21, 40, 41, 48, 51, 52, 57, 64, 65, 67, 77, 96, 97, 100, 115, 116, 147, 148, 149, 160, 173, 174, 176, 177, 178, 193, 211, 217, 225, 227, 240, 244, 255, 256, 302, 311, 312, 320, 321, 330, 340, 342, 356, 357, 403, 404, 409, 418, 454, 455, 458, 461, 463, 468, 484.

Addresses of copyright owners

Ateliers et Presses de Taizé, F-71250 Taizé-Communauté, France.

Australian Catholic Bishops' Conference, GPO Box 368, Canberra, ACT 2601, Australia.

Baptist Missionary Society, PO Box 49, Baptist House, 129 Broadway, Didcot, Oxon, OX11 8XA.

Burns and Oates, Wellwood, North Farm Road, Tunbridge Wells, Kent, TN2 3DR.

Cassells Plc, Wellington House, 125 Strand, London, WC2R 0BB.

Catholic Herald Ltd, Herald House, Lambs Passage, Bunhill Row, London, EC1Y 8TQ.

Catholic Institute for International Relations, Unit 3, Canonbury Yard, 190a New North Road, Islington, London, N1 7BJ.

Christian Aid, PO Box 100, London, SE1 7RT.

Christian Conference of Asia, Pak Tin Village, Mei Tin Road, Shatin, NT, Hong Kong.

Church Mission Society, Partnership House, 157 Waterloo Road, London, SE1 8UU.

Columba Press, 93 The Rise, Mount Merrion, Blackrock, Co Dublin, Eire.

Constable Publishers, 3 The Lanchesters, 163 Fulham Palace Road, London, W6 9ER.

Cowley Publications, 28 Temple Place, Boston, Massachusetts, 02111, USA.

Crossroad Publishing Company, 370 Lexington Avenue, Suite 2600, New York, NY 10017 6503, USA.

Darton Longman and Todd Ltd, 1 Spencer Court, 140-142 Wandsworth High Street, London, SW18 4JJ.

David Higham Associates Ltd, 5-8 Lower John Street, Golden Square, London, W1R 4HA.

Deutscher Taschenbuch, Verlag GmbH and Co. KG, Friedrichstr La, 80801 München, Germany.

Dimension Books Inc., PO Box 811, Denville, New Jersey, 07834, USA.

ACKNOWLEDGEMENTS

Timothy Dudley-Smith, 9 Ashlands, Ford, Salisbury, Wiltshire, SP4 6DY.

Edition du Seuil, 27 Rue Jacob, 75261 Paris, France.

The Executors of Alfred Noyes' Literary Estate, Lisle Combe, Undercliff Drive, St. Lawrence, Ventnor, Isle of Wight, PO38 1UW.

Faber and Faber, 3 Queen Square, London, WC1N 3AU.

Friends of York Minster, Church House, Ogleforth, York, YO1 2JN.

Gill and Macmillan, Goldenbridge, Dublin 8, Ireland.

Gujarat Sahitya Prakash, Anand, Gujarat, 388 001, India.

HarperCollins Publishers, 77-85 Fulham Palace Road, Hammersmith, London, W6 8JB.

Harvill Press, 84 Thornhill Road, London, N1 1RD.

Hodder Headline plc, 338 Euston Road, London, NW1 3BH.

Institute for Contextual Theology, PO Box 32047, Braamfontein, South Africa 2017.

John Murray, 50 Albemarle Street, London, W1X 4BD.

Laurence Pollinger Ltd, 18 Maddox Street, Mayfair, London. W1R 0EU.

Macmillan Press Ltd, Houndmills, Basingstoke, Hampshire, RG21 6XS.

MCA Music Ltd, Elsinore House, 77 Fulham Palace Road, London, W6 8JA.

McCrimmon Publishing Co Ltd, 10-12 High Street, Great Wakering, Southend-on-Sea, Essex, SS3 0EQ.

Methodist Publishing House, 20 Ivatt Way, Peterborough, PE3 7PG.

Mowbray, Cassells Plc, Wellington House, 125 Strand, London, WC2R 0BB.

National Christian Education Council, 1020 Bristol Road, Selly Oak, Birmingham, B29 6LB.

OCP Publications, PO Box 18030, Portland, Oregon 97218-0030, USA.

Orbis Books, PO Box 308, Maryknoll, New York, 10545-0308, USA.

Oxford University Press, Great Clarendon Street, Oxford, OX2 6DP.

Penguin UK, 27 Wrights Lane, London, W8 5TZ.

Random House UK Ltd, 20 Vauxhall Bridge Road, London, SW1V 2SA.

Random House, Inc., Alfred A Knopf, Inc., Permissions Dept, 201 East 50th Street, New York, New York 10022, USA.

Reform Judaism, Reform Synagogues of Great Britain, The Sternberg Centre, 80 East End Road, Finchley, London, N3 2SY.

SCM Press Ltd, 9-17 St Albans Place, London, N1 0NX.

Sinclair-Stevenson, Random House UK Ltd, 20 Vauxhall Bridge Road, London, SW1V 2SA.

Sheed and Ward, 14 Coopers Row, London, EC3N 2BH.

Sheil Land Associates Ltd, 43 Doughty Street, London, WC1N 2LF.

Society of Authors, 84 Drayton Gardens, London, SW10 9SB.

SPCK, Holy Trinity Church, Marylebone Road, London, NW1 4DU.

Stainer and Bell Ltd, PO Box 110, Victoria House, 23 Gruneisen Road, Finchley, London, N3 1DZ.

The Ecologist, Editorial Office, Agricultural House, Bath Road, Sturminster Newton, Dorset, DT10 1DU.

The Tablet Publishing Co. Ltd, 1 King Street Cloisters, Clifton Walk, London, W6 0QZ.

Thomas Merton Legacy Trust, c/o Anne McCormick, Apt. 14E, 670 West End Avenue, New York, NY 100125, USA.

Tro Essex Music Ltd., Suite 2.07, Plaza 535 King's Road, London, SW10 0SZ.

Twenty-Third Publications, PO Box 180, 185 Willow Street, Mystic, CT 06355.

United Reformed Church, Room 1, First Floor, 65 Westgate Road, Newcastle upon Tyne, NE1 1SG.

Visva-Bharati University, 6 Acharya Jagadish Bose Road, Calcutta 700 017, India.

A. P. Watt Ltd, 20 John Street, London, WC1N 2DR.

Westminster John Knox Press, 100 Witherspoon Street, Louisville, Kentucky, 40202-1396, USA.

Wild Goose Resource Group, Iona Community, Pearce Institute, 840 Govan Road, Glasgow, G51 3UU.

World Alliance of Reformed Churches, PO Box 2100, 150, Route de Ferney, 1211 Geneva 2, Switzerland.

World Council of Churches, 150, Route de Ferney, PO Box 2100, 1211 Geneva 2, Switzerland.